AF865400

crosspaint

ISBN: 978-2-940726-24-0

Druck: GGP Media GmbH, Pößneck
Printed in Germany

crosspaint
Rue Pechevaux 7,
2606 Corgémont
Schweiz

FSC
www.fsc.org
MIX
Papier | Fördert
gute Waldnutzung
FSC® C014496

Für den himmlischen Bräutigam,
der uns *wirklich* liebt.

Für Henni – meine Liebe –,
die mich *trotzdem* liebt.

Und alle Personen, die mich geliebt
haben und jeden Tag lieben, obwohl
ich noch nicht perfekt lebe.

WENN DU WENIG ZEIT HAST
(2MIN)

Vielleicht hast du mein erstes Buch gelesen („Überrascht von Furcht") und denkst dir nun bei diesem neuen Buch: Ist dieses Buch auch etwas für mich? Lies dir einfach wieder kurz die FAQ durch und schau, ob es sich für dich lohnt:

Dieses Buch ist ***nichts*** für dich, wenn ...

... du nicht willst, dass dich jemand herausfordert.
(Genau wie beim letzten Buch)
... du keine wirkliche Liebe zur Kirche hast.
... du nichts an deinem Leben ändern willst.
... du um jeden Preis in deiner Komfortzone bleiben willst.
... du nicht bereit bist, die Bibel als Autorität in deinem Leben anzuerkennen.

Aber dieses Buch ***ist*** etwas für dich, wenn ...

... du verstehen willst, wie sehr dich Gott liebt.
... du lernen willst, andere zu lieben, obwohl sie manche Dinge anders sehen.
... du dich nach wahrer Erweckung in deinem persönlichen Leben sehnst.
... du dich nach echter Erweckung in deiner Gemeinde sehnst.
... du deine wahre Identität finden willst.

„Aber ich habe nicht viel Zeit – soll ich das *trotzdem* lesen?"

Ja, denn das Buch ist super einfach zu lesen und es wird dir tatsächlich Zeit *sparen*.

Du kannst dieses Buch lesen, wenn du fünf Minuten pro Tag investierst. Die Kapitel sind klein und die Sprache einfach. Aber die Botschaft dieses Buches wird dir helfen, Fehler zu vermeiden, die dich 5, 10 oder 25 Jahre deines Lebens kosten könnten. Es spielt keine Rolle, wie schnell du einen Berg besteigen kannst, wenn es der falsche ist. Sei lieber sicher, dass du den richtigen Berg besteigst. Dieses Buch hilft dir, diesen Fehler zu vermeiden.

„Ich lese nicht viel – was kann ich tun?“

Weißt du was? Ich auch nicht. Ich bin ein sehr visueller Mensch. Deshalb kannst du dich auf eine einfache Sprache und viele Illustrationen freuen, die dir das Lesen erleichtern. Am Ende jedes Kapitels findest du eine kurze Zusammenfassung der wichtigsten Punkte. Vielleicht ist es das Buch, das dich wieder zum Lesen bringt!

„Gibst du mir einen kleinen Vorgeschmack auf das, was mich erwartet?“

Kein Problem. In diesem Buch möchte ich dir zeigen, dass Gott dich wirklich liebt. Viele denken, das wäre kalter Kaffee. Aber in Wahrheit zeigt unser Verhalten, dass wir nicht wirklich glauben, dass Gott uns liebt. Warum das so ist, zeig ich dir in Teil 1 und 2. Aber dabei bleibt es nicht. In Teil 3 gehe ich mit dir durch die Stellen in der Bibel, die dir helfen, Gottes Liebe speziell für dich neu zu entdecken. Wie du das dann ausleben kannst im Blick auf andere – darum geht es in Teil 4 und 5.

I

DIE KRISE:
WIR HABEN EIN LIEBESPROBLEM!

II

DIE UNTERSUCHUNG:
WARUM LIEBEN WIR NICHT?

III

DIE BEWÄLTIGUNG:
GOTT LIEBT DICH

IV

DIE NEUORIENTIERUNG:
GOTT LIEBT UNS

V

DIE MOBILISIERUNG:
LIEBE ALS LIFESTYLE

LIEBE? – FEHLANZEIGE! 9
SYMPTOME 25
DIE LIEBE FINDET EINEN WEG 46

WAS IST LIEBE 55
EIN NEUER SCHATZ 75
START 89
GOTTES LIEBE IN ÄGYPTEN 120

KEINE SELBSTHILFE 136
DAS ALTE UND DAS NEUE SELBST 154
DAS FALSCHE SELBST 189
GELIEBT 223

HASS IN DER KIRCHE 249
DIE HIMMLISCHE KIRCHE 258
DIE KIRCHE AUF DER ERDE 272

DIE KRAFT DER LIEBE IN DER ECHTEN WELT 289
LIEBE GIBT 303
ALLES GEBEN AUF DEN LETZTEN METERN 311

TEIL I

DIE KRISE:

WIR HABEN EIN LIEBESPROBLEM!

KAPITEL 1

LIEBE? – FEHLANZEIGE!

DER SCHREI UNSERER SEELE

Niemanden juckt es

„NEIN! Ich nehme das Zeug nicht! Das bringt mich um!“

Das waren keine verzweifelten Schreie aus einer Irrenanstalt, sondern aus einem Lehrerzimmer. Dem Lehrerzimmer einer deutschen Schule. Wie Toreros, die einen verwundeten Stier umringen, versuchten die Lehrer einen Jungen so weit zu kriegen, dass er ein Beruhigungsmittel nehmen konnte. Irgendwann brach der Junge emotional zusammen. Langsam nahm er seine Tablette. Aber leise schluchzte er, gerade so laut, dass alle im Raum es hören konnten:

„Ich brauche dieses Sch...ritalin nicht. Ich brauche einen Vater.“

Diese Geschichte ist wahr. Sie ist nicht nur tatsächlich passiert, sondern wiederholt sich täglich. Sie ist sogar für den Großteil einer ganzen Generation wahr – meiner Generation. Eine Generation, die sich nach Liebe sehnt und diese Sehnsucht mit allen möglichen falschen Dingen ertränkt. Eine vaterlose Generation, die Beruhigungspillen schluckt, wie andere Smarties essen. Eine Generation, die Sex auf Knopfdruck bekommt, aber nie die tiefe Intimität wahrer Liebe erlebt.

Wenn du nicht in einer Höhle lebst, ist es fast unmöglich, den stummen Schrei dieser Generation zu überhören. Der Ruf junger Menschen, die alles haben und doch nichts sind. Eine Generation, die auf die Ewigkeit zurast, ohne Frieden mit dem Ewigen gefunden zu haben.

Vielleicht denkst du, diese Geschichte ist eine Ausnahme.

Dann lass uns zu einer anderen Schule gehen.

In der Schweiz. In einem Land, in dem alle glücklich sind.

Vor einigen Jahren habe ich dort als Aushilfslehrer an einer öffentlichen Schule gearbeitet, die vor allem von sehr wohlhabenden Kindern besucht wird. Wie in den meisten Dörfern ging es dort ruhiger zu. Im Gegensatz zu den Schulen in Großstädten war die Welt hier noch in Ordnung. Ganz oben auf meinem Lehrplan stand: *Aufklärung über das Rauchen.*

Hm. Da musste ich zweimal hinschauen.

Offenbar sollte ich ihnen helfen, sich das Rauchen abzugewöhnen. Also fragte ich: „Wer raucht hier?" Nur eine Hand hob sich. Das war nicht allzu überraschend. Rauchen, zumindest Kettenrauchen, wie es unter Jugendlichen vor zwanzig Jahren üblich war, ist out. Heute rauchen die Leute eher Marihuana oder noch härtere Sachen.

Ich hielt inne, um die Situation zu überdenken.

Was mich mehr interessierte als das Rauchen, waren die *Menschen,* die vor mir saßen.

Also fing ich an, ganz zwanglos mit ihnen zu sprechen: „Womit habt *ihr* zu kämpfen?"

Und dann geschah etwas Erstaunliches.

Als ob ein Sonnenstrahl eine dicke Gefängnismauer durchbrochen hätte.

Wie Menschen, die wochenlang in Isolation gelebt hatten, begannen sie, einer nach dem anderen auszupacken.

Jason machte den Anfang. Er war 14 Jahre alt und schien das Alphatier der Gruppe zu sein. Ob es für ein 11-jähriges Mädchen normal sei, ihn zu fragen, ob er Sex haben wolle. Man konnte ihm ansehen, dass er sich ernsthaft fragte, ob das nicht vielleicht ein bisschen früh war.

„Also", fragte ich Jason, „was, denkst du, ist ein normales Alter, um sexuell aktiv zu werden?"

„Na ja", sagte er und überlegte kurz, „14 ist okay.

Aber 11 Jahre ..."

Er ließ die Frage im Raum stehen.

Das Gespräch ging weiter. Kaum im Teenageralter, wusste Jason bereits von vier Mädchen aus seiner Klasse, die abgetrieben hatten. Ein anderer aus der Gruppe musste am nächsten Tag wegen Drogen vor Gericht erscheinen. Ein anderer hatte nichts Besseres zu tun, als in ein Haus einzubrechen. Zur Entspannung lernten sie mithilfe von YouTube-Videos, wie sie sich selbst tätowieren konnten, und übten direkt aneinander.

Inmitten dieses moralischen Durcheinanders fiel eine Bemerkung von Jason, die mich erschütterte und mir bis heute nicht aus dem Kopf gegangen ist:

„Wir können machen, was wir wollen. Unsere Eltern werden erst nervös, wenn wir als kleine Fleischstücke in einer Plastiktüte im Briefkasten liegen."

Ich verstand, was er meinte. Er war überzeugt, dass ihre Eltern sich erst in Bewegung setzen würden, wenn es zu spät war. Nach dieser Stunde hatte ich 45 Minuten Pause und saß einfach im leeren Klassenzimmer, betete und starrte aus dem Fenster. Rein physisch hatten diese Jugendlichen alles, was sie benötigten, doch etwas fehlte. Sie bekamen, was sie wollten, aber nicht, was sie wirklich brauchten: Liebe.

Ich musste immer wieder an den Ritalin-Jungen im Lehrerzimmer denken.

„Ich brauche kein Ritalin. Ich brauche einen Vater."

Wahrscheinlich hast du gerade Tränen in den Augen oder zumindest in deinem Herzen. Meine Generation ist tiefer gefallen als jede andere, aber ich glaube immer noch an einen Gott, der laut Jesaja 41,4 auch bei den Letzten noch derselbe ist. Er ist der Vater der Vaterlosen (Psalm 68,6) und wird für diese Generation kämpfen.

Wer meint, unter Christen gäbe es diese Probleme nicht, hat sich leider getäuscht. Sieh dir einmal diese Statistiken von einem Bericht von Lifeway Research an:

- 60 % aller Teenager und 30 % der überzeugten christlichen Teenager kämpfen mit Depressionen.
- 35 % aller Teenager und 12 % der überzeugten christlichen Teenager haben mit Selbstmordgedanken zu kämpfen.
- 72 % aller Teenager und 41 % der christlichen Teenager, welche die Kirche besuchen, sind in der Pornografie gefangen.[1]

KÄMPFST DU DAMIT? SCHAU MAL AUF SEITE 327

- 48 % der 13- bis 15-Jährigen und 51 % der 18- bis 19-Jährigen haben in den letzten drei Monaten Pornos angeschaut.
- Christliche Jugendliche, die sich selbst als solche bezeichnen, sind häufiger sexuell aktiv als nicht christliche Jugendliche.[2]

Ja, die Y- und Z-Generation ist „im Eimer“. Das ist die schlechte Nachricht. Die gute Nachricht ist, dass sie nicht allein sind. Denn in diesem Eimer ist Gott. Und er gibt uns niemals auf. Seine Barmherzigkeit und seine Liebe sind tiefer als der Boden jedes Eimers.

Als ich das nächste Mal in der Schule war, traf ich dieselbe Gruppe junger Leute hinter einem nahe gelegenen Gebäude. Ironischerweise eine Kirche. Sie machten gerade Mittagspause und rauchten Gras.

„Wann kommst du wieder in unsere Klasse?“, fragte einer.

„Keine Ahnung“, antwortete ich, „das hängt vom Stundenplan ab.“

„Ich hoffe bald“, erwiderte er, ohne den Kopf zu heben.

„Ja“, dachte ich mir, als ich wegging, „ich werde wiederkommen. Aber um dabei zu helfen, die Probleme dieser Generation zu bekämpfen, werde ich wahrscheinlich mein ganzes Leben zu tun haben.“

Big Brother is watching you

> *„Für viele Jugendliche ist gecancelt zu werden die schlimmste Strafe, die sie sich vorstellen können.“*
>
> – Newport Academy[3]

Ich war auf dem Weg zur Arbeit in Genf, als unser Zug plötzlich stark abbremste. Wir befanden uns mitten in einer der schönsten Gegenden der Schweiz. Zu meiner Linken glitzerte der malerische See im Sonnenlicht und reflektierte den klaren, blauen Himmel. Zu meiner Rechten erstreckten sich die prächtigen Weinberge. Über mir blinkte das Licht des Lautsprechers, der aktiviert wurde, als der Lokführer den Grund für den Halt bekannt gab.

Personenunfall.

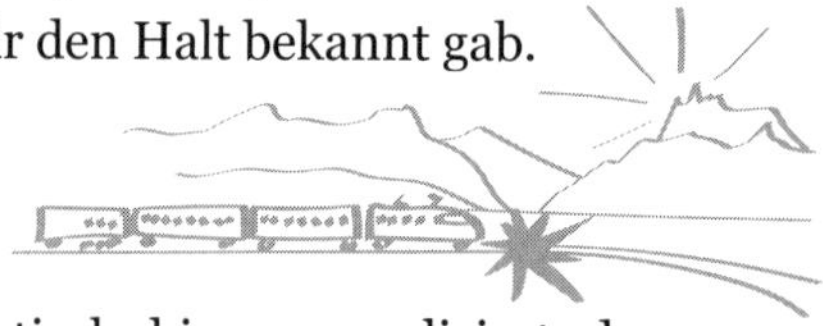

Klingt erst mal nicht weiter dramatisch, bis man realisiert, dass es sich um ein Codewort für Selbstmord handelt. Um mich herum allgemeine Bestürzung. Es war ein erschreckender Moment der Realität. Der Tod inmitten eines Paradieses. Das Schlimmste ist, dass es sich nicht um eine Ausnahme handelte, sondern fast schon routinemäßig passiert ist. Menschen bringen sich viel zu oft um – und das sogar in der Schweiz, dem glücklichsten und schönsten Land der Welt!

Warum?

Nach meinem Gespräch mit den Teenagern in der Schule hatte ich eine Ahnung. Sie waren reich, sie waren schön, sie besaßen die tollsten Sachen, die man sich nur vorstellen kann. Sie hatten eine tolle Ausbildung und jede Menge Freunde. Aber eine sehr wichtige Sache fehlte ihnen. *Sie wurden nicht geliebt.* Sie bekamen wenig bis gar keine Aufmerksamkeit von ihren Eltern. Sie hatten das Gefühl, dass sie nur dann wahrgenommen wurden, wenn sie in Plastiktüten nach Hause geschickt wurden.

Diese Wohlstandsverwahrlosung meiner Generation erinnert mich an ein berühmtes grausames Experiment aus dem 13. Jahrhundert, das dem deutschen Kaiser Friedrich II. zugeschrieben wird. Seine Absicht? Er wollte herausfinden, welche Sprache Kinder von Natur aus sprechen würden, wenn man ihnen keine beibringt. Also trennte Kaiser Friedrich die Babys nach der Geburt von ihren Müttern und gab sie in die Obhut von Ammen, denen es verboten war, mit ihnen zu sprechen. Zu seiner großen Enttäuschung wurde das Experiment abgebrochen, aber nicht, bevor er auf tragische Art und Weise etwas über die menschliche Natur erfahren hatte.

Wie du dir wahrscheinlich schon gedacht hast, wuchsen diese Kinder auf und sprachen überhaupt keine Sprache. Aber nicht aus dem Grund, den du jetzt vielleicht vermutest. Sie schwiegen ... und sollen sogar gestorben sein.

Dieses Experiment zeigt, was wir alle wissen: Liebe und Aufmerksamkeit sind überlebenswichtig. Daran hat sich auch acht Jahrhunderte später nichts geändert. „Isolation ist die Hauptursache für Depression und Selbstmord", sagt Wataru Nishida, Psychologe an der Temple University in Tokio.[4] Obwohl wir durch die sozialen Medien hypervernetzt sind, fühlen sich die Menschen einsamer denn je zuvor.

Ein entscheidender Teil des Problems der Teenager an der Schule war die *Kommunikation*. Genauer gesagt, das Fehlen derselben: Isolation. Niemand redete mit ihnen. Deshalb brach der Damm, als ich mich einmischte und ihnen einfach Zeit und Raum zum Reden gab und ihre Wunden zu bluten begannen wie ein Wasserfall. Ihre Not wurde sichtbar.

Die Welt befindet sich in einer Krise.

Eine Krise der Aufmerksamkeit. Oder – wenn du tiefer gräbst – eine Liebeskrise.

Aber unsere Generation erlebt nicht nur einen Mangel an Liebe, sondern auch ein Übermaß an dem Gegenteil von Liebe: Hass. Kaum *positive* Aufmerksamkeit, dafür aber eine Menge *negative* „Aufmerksamkeit".

Cancel Culture.

Cancel Culture bedeutet öffentlicher Liebesentzug. Es ist eine Form der Ausgrenzung, bei der jemand aus sozialen oder beruflichen Kreisen verdrängt wird – sei es online, in den sozialen Medien oder persönlich. Man wird gecancelt. Rausgeekelt. Beiseitegeschoben. Aus der Gruppe entfernt. Ausgestoßen.

Diejenigen, die dieser Ächtung ausgesetzt sind, haben angeblich etwas getan oder gesagt, was nicht mit der aktuellen politischen Korrektheit *übereinstimmt*. Chrissy Teigen und Kevin Hart wurden zum Beispiel für Tweets verurteilt, die sie vor Jahren geschrieben hatten und die nicht mehr so populär oder schmeichelhaft waren. Für diese beiden einst beliebten Stars bedeutete das den Verlust von Werbeverträgen und Arbeitsmöglichkeiten.

Cancel Culture bedeutet, dass du *jetzt* perfekt sein musst, nach einem Standard, *den es noch gar nicht gibt*. Viel Glück dabei!

Obwohl Teigen und Hart nur zwei Beispiele sind, handelt es sich nicht nur um ein seltenes persönliches Phänomen, das nur eine Handvoll Menschen erfahren. Es ist vielmehr ein *kollektives* Problem, das die Massen betrifft.

Dass es sich um ein weitverbreitetes Phänomen handelt, zeigt sich am maßlosen Erfolg von Produktionen wie der „Hunger Games"-Reihe und der Netflix-Serie „Squid Game". Diese Serie zeigt Hunderte von Teilnehmern, die in Geldnot geraten sind und eine Einladung zu Kinderspielen annehmen, um einen verlockenden Preis zu gewinnen. Doch die Einsätze sind tödlich: Ein kleiner Fehler wird mit der sofortigen Hinrichtung bestraft. Einfach nur barbarisch. Aber warum sehen sich so viele Menschen diese Serie an?

Die Antwort ist: Wir alle haben uns (bis zu einem gewissen Grad) schon mal so wie die Spieler gefühlt. „Squid Game" ist ein Paradebeispiel für unsere Cancel Culture.

Willkommen in der brutalen Welt der Teenager des 21. Jahrhunderts. Stell dir vor, du wächst in einer Welt auf, in der du nur akzeptiert wirst, solange du dich erwartungskonform verhältst. Kannst du dir die Unsicherheit vorstellen, die diese bedingte Akzeptanz hervorruft? Wenn sich dein sozialer Status, ob du „in" bist oder nicht, jeden Moment ändern kann? Wenn du nie sicher bist, ob du „in" bist, aber definitiv weißt und spürst, wenn du „out" bist? Ist es da ein Wunder, dass immer mehr junge Menschen über Selbstmord nachdenken?

Cancel Culture tötet.

Wie gut, dass es diese Dinge in der Kirche nicht gibt, oder? Jedes Gemeindemitglied wurde von Christus angenommen – wie könnten *wir* uns da nicht auch gegenseitig annehmen? Die Gemeinde (*ekklesia* – mehr dazu in Part 4) ist per Definition eine Ansammlung von Menschen verschiedener Nationen – wie könnten wir da ausgrenzend sein? Oh nein, wenn Herr „Cancel Culture" das Kirchengebäude betreten will, wird er vom Türsteher „Liebe" hinausgeworfen.

Sollte man meinen.

Leider macht Cancel Culture nicht halt vor den Kirchentüren. Ganz im Gegenteil. Und das ist nicht nur etwas, was ich über Dritte gelernt habe. Ich musste es selbst auf die harte Tour lernen. Ich erspare dir die traurigen Details, aber wenn du auch verletzt wurdest, befindest du dich in guter Gesellschaft.

Aber weißt du was?

Egal, was du und ich erlebt haben: Gott ist immer noch Liebe. Egal, in welche Richtung sich der Globus dreht: Gott ist immer noch Liebe. Daran müssen wir uns erinnern, denn Misstrauen gegenüber der Liebe Gottes ist ein trojanisches Pferd.

Gleichgültigkeit wächst im kalten Schatten des Schweigens und ich will nicht, dass du dort hingehst.

Also setzen wir uns besser hin und reden darüber. Lass uns zum Kern des Problems vordringen und wir werden gestärkt aus der Sache hervorgehen. Vielleicht bist du dir nicht mehr sicher, ob Gott dich wirklich liebt; ob es Liebe gibt, die sich in Taten statt in Worten zeigt; oder ob es Väter gibt, die ihre Kinder von Herzen lieben. Vielleicht hat dich der Herzschmerz, den du persönlich erfahren hast, all die öffentlichen Skandale, von denen du gehört hast, und das, was du während der Pandemie in deiner eigenen Kirche erlebt hast, bis ins Mark erschüttert.

Weißt du was? – Das ist in Ordnung. Ich kann das absolut nachvollziehen. Aber der Unglaube an Gottes bedingungslose, aufopferungsvolle Liebe kann eine subtile und doch zerstörerische Kraft sein, die deine Beziehung zu Gott und den Menschen um dich herum ruinieren kann. Du musst in der Liebe Gottes verankert sein, wenn du die Stürme – wirtschaftliche, politische und gesellschaftliche –, die auf uns zukommen, überstehen willst. Im Sturm hältst du dich an einem Anker fest. Dieser Anker ist die Liebe Gottes.

Wie verheerend wäre es doch, wenn wir uns in einen Sturm begeben würden, ohne einen festen Halt zu haben! Ich war mir der Güte Gottes auch nicht sicher, bis ich etwas absolut Erstaunliches entdeckte, das den Rest meines Lebens veränderte und mir Hoffnung für die Zukunft gab.

Es stimmt, „Big Brother is watching you“, aber ein guter, liebender Vater hat sein Augenmerk ebenfalls auf dich gerichtet. Und das ist der absolute Wahnsinn.

Lass mich erklären, warum ich das denke.

Ein guter Vater sieht dich

„Vielleicht will man lieber verstanden als geliebt werden."

– George Orwell, 1984

„What about us? We are children that need to be loved. What about us?"

– P!nk

Ich wurde gecancelt. Ich habe es wirklich vermasselt.

Nicht nur ein bisschen – so richtig! Ich hab alles ruiniert.

Mein Zuhause, meine finanzielle Situation und meine Ehe. Und das Traurige daran ist ...

Ich bin selbst schuld.

Aber es kommt noch schlimmer. Traurigerweise ist das alles schon einmal auf die gleiche Weise passiert. Es ist nicht das erste Mal. In genau der gleichen Situation war ich schon mal gewesen und Gott hat mich herausgeholt. Und von da an habe ich mein Bestes gegeben. Ich bin mir nicht sicher, ob er mir dieses Mal heraushelfen wird. Sieht ganz so aus, als wäre es mit der Gnade jetzt vorbei.

Man sagt, dass man erntet, was man sät, und ich glaube, ich muss diese Lektion auf die harte Tour lernen. Ich fühle mich wirklich wie ein Stück Dreck, und das Schlimmste ist: Gott selbst hat mich verstoßen. Er hat durch einen Mittelsmann gesagt, dass ich verlassen werden soll.

Ich fühle mich nicht nur verloren – ich bin wirklich von Gott und der Welt im Stich gelassen.

Wer ich bin?

Mein Name ist Hagar.

Und das Häufchen Elend da drüben unter dem Busch, das ist mein Sohn. Er stirbt vor Durst ... und das ist alles meine Schuld.

Hagars Situation war wirklich hoffnungslos. Es war ja nicht das erste Mal, dass sie in der Wüste umherirrte und zu verdursten drohte. Vor Jahren war sie von ihrem Herrn weggejagt worden, weil sie seine Frau verhöhnt hatte. (1. Mose 16) Aber in diesem Fall hatte Gott ihr einen Ausweg gezeigt und sie hatte ihn ergriffen. Sie hatte Buße getan. Doch nun hatte ihr Sohn denselben Fehler gemacht und den Sohn ihres Herrn verhöhnt.

Wie die Mutter, so der Sohn. Und das hatte Folgen: Sie musste gehen. Endgültig.

Was ihr jedoch das Herz gebrochen hatte, war, als ihr Herr zu ihr kam und sagte, dass das Gottes Idee sei. Gottes Strafe. Ihr Herr wollte sie nicht wegschicken, aber Gott hatte ihm gesagt, dass er es tun müsse. Sie hatte in seinen Augen gesehen, dass er nicht gelogen hatte. Es war wahr. Gott war gegen sie.

Kannst du dir vorstellen, was in dem Herzen dieser Frau vorging? Nachdem sie all die Jahre Buße getan und sich gut benommen hatte? Kannst du den Abgrund der Ablehnung nachempfinden, den Hagar spürte?

Es bricht mir das Herz, wie sie ihre Stimme erhebt und weint – wie ihr Schrei von der unheimlichen Stille in der Wüste verschluckt wird. Eine trostlose Wildnis, in der sich niemand um sie sorgt, weil niemand *da ist,* der sich sorgt. Selbst Chai-Roi, „der Gott, der mich sieht“, dem sie vor Jahren begegnet ist, ist ... weg.

Vielleicht geht es dir wie Hagar. Vielleicht fühlst du dich verloren. Und vielleicht bist du nicht ganz frei von Schuld.

Hagar ist ein Bild dafür, wie ich mich viele Male in meinem Leben gefühlt habe. Vor allem, wenn ich über meine Vergangenheit und die Zukunft nachgedacht habe. Ich sah alle meine Fehler der Vergangenheit klar vor mir. Die Brücken, die ich niedergerissen hatte. Und ich konnte mir nur eine Zukunft ausmalen, in der die Sterne von meinem Himmel gefallen waren – vor allem, wenn es um meine wertvollste Verbindung ging: die Gemeinde. Doch in meinen Tränen war die Geschichte von Hagar immer eine Quelle des Trostes. Ich hoffe, sie ermutigt dich für die Reise, die wir in diesem Buch gemeinsam unternehmen werden.

Es ist kein Zufall, dass du dieses Buch in die Hand genommen hast.

Vielleicht möchte Gott dir durch die Worte auf diesen Seiten etwas ganz Besonderes aus seinem Herzen mitgeben.

Das Erste, was du über Gott verstehen solltest, ist Folgendes: *Auch wenn seine Wege nicht die deinen sind, sein Herz ist es.* Seine Gedanken sind höher, als du dir vorstellen kannst, aber seine Gegenwart ist näher, als dir bewusst ist.

Hagar hatte keine Ahnung, wie Gott hinter den Kulissen arbeitete. Sie ahnte nicht, dass Isaak ein Vorfahre des Messias sein sollte. Sie hatte keine Ahnung, dass sie ein Bild des Gesetzes und ein Abbild *„des Berges Sinai in Arabien“* sein würde. (Galater 4,25)

Und um ehrlich zu sein: Es wäre ihr in diesem Augenblick auch ziemlich egal gewesen. In der Wüste waren ihre Bedürfnisse überschaubar: Sie brauchte Gott und sie brauchte Wasser.

Aber beides war nicht da … oder doch?

Wie heißt es in der Bibel?

„Gott aber hörte die Stimme.“ (1. Mose 21,17) Hier steht nicht, dass Gott *sie* gesehen hat. Es heißt: Gott hörte die *Stimme*. Jemanden zu sehen, der unglücklich ist, ist eine Sache; jemanden mit lauter Stimme weinen zu hören, geht einem durch Mark und Bein. Wir schrecken oft vor Menschen zurück, die weinen; Gott tauchte in ihren Schmerz ein. Aber noch mehr als das tauchte er in die *Quelle* ihres Schmerzes ein: *„Gott aber hörte die Stimme des* ***Jungen.“***

Moment! Der Junge? Es war bis hierhin gar nicht die Rede davon, dass der Junge weinte – aber Gott wusste es.

Das Problem von Hagar war nicht, dass sie in der Wüste sterben würde. Ihre Sorge galt ihrem Jungen. Ihrem „Baby“. Als Mutter verlor sie mit ihm alles – ihre Identität und ihre finanzielle Zukunft – zwei Dinge, in die sie sich jahrelang investiert hatte.

Vorbei.

Eigentlich noch nicht ganz vorbei … aber ihr Ende war sicher!

Wie sieht es bei dir aus? Siehst du etwas, was so wertvoll ist, dass du es „dein Baby“ nennen würdest, vor deinen Augen zugrunde gehen? Vielleicht ist es für dich dein Traum, deine Hoffnungen, dein Wunsch, geliebt zu werden und eine Zukunft zu haben.

Sei dir bewusst: Gott kennt deinen Schmerz. Er sieht den Jungen! Er hört seine Stimme!

→ GOTT HÖRT DEINE STUMMEN SCHREIE!

Aber es geht noch weiter: *„Fürchte dich nicht! Denn Gott hat auf die Stimme des Jungen gehört, dort,* ***wo er ist.“*** Du kannst dir nicht vorstellen, wie wertvoll diese Worte „wo er ist“ für meine Seele sind. Während ich diese Zeilen schreibe, weine ich. Gott weiß, „wo wir sind“. Und er kommt zu uns. Er wartet nicht darauf, dass wir da sind, „wo wir sein sollten“, sondern er kommt dahin, „wo wir sind“.

Er kennt deine Schmerzen und Ängste *aus eigener Erfahrung*.

Das ist aus folgendem Grund wichtig: Es gibt einen Unterschied zwischen *Empathie*, *Sympathie* und *Mitleid*.

Menschliches Mitleid hat machmal einen herablassenden Beigeschmack. Du bist vielleicht bereit, mit jemandem zu leiden, aber nur als instinktive Verteidigung oder Reaktion. Du hast Mitleid, weil du die Situation oder die Umstände innerlich verabscheust. Aber tief im Inneren bist du froh, dass es dir nicht so schlecht geht wie dem Betroffenen. Die wenigsten von uns wollen bemitleidet werden. Was wir wollen, ist tiefer als das.

Sympathie geht vielleicht ein bisschen weiter. Es ist die Sorge um jemanden, der uns nahe steht. Im Vergleich zum Mitleid kennt die Sympathie ein tiefes Gefühl der Gemeinsamkeit. Dennoch fehlt der Sympathie etwas sehr Wichtiges: ein wirkliches Mitfühlen und ein auf *Erfahrung beruhendes Verständnis* für eine Sache. Bei der Sympathie gibt es kein gemeinsames Leid, denn es geht immer noch um „mich“ und „den anderen“.

Empathie ist etwas anderes. Es ist die Fähigkeit, die Gefühle einer anderen Person zu erkennen und zu *teilen.* Es bedeutet, dass du den Kummer eines anderen nachvollziehen kannst, weil *du* ihn aus eigener Erfahrung kennst. Du hast diesen Schmerz auch durchgemacht und bist für den Rest deines Lebens damit beschäftigt.

Hagars Not war für Gott keine äußerliche Angelegenheit. Er hatte kein kühles Mitleid. Er wollte den Fall auch nicht möglichst schnell abhaken. Gott kam zu Hagar, weil er *selbst* erlebt hatte, was Hagar durchmachte. Er kam als einfühlsamer Vater.

Das ist der Kern der Geschichte.

Mitten in der Menschheitsgeschichte musste Gott, der Vater, zusehen, wie drei Kreuze auf einem Hügel vor Jerusalem aufgestellt wurden. An das mittlere Kreuz genagelt hing sein geliebter Sohn in einer moralischen Wüste und schrie nach Wasser.

Keiner hörte seine Stimme.

Keiner kam ihm zu Hilfe.

Was muss das für das Herz des Vaters gewesen sein? Da Gott zeitlos ist, kam er mit einem Mitgefühl zu Hagar, als wäre es gestern passiert. Er konnte *ihren Schmerz spüren* wie kein anderer. Und er *berührte das Herz* dieser erschöpften Frau.

Hagar wusste danach immer noch nicht, warum ihr das alles passiert war. Aber sie wusste eines: Gott ist da und er versteht mehr als ich selbst. Sie konnte mit König David sagen: *„Entsetzt hatte ich schon gedacht: ‚HERR, du hast mich verstoßen!' Du aber hörtest mich, als ich zu dir um Hilfe schrie."* (Psalm 31,23; HFA[5])

Sie kannte zwar nicht alle Gedanken Gottes, aber sie kannte seinen Herzschlag. Und erst nachdem sie von der Quelle der Liebe getrunken hatte, öffnete Gott ihr die Augen, um die Quelle des Lebens zu sehen.

Was bedeutet das also für dich?

Gott ist da. Er liebt dich auf eine Weise, die du nie ganz verstehen wirst. Er möchte auch in dein Leben eintreten. Er möchte, dass du eine Tiefe seiner Liebe erlebst, die du nie zuvor gesehen hast. Er möchte, dass du seine Gnade schmeckst wie frisches Wasser in der Wüste. Er möchte, dass dein Herz wie ein unauslöschliches Feuer für ihn brennt.

Ich hoffe, du hast in dieser Geschichte nicht nur Hagars Stimme gehört, die laut schreit, sondern auch Gottes Stimme, die antwortet. Er ruft nach Gemeinschaft, er ruft nach Liebe. Er sagt: *„Wenn jemand meine Stimme hört und die Tür öffnet, zu dem werde ich hineingehen und mit ihm essen und er mit mir."* (Offenbarung 3,20)

Seine Stimme ist ein Ruf. Sein Beweggrund ist Liebe.

In den nächsten Kapiteln wirst du Schmerz spüren, aber du wirst auch hören, wie Gott an die Tür deines Herzens klopft. Es wird dich zutiefst herausfordern, aber ich möchte, dass du eines weißt: Die Liebe wartet da draußen auf dich. Ja – es mag sich wie Zurechtweisung und Züchtigung anfühlen, aber er sagt: *„Ich überführe und züchtige alle,* ***die ich liebe.*** *Sei nun eifrig und tu Buße!"* (Offenbarung 3,19)

Das bedeutet, dass wir uns von einigen Dingen trennen und eine Zeit der Optimierung durchmachen müssen. Aber auf der anderen Seite wartet eine Liebe auf uns, die tiefer und echter ist als alles, was du je erlebt hast. Genau diese Liebe werden wir finden.

Aber zuerst müssen wir verstehen, warum wir Gottes Liebe nicht mehr bemerken. Warum wir uns alleine fühlen, obwohl ein liebender Gott direkt neben uns steht – warum wir uns wie Hagar wie in einer Wüste vorkommen und nicht die Quelle der Liebe sehen, obwohl sie direkt neben uns ist.

Fangen wir an.

TAKEAWAYS

1 **Zu wenig Liebe ...**
Viele Menschen fühlen sich nicht geliebt. Sie kümmern sich nur um den äußeren Menschen – niemand kümmert sich um das Innere, den Kern.

2 **... und zu viel Hass.**
Der äußere Mensch muss sich anpassen, sonst wirst du brutal gecancelt. Das führt dazu, dass Menschen in Angst vor Ablehnung leben und nie echte Akzeptanz spüren.

3 **Aber: Es gibt Hoffnung!**
Darum: Verliere nicht den Mut. Gott sieht dein Herz und er liebt dich. Gott ist ein guter Vater und er sieht dich.

GEBET

Gott, danke, dass du da bist. Danke, dass du den Schrei unserer Seelen hörst! Du siehst das Chaos, in dem wir als Gesellschaft stecken. Ob wir der reiche Junge sind, der von der Brücke springen will, oder der Betrunkene, der darunterliegt. Ob wir das Camgirl sind, das seine Liebe in die Kamera verkauft, oder der Jugendpastor, der seine Liebe aus Mangel an Alternativen kauft. Wir brauchen dich! Wir brauchen deine Liebe. Wir fangen an, uns gegenseitig aufzufressen in der Welt ... und leider auch in der Kirche. Herr, erbarme dich. Das Salz wird kraftlos und die Welt wird immer geschmackloser. Lauf uns nach! Lass uns nicht los, Herr! Klopfe an die Tür unserer Herzen. Öffne unser Herz für deine Liebe, die wir noch nicht gesehen haben. Zeige uns deine Schönheit. Lass uns nicht weitergehen, wenn es nicht mit dir ist.

KAPITEL 2

SYMPTOME

OHNE LIEBE HABEN WIR EIN GROSSES PROBLEM

Erste Liebe

An unserem Hochzeitstag ist etwas erfrischend Seltsames passiert.

Meine Braut Henni und ich hatten gerade das Fotoshooting beendet und waren auf dem Weg zurück zu unserem Hochzeitsauto, einem wunderschönen Oldtimer. Zu unserer Überraschung stand ein älteres Paar in festlichen Kleidern davor und machte Fotos.

Wir amüsierten uns, dass ein anderes Paar dieses Auto genauso schön fand wie wir, ahnten aber nicht, dass es nicht einfach nur „ein weiteres" Paar war. Als wir näher kamen, lächelten sie uns an. Dann, fast entschuldigend, weil sie unser Auto als Fotokulisse benutzt hatten, meinten beide: „Wir heiraten heute auch!"

Das kam eher überraschend, denn sie schienen schon weit über 80 zu sein. Trotzdem war es schön, diese „alte Liebe" zu sehen. Aber es kam noch besser: das Paar, das da vor uns stand, war kein Ausdruck von „alter Liebe". Vielmehr handelte es sich um eine „junge Liebe". Genauer gesagt: um die „erste Liebe".

Es stellte sich heraus, dass die beiden sich schon seit ihrer Kindheit kannten und sich damals ineinander verliebt hatten. Seit der tragischen Teilung Deutschlands aber trennte sich auch ihr Schicksal. Es war nicht eine Veränderung im *Herzen,* sondern eine Veränderung der *Umstände,* welche die Trennung verursacht hatte.

Beide hatten schließlich andere Partner geheiratet und lebten ihr eigenes Leben. Jahre später, nachdem beide verwitwet waren, kreuzten sich ihre Wege wieder, und die erste Liebe kam aus ihrem Versteck hervor wie eine Wasserquelle, die aus einem Felsen sprudelt.

Das veranschaulicht eine einfache Wahrheit: Die erste Liebe ist sehr mächtig und auch wenn sie durch äußere Beschränkungen wie Gesetze unterdrückt wird, kann sie nicht ausgelöscht werden, selbst bis ins hohe Alter nicht, denn: erste Liebe wird nicht alt. Dieses Paar war ein lebendiges Beispiel für diese Weisheit.

Was kennzeichnet die erste Liebe im geistlichen Leben?

Um diese Frage zu beantworten, musst du zurück an den Anfang gehen. Erinnerst du dich an den Zeitpunkt deiner Bekehrung? Oder vielleicht an den Moment auf einem Jugendtag, wo du dein Leben neu Gott übergeben hast? Diese Momente sind von zwei Dingen geprägt: einem *frischen* Geist und der *Bereitschaft,* die Dinge in die Tat umzusetzen. Das geht oft mit Spontaneität, Emotionen und Aufopferung einher.

Ein sehr gutes Beispiel dafür findet sich in der Gemeinde in Ephesus. Als die Menschen dort ihre Herzen für die Liebe Christi öffneten und sie den Erlöser fanden, führte das zu Ehrfurcht, Bewunderung, Staunen und der Bereitschaft, alles zu opfern und hinter sich zu lassen, um ihm zu folgen. Dann wurde die Gemeinde aktiv. Die Menschen taten öffentlich Buße und verbrannten alle ihre okkulten Schätze. Sie kappten jede Verbindung zu ihrem früheren Leben. Apostelgeschichte 19 beschreibt die Kraft dieser Szene: *„Viele aber von denen, die gläubig geworden waren, kamen und bekannten und gestanden ihre Taten. Zahlreiche aber von denen, die Zauberei getrieben hatten, trugen die Bücher zusammen und verbrannten sie vor allen; und sie berechneten ihren Wert und kamen auf 50.000 Silberdrachmen.“* (Heutzutage eine Millionensumme.)

Das war erste Liebe.

Kannst du dir die Szene vorstellen?

Aber nur ein paar Jahrzehnte später veränderten sich die Dinge drastisch. Viele in der Gemeinde von Ephesus wandten sich von der Lehre des Paulus ab. Und als der Apostel Johannes im Exil auf der Insel Patmos ist, spricht Christus ihnen eine ernste Warnung aus: *„Aber ich habe gegen dich, dass du deine erste Liebe verlassen hast.“* (Offenbarung 2,4) Hier lernen wir also eine wichtige Lektion: Die erste Liebe kann aufgegeben werden. Erste Liebe wird nicht alt, aber sie kann *kalt* werden.

Sie wird kalt, wenn wir uns von ihr abwenden.

Persönlicher Liebes-Check

Es gibt drei tragische Haltungen, die wir Gott gegenüber einnehmen können.

1. Tangenten, die sich einmal treffen, um sich gleich danach wieder zu trennen.
2. Asymptoten, die sich immer näher kommen, sich aber nie *wirklich* treffen.
3. Parallele Linien, die nah beieinanderliegen können, sich aber nie treffen.

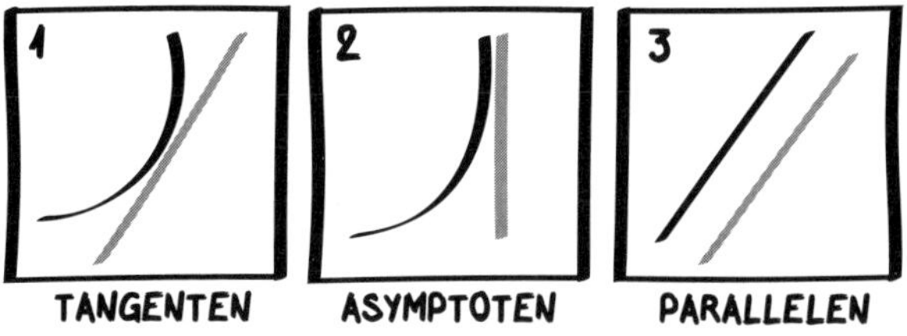

Okay, jetzt komme ich vielleicht wie ein Mathe-Nerd rüber, aber lass es mich erklären: Die Tangenten stehen für diejenigen, die mal mit Gott in Kontakt kamen, dann aber vom Alltag in Beschlag genommen werden und den Rest ihres Lebens ohne ihn leben. Nach einem kurzen Berührungspunkt machen sie sich auf den Weg zu „größeren“ und „besseren“ Dingen. Die Asymptoten sind diejenigen, die alles tun, um ihm näher zu kommen, ihm aber nicht wirklich begegnen. Sie reden viel, aber sie erleben nie diese Nähe. Sie gehen in die Kirche oder zu Jugendtreffen, aber sie vermissen echte Nähe. Die parallelen Linien sind diejenigen, die Christus wirklich auf den Millimeter genau folgen wollen, aber nie richtig Anschluss finden. Zwischen ihnen und Gott liegt immer eine gewisse Distanz.

Du ahnst es schon: Gott will keine tangentiale, asymptotische oder parallele Beziehung.

Was er will, ist das *Einssein in der Liebe;* er will übereinstimmende Linien.

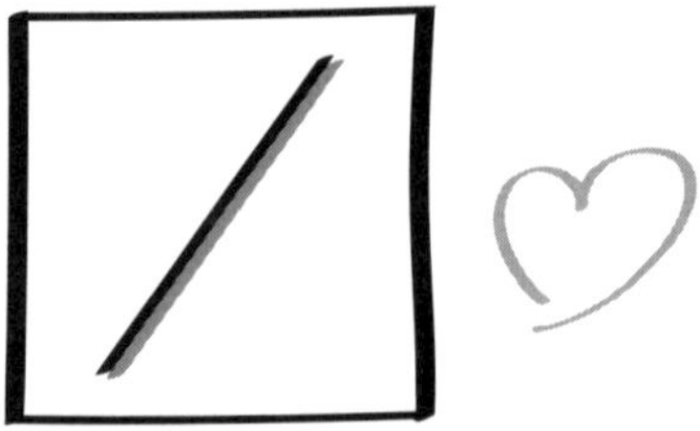

IDENTISCHE GERADEN

Er will *jeden* Punkt auf deiner Linie und *jeden* Moment in deinem Leben. Das ist es, was der Herr meinte, als er sagte: *„Du sollst den Herrn, deinen Gott, lieben aus deinem ganzen Herzen und aus deiner ganzen Seele und aus deinem ganzen Verstand und aus deiner ganzen Kraft!“* (Markus 12,30)

Er will *alles* von dir.

Das ist es, was Gott die erste Liebe nennt. Und das ist der ideale Zustand. Aber wir sind nicht ideal, also will Gott uns helfen. Er will alles wegschneiden, was nicht ideal ist. Genau das werden wir in diesem Buch tun. Aber um das wegzuschneiden, was nicht ideal ist, müssen wir es erst einmal entdecken. Wir müssen unseren aktuellen Zustand analysieren. Ich weiß, dass das schmerzhaft ist, aber bevor jetzt Massen an Schuldgefühlen in dir hochkommen: Vergiss nicht, dass Gott dich liebt und dich nicht um etwas Unmögliches bittet!

Bleib dran … du wirst es am Ende verstehen.

Um diesen persönlichen Liebestest vollständig durchzuführen, müssen wir unsere erste Liebe in den folgenden drei Hauptbereichen untersuchen: erste Liebe zu Gott, erste Liebe zu Christen und erste Liebe zur Welt.

Erste Liebe zu Gott

1 LIEBESCHECK

Wenn wir verstehen wollen, was erste Liebe für Gott bedeutet, ist es wahrscheinlich am besten, dorthin zu schauen, wo Gott sie selbst definiert: in dem alten hebräischen Gebet, das als *Schma Jisrael* bekannt ist. Dieses Gebet war für das Volk Gottes so wichtig, dass es jeden Tag gebetet wurde – jeweils morgens und abends.

> *Du sollst den HERRN, deinen Gott, lieben mit deinem ganzen Herzen und mit deiner ganzen Seele und mit deiner ganzen Kraft.* (5. Mose 6,5)

Das scheint einfach zu sein. Das Schwierige bei der Auslegung dieses Gebots ist jedoch die Tatsache, dass es zwar von drei verschiedenen Teilen des Menschen spricht – Herz, Seele, Kraft –, es besagt aber auch, dass der *ganze* Mensch lieben muss. Es geht also um die Einheit und nicht um die Vielfalt. Der Fokus liegt auf dem *Ganzheitlichen,* darum ist es wichtig, dass wir uns das immer vor Augen halten. Und doch sind es diese drei verschiedenen Bereiche, die wir im Hinblick auf die erste Liebe unter die Lupe nehmen werden.

Liebe Gott mit deinem ganzen *Herzen.*

In der hebräischen Denkweise steht das Herz für den Kern eines Menschen. In Sprüche 4,23 heißt es: *„Mehr als alles, was man sonst bewahrt, behüte dein Herz! Denn in ihm entspringt die Quelle des Lebens.“* Das gilt zuallererst für das natürliche Leben. Wenn das Herz für immer aufhört zu schlagen, gilt ein Mensch als tot.

Aber das Herz hat auch eine geistliche Komponente.

Es bezeichnet auch den Ort, an dem Menschen denken, fühlen und Entscheidungen treffen. Kurz gesagt: Das Herz ist der Sitz unseres Willens und unserer Zuneigung. Es ist das innere Wesen.

Wenn du ein gutes biblisches Beispiel für jemanden suchst, der Gott von ganzem Herzen geliebt hat, dann schau dir Maria von Bethanien an. Sie dachte jede Minute an Jesus. Das sehen wir deutlich, als sie ihr ganzes Erspartes in den Balsam investierte, mit dem sie Jesus salbte. Wenn er da war, setzte sie sich am liebsten zu seinen Füßen, um ihn anzubeten – auch auf die Gefahr hin, schief angeguckt zu werden.

Mit dem Ausgießen dieser Salbe verschwendete sie all ihre Ersparnisse an die Person Christi und bewies ein geistliches Verständnis dafür, dass Jesus sterben würde. Sie konnte Jesu Herzschlag hören, während die Jünger noch diskutierten, wer der Erste im Reich Gottes sein würde. Und weil er ihre *erste Liebe* war, bewegte sie sich im Gleichklang mit seinem Herzschlag.

Wie ist es mit deinem Herzen?

Liebst du Gott *von ganzem Herzen?* Hast du ein starkes Verlangen, jeden Morgen Zeit mit ihm zu verbringen? Oder kannst du Stunden oder sogar Tage verstreichen lassen, ohne auch nur an ihn zu denken? Ehren deine Gedanken den Herrn? Was ist mit den Momenten, in denen niemand zuschaut? Was ist mit den Sündengewohnheiten, die du abgelegt hast, als du frisch in Jesus verliebt warst? Gibt es „kleine“ Dinge, die einmal eine große Sache waren, sich aber wieder eingeschlichen haben und dein Gewissen jetzt gar nicht mehr belasten? Wann hast du das letzte Mal mit gebrochenem Herzen wegen deiner Sünden des Tages Buße getan? Oder bist du perfekt? Buße beflügelt die Leidenschaft – das Gegenteil ist leider genauso wahr.

Wenn eines dieser Dinge auf dich zutrifft, ist es dann ein Wunder, dass dein Herz Christus gegenüber kalt und gleichgültig geworden ist? Erinnerst du dich vielleicht an Zeiten, in denen dein Herz weich war und sich durch das Wort Gottes sowie durch Predigten leicht öffnen ließ?

Oder ist es sogar noch viel schlimmer? Hast du angefangen, seine Liebe zu dir infrage zu stellen? Empfindest du die „Gebote Christi“ als Einschränkungen für dein persönliches Glück und nicht als Ausdruck seiner Liebe? *„Wer meine Gebote hat und sie hält, der ist es, der mich liebt; wer aber mich liebt, wird von meinem Vater geliebt werden; und ich werde ihn lieben und mich selbst ihm offenbaren.“* (Johannes 14,21)

Nur dein Herz kennt die Antwort. Dein Herz und Gottes Herz. Es ist eine Sache zwischen ihm und dir. Er liebt dich und will sich dir *offenbaren.*

Wie reagierst du?

Liebe Gott mit deiner ganzen *Seele.*

Nach hebräischem Verständnis beschreibt die Seele (nephesch) den Menschen in seiner Gesamtheit, in seinem Wesen. Die Wurzel des Wortes Seele bedeutet „atmen“. Mit seinem ersten Atemzug wurde der Mensch zu einer lebendigen Seele. Aber es gibt einen wichtigen Unterschied: Der Mensch *hat* keine Seele, sondern er *ist* eine Seele. (1. Mose 2,7) Die Seele ist also kein metaphysisches Etwas, sondern eine physische, lebendige Realität: du – als ganze Person und als körperlicher Organismus. Man könnte also sagen, die Seele verbindet das *innere* Wesen mit dem *äußeren* Teil.

Gott möchte, dass du ihn mit allem, was du bist, liebst.

Die ersten Christen liebten Christus nicht nur mit ihrem Willen und ihren Gefühlen. Ihre Liebe hatte auch einen physischen Ausdruck. Johannes *lehnte* sich an die Brust von Jesus. Maria *berührte* Jesus. Und Jesus lud Thomas ein, ihn nicht nur anzuschauen, sondern seine Seite zu *berühren.* Jesus wollte, dass Thomas seine Liebe *spürte,* und das hinterließ einen tiefen Eindruck bei ihm. Thomas berührte Jesus, aber dadurch berührte Jesus

Thomas so tief, dass er seinen letzten Atemzug dem schenkte, der ihm seinen ersten Atemzug geschenkt hatte. So war es auch bei den anderen Jüngern. Sie atmeten mit ihrem ganzen Wesen für Jesus. Sie „atmeten" Gebete, Predigten und Lieder. Sie haben ihre Seele bis zu ihrem letzten Atemzug für Jesus ausgegossen.

Wie steht es mit dir?

Atmest du mit deinem ganzen Wesen für Jesus? Oder ist Jesus nur ein kleiner, „privater" Teil deines Lebens, während du dich in Wirklichkeit mehr um dein körperliches Wohlbefinden und deinen Komfort kümmerst? Sehnst du dich so sehr nach körperlicher Nahrung, dass du wenig Appetit auf geistliche Nahrung hast? Kannst du wie ein Wasserfall über Kinder, die Ehe, das Wetter und die Nachrichten reden, wirst aber einsilbig, wenn es um den Herrn und geistliche Dinge geht?

Aus der Fülle des Herzens redet der Mund.

Womit füllst du dein Sein aus? Weltliche Musik, Filme und Bücher? Wenn ja, ist es dann nicht zu erwarten, dass du in Bezug auf geistliche Dinge förmlich, starr und gleichgültig geworden bist statt fröhlich und gewinnend?

Wofür „atmest" du jeden Tag?

Liebe Gott mit all deiner *Kraft*.

Der letzte Punkt ist ein bisschen knifflig, denn obwohl die Übersetzung „Kraft" gut gewählt ist, deckt sie die eigentliche Bedeutung nicht ganz ab. Im Hebräischen heißt es nur „sehr" (me'od), d. h., du sollst Gott „sehr" lieben. Der Herr Jesus hat dieses Wort in seiner Wiedergabe des Verses in zwei Teile geteilt, indem er sagte: „aus deinem ganzen Verstand und aus deiner ganzen Kraft"!

Man könnte auch sagen: Du sollst ihn „mit Vollgas" lieben. Mit ganzer Kraft. Mit allem, was du *hast*, im Gegensatz zu dem, was du *bist*. Das bedeutet wirklich alles und schließt *vor allem* auch die materielle Komponente mit ein – also deinen Körper, deinen Reichtum, deine Beziehungen und deine Talente!

Die Jünger, die Jesus folgten, gaben alles. Sie gaben ihr Geld, ihre Zeit, ihre Talente und schließlich ihren Körper sowie ihr Leben. Sie gaben ihre Berufe auf, verließen ihre Familien, verzichteten auf ihre Möglichkeiten und gaben alles, was sie hatten, für Jesus.

Das war *sehr!*

Bist du „all in" für Jesus? Was ist mit deiner ersten und besten Zeit des Tages am Morgen? Gibst du alles für Jesus? Was ist mit deinem Job? Ich weiß, dass wir alle von etwas leben müssen, aber wir müssen nicht alle zu CEOs werden. Wie sieht es mit deiner Familie aus? Jedes Wochenende gibt es eine andere Geburtstagsparty. Kümmerst du dich auch um deine geistliche Familie? Weißt du, welche besonderen Talente dir gegeben wurden, und setzt du sie für das Reich Gottes ein? Was ist mit deinem Geld? Lässt du deinen Worten Taten folgen und gibst gern und großzügig?

Ich stelle diese Fragen nicht, um dir ein schlechtes Gewissen zu machen, sondern damit du verstehst, was es bedeutet, den Herrn mit ganzem Herzen, mit ganzer Seele und mit ganzer Kraft zu lieben.

Du bist der Einzige, der diese Fragen ehrlich beantworten kann, denn niemand sonst kennt dein Herz wirklich. Du bist der Architekt deines Lebens, aber du bist auch der Einzige, der allein vor dem Thron stehen und Rechenschaft ablegen wird. Am Ende des Tages weißt nur *du,* ob in deiner Brust die erste Liebe brennt oder nicht. Und wenn nicht, hast nur du die Macht, etwas dagegen zu tun.

Erste Liebe zu Christen

Bist du noch dabei? Gut. Dann lass uns den Fokus jetzt ein wenig ändern.

Vielleicht bist du den letzten Abschnitt mit Stolz durchgegangen und hast gedacht: „Alles super! Ich kann stolz auf mich sein. Ich glaube sogar, dass selbst die Jünger von meiner ersten Liebe lernen könnten." Natürlich mache ich nur Spaß. Du würdest dieses Buch nicht lesen, wenn du so ticken würdest, aber es besteht die Gefahr, dass wir denken, alles sei in Ordnung, während wir in Wirklichkeit in großen Schwierigkeiten stecken.

Die Bibel kennt diese Gefahr der Selbsttäuschung. Sie lässt sich am besten daran erkennen, wie wir mit anderen umgehen. In 1. Johannes 4,20 steht: *„Wenn jemand sagt: Ich liebe Gott, und hasst seinen Bruder, ist er ein Lügner."* Dieser Vers ist ein Prüfstein, an dem wir messen können, ob die Dinge in unserem Leben tatsächlich in Ordnung sind oder nicht.

Unsere Liebe zu Gott zeigt sich darin, wie wir die *Menschen um uns herum behandeln.*

Man könnte es auch so ausdrücken: Wie wir den Vater *vertikal* lieben, zeigt sich an unserer *horizontalen* Liebe zu anderen. Johannes gibt uns ein weiteres Beispiel: *„Wer aber irdischen Besitz hat und sieht seinen Bruder Mangel leiden und verschließt sein Herz vor ihm, wie bleibt die Liebe Gottes in ihm?"* (1. Johannes 3,17)

Die frühe Kirche war eine Gemeinschaft von Gläubigen, die sich zur gegenseitigen Unterstützung verpflichtet hatte. Sie betrachteten alles, was sie besaßen, als Geschenk Gottes und teilten deshalb großzügig mit den Bedürftigen. Das sehen wir in Apostelgeschichte 4,32-35, wo die Jünger ihr Hab und Gut verkauften und den Erlös in die gemeinsame Kasse einzahlten, damit jeder das bekam, was er brauchte. Priscilla und Aquila, Mitarbeiter von Paulus, riskierten sogar ihren Hals für dessen Leben. (Römer 16,3-4)

Durch diese Art des Teilens zeigten sie ihre Liebe zu anderen.

Die Welt konnte es sehen und die Gemeinde wuchs, was nicht überraschend war.

Und doch scheinen wir heute bestenfalls lauwarm zu sein. Sicher, die Arbeit der Kirche muss getan werden, aber du hast keine Lust, sie zu tun. Hier unsere genialen Ausreden:

- *Ich habe keine Zeit – während unsere iPhone- und Netflix-Nutzung eine ganz andere Geschichte erzählt.*
- *Ich bin nicht qualifiziert – aber wir haben kein Problem damit, mithilfe von YouTube-Videos zu lernen, wie man ein ganzes Auto repariert.*
- *Es ist nicht meine Gabe zu sprechen – aber auf der nächsten Hochzeit unterhältst du 200 Leute wie ein Vollprofi.*
- *Ich weiß nicht, wie ich konkret helfen soll – dabei gibt es viele Diener, die dringend helfende Hände bräuchten.*
- *Ich bin zu jung (mit 40 Jahren).*
- *Ich bin zu alt (mit 41 Jahren).*
- *Ich muss mich zuerst um meine Familie kümmern – dabei arbeite ich jeden Abend bis spät in die Nacht und sehe sie nie.*
- *Ich bin nicht geistlich genug – aber ich unternehme nichts, um das zu ändern oder um Gott näherzukommen.*
- *Ich bin zu beschäftigt – nehme aber mit Freuden eine höhere Position in der Firma an.*
- *Ich bin noch nicht bereit – und werde es wahrscheinlich auch nie sein. Denn Bereitschaft ist eine Herzensangelegenheit.*

Es muss Gott im Herzen wehtun, wenn er sieht, dass seine Kirche seiner Liebe gegenüber so gleichgültig ist.

Wo stehst du also, wenn es darum geht, das, was du hast, mit anderen zu teilen? Sieht man dein offenes Herz auch an deinen offenen Taschen? Woran klammerst du dich, statt anderen damit zu helfen? Wie sieht es mit der Art und Weise aus, wie wir andere behandeln? Der Herr Jesus sagte: *„Ein neues Gebot gebe ich euch, dass ihr einander liebt, damit, wie ich euch geliebt habe, auch ihr einander liebt.“* (Johannes 13,34) Behandeln wir andere so, wie der Herr uns behandelt hat? Der Herr hat uns so viel vergeben. (Matthäus 18,21-35) Hängen wir unserem Schuldner am Kragen? Was ist mit deinem Ehemann, der dich betrogen hat? Dem Bruder, der dich verletzt hat? Deiner Frau, die dich seelisch missbraucht hat? Deinem Arbeitskollegen, der dich fälschlicherweise beschuldigt und dafür gesorgt hat, dass du deinen Job verlierst?

Nächstenliebe ist selten intuitiv.

Sie ist ein Gebot mit ernster Warnung.

Jesus sagte: *„Und wenn ihr steht und betet, so vergebt, wenn ihr etwas gegen jemand habt, damit auch euer Vater, der in den Himmeln ist, euch eure Übertretungen vergibt.“* (Markus 11,25) Hast du das verstanden? Gottes Vergebung hängt davon ab, wie du andere liebst und ihnen vergibst. Welche Beziehungen zu anderen Gläubigen sind zerrüttet? Welche Personen meidest du? Hast du schon mal einen Versöhnungsversuch unternommen?

Wie sieht es mit unserer Liebe zu schwachen Gläubigen aus? In Römer 14,15 heißt es: *„Denn wenn dein Bruder wegen einer Speise betrübt wird, so wandelst du nicht mehr nach der Liebe. Verdirb nicht mit deiner Speise den, für den Christus gestorben ist!“* Ist die Art und Weise, wie du lebst, ein Stein des Anstoßes für einen anderen Bruder oder eine andere Schwester? Hältst du dich für besser als andere Menschen, weil du nicht so viel sündigst wie sie? Handelst du aus Liebe zu Gott oder um Menschen zu gefallen?

All diese Dinge sind klare Anzeichen dafür, dass du dich von deiner ersten Liebe entfernt hast – hin zu anderen und weg von Gott. Ich weiß, dass es manchmal schwierig ist, Menschen zu lieben, aber das müssen wir lernen, wenn die Welt Jesus in uns sehen soll.

Erste Liebe zur Welt

Interessanterweise wird die wahre Liebe oft durch das beschrieben, was man *nicht* liebt. Bestes Beispiel: Fußball.

Im Fußballuniversum gibt es ein ungeschriebenes Gesetz, dessen Missachtung fast einem sportlichen Ehebruch gleichkommt: Man ist nicht Fan von zwei Fußballmannschaften. Keine „zweite Liebe". Eingefleischte Fans schießen sich auf *eine* Mannschaft ein!

Wir täten gut daran, Gott diese Art von zielstrebiger Hingabe entgegenzubringen.

Unsere Liebe zu einer gefallenen Welt sagt viel über unsere Liebe zu Gott aus. Die Bibel sagt: *„Wenn jemand die Welt liebt, ist die Liebe des Vaters nicht in ihm."* (1. Johannes 2,15) Das ist eine starke Aussage, aber warum? Unsere Liebe zu Gott zeigt sich nicht nur darin, dass wir tun, was er befiehlt, sondern auch darin, dass wir uns von allem *trennen,* was seinem Willen widerspricht.

Die frühe Kirche suchte nicht die Anerkennung der Welt. Sie verstand, dass sie dazu berufen war, sich von der Welt zu unterscheiden. Sie war dazu berufen, nach einem höheren Standard zu leben. Sie war bereit, eher Verfolgung und sogar den Tod zu erleiden, als sich anzupassen.

Das ist ein großer Unterschied zu uns heute.

Als Petrus und Johannes von den Behörden aufgefordert wurden, nicht im Namen Jesu zu predigen, antworteten sie: *„Man muss Gott mehr gehorchen als Menschen."* (Apostelgeschichte 5,29) Als der Apostel Paulus verhaftet und vor den Statthalter gebracht wurde, verkündete er furchtlos das Evangelium, obwohl es ihn das Leben hätte kosten können. (Apostelgeschichte 28,31)

Ein Team. Ein Auftrag. Zielgerichtete Hingabe.

Und doch hatte diese Hingabe ihren Preis. Fast alle zwölf Jünger Jesu Christi starben durch die Hand von Menschen; viele, die ihnen folgten, erlitten das gleiche Schicksal. Folgendes schreibt der berühmte Historiker John Fox darüber:

„Die barbarischen Aktionen gegen Christen waren viel schlimmer als die vorherigen Verfolgungen, insbesondere die von Nero selbst angeführten. Dies konnte nur in der vom Teufel inspirierten Vorstellungskraft geschehen. Einige Christen wurden in die Häute wilder Tiere eingenäht und von Hunden in Stücke gerissen. Anderen wurden in Teer getränkte Hemden angezogen, die im Garten von Nero an Stangen befestigt waren, um sie so anzuzünden. Die schwere Verfolgung breitete sich im gesamten Römischen Reich aus, trug jedoch dazu bei, den Geist der Christen zu stärken, anstatt ihn zu unterdrücken. Zusammen mit Paulus und Petrus wurden einige der siebzig Jünger Jesu gemartert.“[6]

Sie starben, weil sie liebten.

Das wirft die Frage auf: *Lieben wir immer noch denselben Gott wie unsere Vorväter?*

Sie liebten Gott – und nicht die Welt, die von Verschwendung, politischer Korruption und sexuellen Ausschweifungen geprägt war. Sie starben, weil sie einen Gegenentwurf lebten. Sie gingen nicht zu den Orgien, welche die Elite regelmäßig feierte. Stattdessen wiesen sie diese durch ihren keuschen Lebensstil zurecht. Heute verurteilen Christen das sexuelle Verhalten um sie herum offen, heiligen es aber insgeheim durch ihren Pornokonsum und haben dadurch nicht nur aktiv Freude daran, sondern subventionieren es mit jedem Klick. Die frühe Kirche verdammte *Porneia*.[7] Wir lieben Pornos.

Nicht beide Positionen können richtig sein.

„Denke nun daran, wovon du gefallen bist.“ (Offenbarung 2,5)

Die frühen Christen gingen nie zum Vergnügen ins Kolosseum, sie wurden als Sklaven dorthin gebracht. Sie sahen nicht bei der brutalen Fütterung der Löwen zu. Sie wurden an die Löwen verfüttert. Wie passt das mit der Tatsache zusammen, dass Christen heute kein Problem damit haben, stundenlang gewalttätige Videospiele in unglaublich realistischer 4K-Auflösung zu spielen? Spiele, in denen du Menschen mit Äxten und Schwertern töten musst und sie beim Sterben schrecklich schreien hörst.

Insgesamt starben etwa 3.000 christliche Märtyrer im Kolosseum – ein scheinbar sinnloses Schauspiel, mit dem sich die römischen Machthaber die Zeit vertrieben.

Die traurige Wahrheit ist, dass wir *wie die Welt aussehen*, weil wir *sie lieb gewonnen haben.*

Ist es da ein Wunder, dass unsere Jugendlichen in der Jugendgruppe Probleme haben, das Wort „Liebe“ zu verstehen? Lass es uns ein bisschen persönlicher machen. Wie kommt es, dass du Christus oder seine Worte nicht bekannt machst? Ist es, weil du Angst vor Ablehnung hast? Jesu Gehorsam gegenüber Gott, selbst im Angesicht heftiger Widerstände und Anfechtungen durch seine Mitmenschen, irritierte viele Menschen. Dennoch sagte er: *„Wenn sie mich verfolgt haben, werden sie auch euch verfolgen.“* (Johannes 15,20)

Während uns der Gedanke an Verfolgung erschaudern lässt, freuten sich die ersten Christen darüber!

Was hat sich verändert? Könnte es unsere innere Einstellung sein?

Denke daran, dass Sünde deine Leidenschaft und Liebe für Jesus abkühlen lassen. Ein kleiner Kompromiss hier – eine kleine Sünde dort. Spiel nicht mit dem Feuer! Die Gesetzlosigkeit wird noch mehr zunehmen. Tu lieber jetzt Buße, indem du akzeptierst, dass du etwas vom Ideal abgewichen bist.

Das ist der erste Schritt zurück zu deiner persönlichen „ersten Liebe“.

Kollektiver Liebes-Check

Im Jahr 539 v. Chr. belagerte und eroberte der persische König Kyros Babylon, die antike Hauptstadt eines Reiches, das den heutigen Irak, Syrien, Libanon und Israel umfasste.

Es geschah in einer Nacht.

Fast widerstandslos.

Die Art und Weise, wie Babylon fiel, kann für uns sehr aufschlussreich sein. Der König von Babylon wusste, dass König Kyros in Richtung Stadt marschieren würde. Anstatt in der Stadt zu bleiben, lagerte seine Armee außerhalb von Babylon und versteckte sich in der Dunkelheit, um ihm eine Lektion zu erteilen. Es war ziemlich mutig, den Schutz der Festungsmauern zu verlassen. Aber der Schuss ging nach hinten los und die Babylonier wurden vom Perserkönig besiegt. Daraufhin zogen sie sich in ihre mächtige Festung zurück, wo sie die Belagerung zu überstehen hofften.

Sie waren so stolz und zuversichtlich auf das, was sie gebaut hatten, dass sie die Auswirkungen der Belagerung durch den persischen König kaum zu spüren schienen. Viele Jahre lang hatten sie sich auf den bevorstehenden Angriff vorbereitet und verfügten nun reichlich über Lebensmittelvorräte.

Kyros hatte Schwierigkeiten, den Palast frontal anzugreifen, also dachte er sich einen anderen Plan aus. Ein Fluss floss durch die belagerte Stadt und brachte frisches Wasser zu den Menschen. In dieser notwendigen Bresche in den Mauern sah der persische König seine Chance. Kyros stationierte einen Teil seines Heeres in der Nähe des Eingangs des Flusses in die Stadt und einen anderen Teil auf der Rückseite der Stadt am Ausgang des Flusses. Er befahl jeder Gruppe, sich bereitzuhalten, um in die Stadt zu marschieren, sobald das Wasser flach genug war.

Mit dem Rest seiner Männer ging er flussaufwärts und außer Sichtweite der Wachen auf den Festungsmauern. Dort grub er einen Kanal, um den Euphrat umzulenken und so das Wasser, das unter der Stadtmauer durchfloss, umzuleiten. Langsam begann der Fluss, der die Stadt versorgte, zu versiegen. Innerhalb der Stadtmauern waren Belsazar und die Babylonier so unvorsichtig wie ein Kind, das mit Feuer spielt. Während sie ein rauschendes Fest feierten, betraten die Meder heimlich die Stadt über den trockenen Kanal, der unter den mächtigen Mauern entstanden war. Während mehr als tausend Fürsten beim Festmahl saßen, wurden die wenigen Wächter, die Wache hielten, schnell überwältigt, sodass die eindringende Armee einen großen Teil der Stadt erobern konnte, bevor ihre Anwesenheit überhaupt bekannt wurde.

Genau zu dem Zeitpunkt, als die Meder in die Stadt strömten, erschien diese Schrift an der Wand:

MENE, MENE, TEKEL, UPHARSIN[8]

Diese Worte bedeuten Folgendes:

Mene: Gott hat die Tage deiner Herrschaft gezählt und sie zu einem Ende gebracht.

Tekel: Du wurdest auf der Waage gewogen und für zu leicht befunden.

Upharsin: Dein Reich ist geteilt und den Medern und Persern übergeben worden.

Gott hatte den *idealen* und den *tatsächlichen* Zustand von Belsazar und Babylon einander gegenübergestellt.Und fand ihn mangelhaft. Belsazar hatte den Gott, „in dessen Hand sein *Atem* ist", nicht geehrt. In diesem Moment brach die Tür des Festsaals mit ohrenbetäubendem Lärm auf. Die medischen Soldaten stürmten das Fest und *„in derselben Nacht wurde Belsazar, der chaldäische König, getötet."* (Daniel 5,30)

ERINNERT DICH DAS AN „ÜBERRASCHT VON FURCHT"?

Gott hatte das Zepter an sich gerissen.

Was ist die Bedeutung dieser Geschichte für uns? Die Kirche hat kein Zepter, aber sie hat einen Leuchter. (Offenbarung 2,5) Der Leuchter symbolisiert ihr Zeugnis. Er bedeutet, dass die Kirche der Lichtträger Gottes in der Welt sein soll. Als Christus auf der Erde war, konnte die Welt Gott in ihm sehen. Jetzt kann die Welt Christus in seiner Kirche sehen, denn sie ist sein Leib. In einer dunklen Welt leuchtet sie und verkündet, wer Christus ist.

Aber wie?

Ganz einfach. Jesus sagte: *„Daran werden alle erkennen, dass ihr meine Jünger seid, wenn ihr* Liebe *untereinander habt."* (Johannes 13,35) Das bedeutet, dass gelebte Liebe nicht nur etwas ist, was die Kirche im Idealfall tut – Liebe ist der Normalfall. Sie ist nicht das Sahnehäubchen auf der Torte. Sie *ist* die Torte. Die Warnung Christi an die Gemeinde in Ephesus (und damit an die gesamte neutestamentliche Kirche) macht das deutlich: *„So komme ich zu dir und werde deinen Leuchter von seiner Stelle wegrücken, wenn du nicht Buße tust."* (Offenbarung 2,5) Das war eine erstaunliche Warnung, denn es gab vieles in der Gemeinde in Ephesus, was Gott gefiel. Aber dennoch: Wenn die erste Liebe aufgegeben wurde, dann würde der Leuchter entfernt werden. Das zeigt, dass für Gott die Liebe alles andere übertrifft.

Wie die Flamme erlischt

Mein Eindruck ist, dass die Kirche in großer Gefahr steht, zu selbstsicher zu sein und dabei auf die Nase zu fallen. Wir sind wie die Babylonier, die sich nach einer verlorenen Schlacht in ihre Stadt zurückziehen und darauf vertrauen, dass unsere Mauern uns schon schützen werden.

Im letzten Jahrhundert haben wir große Niederlagen außerhalb der Stadt erlebt. Außerhalb unserer Kirchen. An Universitäten und Schulen. Vor Gericht und in Unternehmen. An allen Fronten hält der Säkularismus Einzug. Wenn wir uns den segnenden Einfluss vor Augen halten, den die Kirche in den vergangenen Jahrhunderten genoss, ist es niederschmetternd zu sehen, wie winzig das Licht des Evangeliums inzwischen geworden ist. Es scheint mir, als ob sich die Kirche in die Stadt zurückgezogen hat.

Wir haben uns in unser Schneckenhaus verkrochen. Hinter unseren Mauern verschanzt.

Anstatt nach außen zu gehen, drehen wir uns nur um uns selbst und denken, dass alles, was von außen kommt, feindlich ist. Es ist wichtig, wachsam zu sein, aber die Gefahr dabei ist, dass der ständige Kampf gegen Monster uns selbst zu Monstern macht.

Die Gemeinde in Ephesus hatte harte geistliche Kämpfe hinter sich, musste falsche Apostel zurechtweisen und sich mit geistlichen „Wölfen“ herumschlagen, die ständig versuchten, ihre Gemeinde zu ruinieren. Aber vielleicht waren die Epheser *so sehr* darauf konzentriert, ihre Gemeinde zu schützen, dass sie den Kontakt zu Jesus – ihrer ersten Liebe – verloren. (Offenbarung 2,2-4)

Sie kannten sicherlich auch das „Problem der zweiten Generation“. Während die erste Generation die mächtige Liebe Gottes in der rauen Welt erlebte, wuchs die zweite Generation in einem christlichen Umfeld auf, in dem sie lernte, die Sprache der Kirche zu sprechen, die Lieder der Kirche zu singen und sich so zu verhalten, wie sich „kirchliche“ Menschen verhalten sollten. Sie wussten, wie man auf die Leinwand schaute und imitierte, was man dort sah, aber sie hörten die Musik nicht mehr.

Und so verblasste das geistliche Feuer der ersten Liebe, das einst „hell und klar“ loderte, zu einer flackernden Flamme und wurde ersetzt durch Routine, Dogmen und Orthodoxie – schön in der Form, aber ohne Kraft.

Sicher, aber fruchtlos.

Es ist Zeit, den Tatsachen ins Auge zu sehen: Das Christentum ist nicht unsere *Leidenschaft*. Es ist nicht unsere *Identität* und wir glauben nicht an unsere *Mission*.

Wir sagen zwar, wir tun es. Auf dem Papier. Aber nicht im Herzen. Und das Herz ist für Gott alles.

Es ist der Ort, an dem die erste Liebe wohnt.

Fazit: Gott wird es nicht dulden, von halbherzigen Menschen vertreten zu werden. Er wird den Leuchter wegnehmen. Es liegt an uns, etwas dagegen zu tun.

Es ist an der Zeit, zur ersten Liebe zurückzukehren.

Und das noch umso mehr, weil wir für Liebe geschaffen wurden.

TAKEAWAYS

1. **Persönlicher Liebes-Check**
   - Lieben wir Gott von ganzem Herzen?
   - Wie sieht es mit unserem Umgang mit anderen aus?
   - Genießen wir die Welt oder laden wir sie ein, zu Jesus zu kommen?

2. **Kollektiver Liebes-Check**
   - Haben wir es uns gemütlich in unserem Schneckenhaus eingerichtet, ohne die Liebe Gottes zu teilen?
   - Sind unsere Ortsgemeinden von Liebe geprägt?

GEBET

Herr, du kennst mein Herz. Schau in mich hinein und erforsche mich. Du weißt, dass ich dich lieben will. Aber wenn ich mich mit den Vorvätern vergleiche, sehe ich einen riesigen Unterschied. Wenn ich in die Bibel schaue – was für ein Kontrast! Herr, du siehst, wie wir uns gegenseitig behandeln. Hab Erbarmen mit uns! Du siehst, wie die Welt auf beiden Seiten an Territorium gewinnt. Wir wissen nicht, was wir tun sollen. Wir haben keine Kraft, der Macht zu widerstehen, die auf uns zukommt ... aber unsere Augen blicken auf dich.

Belebe uns, Herr! Belebe MICH, Herr!

*Zeig mir den Kern des Problems und hilf mir,
Teil der Lösung zu sein.*

KAPITEL 3

DIE LIEBE FINDET EINEN WEG

WIR SIND FÜR DIE LIEBE GEMACHT

„I was made for love and to be loved by you."

– TobyMac

Heiraten ist so schön, dass manche Menschen nicht genug davon bekommen können – einmal reicht da nicht.

Frag Linda Essex.

Zu sagen, dass sie Erfahrung hat, ist eine Untertreibung. Bis heute stand sie ganze *23 Mal* vor dem Traualtar, gab einem Mann das Jawort und versprach, ihn zu lieben, *bis dass der Tod sie scheidet*. Oder ... zumindest so lange, bis eine bessere Wahl auftauchte. Und ja, sie hält den Guinness-Weltrekord für die meisten Ehen, die eine Frau geschlossen hat.

Aber wenn du glaubst, dass dies beeindruckend ist, dann warte, bis du das hier liest: Es gibt einen Mann, der sie sogar noch übertrifft! Sein Name ist Glynn Wolfe und er hat es unglaubliche *28 Mal* vor den Traualtar geschafft. Aber 1996 traf er endlich die Richtige und heiratete zum letzten Mal.

Hast du eine Ahnung, wer die strahlende Braut war?

Wenn du auf Linda Essex tippst, liegst du richtig.

Die beiden haben zusammen 51 Hochzeiten hinter sich. Hoffentlich bleibt es bei dieser letzten.

Manche Dinge sind so absurd, dass man darüber einfach nur lachen kann, obwohl sie im Grunde genommen eigentlich traurig sind.

Wie diese Geschichte zeigt, herrscht in der heutigen Welt eine völlige Verwirrung über Liebe und Intimität. Vielleicht kennst du keine so verrückte Geschichte wie die von Glynn und Linda, aber bestimmt hast du auch schon so einiges erlebt. Eines ist jedenfalls sicher: Die Liebe ist eine unaufhaltsame Kraft. Sie ist wie ein wilder Fluss, der sich seinen Weg durch das Tal bahnt – und alles überrollt, was ihr im Weg steht.

Du kannst versuchen, einen Damm zu bauen, um sie aufzuhalten.

Du kannst versuchen, sie umzuleiten.

Du kannst versuchen, dich auf den Kopf zu stellen.

Die Liebe ist so stark, dass sie immer einen Weg finden wird, egal was passiert.

Versuche, Liebe und Intimität zu unterdrücken, haben oft grausam geendet – wie bei den Kindern, mit denen nicht gesprochen wurde, oder missbräuchlich wie im Fall einiger katholischer Priester, welche die Jungen in ihrer Obhut missbrauchten. Der Fluss wird immer seinen Weg finden – ob auf legitime oder auf illegitime Weise.

Liebe und Intimität sind etwas, ohne das der Mensch nicht leben kann. Sie sind sozusagen so etwas wie ein menschliches Geburtsrecht. Die moderne Wissenschaft bringt immer mehr Beweise dafür hervor, dass wir geradezu für die Liebe geschaffen sind. In seinem Grundlagenwerk *Heilen mit Liebe* spricht der Bestsellerautor Dean Ornish darüber, dass Liebe und Intimität laut wissenschaftlichen Studien einen wesentlichen Einfluss auf unsere Gesundheit haben – warum ist bis heute nicht bekannt.

Evolutionär gesehen ergibt Liebe wenig Sinn. Das Konzept „Überleben des Stärkeren“ belohnt Eigenschaften wie Furchtlosigkeit und Aktionen wie Selbstverteidigung. Dinge wie Verletzlichkeit und Liebe dagegen nicht. Während die Evolution besagt, dass der Stärkere alles tun muss, um zu überleben, ist die Liebe selbstaufopfernd und stellt die Bedürfnisse der Schwächeren oft an die erste Stelle.

Die Liebe scheint diesem Überlebensdenken zu widersprechen. Was wir in der Natur sehen, steht im krassen Gegensatz zur langfristigen liebevollen Hingabe. Bei den meisten Säugetierarten kümmern sich die Männchen nicht um ihre Nachkommen. Man könnte sagen, sie sind abwesende Väter.

Warum also verhalten wir Menschen uns anders, wenn es um Liebe geht? Die Bibel sagt, dass „Gott Liebe ist“ (1. Johannes 4,16) und dass „Gott den Menschen als sein Bild schuf“. (1. Mose 1,27)

Die Wahrheit ist einfach: Wir wurden *von* der Liebe, *für* die Liebe und *zur* Liebe geschaffen.

Die Liebe findet einen Weg

Das Lied *Love Will Find a Way,* gesungen von Lionel Richie oder der Band *Yes,* fühlt sich an wie ein tröstliches Versprechen im Sturm. Wie ein erfrischender Bach in der Wüste. Aber inzwischen wissen wir, dass die Liebe selbst zum Sturm werden kann, wenn sie unterdrückt wird. Das ist dann nicht erfrischend, sondern eher eine zerstörende Strömung!

Wenn Menschen an einem Ort keine Liebe finden, werden sie an einem anderen nach ihr suchen. Und wenn sie sie dort nicht finden, werden sie weitersuchen. Wenn sie sie jedoch nirgendwo finden, wird sich ihre Sehnsucht nach Liebe in eine pervertierte Form von Liebe verwandeln. Sie werden eine Liebe für die falschen Dinge entwickeln.

Die Richtung mag sich ändern, aber die Kraft nicht. Und das ist sehr gefährlich.

Ich erzähle dir das alles nicht, weil ich dich einfach nur mit einem guten Buch unterhalten will. Die Angelegenheit ist viel ernster! Die Korruption der Liebe ist absolut real und die bitteren Folgen davon werden sich weiter entfalten, wenn wir nichts dagegen tun. Wenn junge Menschen die Liebe Gottes nicht in unseren Gemeinden finden, werden sie sie woanders suchen. Und derzeit ist es tatsächlich leider so, dass sie dafür noch nicht mal den Ausgang suchen müssen – denn wir drängen sie förmlich zur Tür hinaus. Weil es uns an Liebe fehlt – zu Gott und zueinander.

Bei uns herrscht eine geistliche Hungersnot, die sie dazu treibt, ihre Suche nach Liebe in die Welt zu verlagern, wo es leicht ist, verdorbene Alternativen zur Liebe zu finden.

Abraham wollte das verheißene Land nicht verlassen, es war die Hungersnot, die ihn dorthin trieb. (1. Mose 12,10) Elimelech wollte nicht nach Moab gehen. Es war eine Hungersnot in Israel, die ihn dazu brachte, das Land zu verlassen. (Rut 1,1) Die Frau, die im zweiten Buch der Könige ihr eigenes Kind aß, hätte sich nie träumen lassen, dass sie so tief fallen könnte, aber die Hungersnot hatte sie an ihre Grenzen gebracht! (2. Könige 6,28-29)

Wenn wir unsere junge Generation nicht unter die volle Autorität der Heiligen Schrift stellen, die uns die *Apostel* durch den Heiligen Geist gegeben haben, werden sie anderswo Autorität finden und ihr unterstehen.

Wenn wir unseren Kindern nicht die *Seelsorger* zur Seite stellen, die sie für ihr Herz brauchen, müssen wir uns nicht wundern, dass sie zu den Psychotherapeuten dieser Welt wandern und sich auf ihrer Couch niederlassen, um weltliche Ratschläge zu erhalten.

Wenn wir ihnen nicht die *Lehrer* geben, die sie brauchen, um die Wahrheit zu lernen, werden sie sich ihre Lehrer auf der größten Plattform – im Internet, auf YouTube etc. – suchen und sich die Bücher zu Gemüte führen, die ihnen in die Quere kommen. Es geht hier nicht um die Frage, ob das gut ist oder nicht. Es ist, wie es ist. Es ist ein Strom und er *wird* fließen.

Wenn wir keine *Evangelisten* aussenden und unterstützen, werden Ungläubige im Lärm dieser Welt ertrinken und das Evangelium nie hören. Sie werden am ausgestreckten Arm verhungern – und wir werden schuld daran sein!

Aber der Herr ist gut und wird uns die Dringlichkeit des Auftrages spüren lassen, *denn er liebt uns*. Und er wird uns dort berühren, wo wir es am meisten spüren. Der Pharao wollte Gottes Erstgeborenen, das Volk Israel, nicht loslassen, also handelte Gott. Er berührte den Erstgeborenen des Pharaos. Wenn wir uns nicht um die Familie Gottes kümmern, wird Gott unsere Familien, unsere Nachkommen, berühren. Und das tut er schon jetzt.

Schau dir unsere Kirchen an. Wo sind denn alle hin?

Sie kämpfen den „guten Kampf“ in den Stadien dieser Welt, weil sie dort „echte Liebe“ bekommen (BVB Dortmund). Sie singen Hymnen mit einer anderen Gemeinschaft – einer Gemeinschaft, in der „du nie allein gehen wirst“ (FC Liverpool).

Die Wahrheit ist jedoch: Sie gehen doch allein.

Aber Gott will sie nach Hause bringen.

Und ER wird einen Weg finden.

HALLELUJAH!

Der Weg zurück

Im Laufe der Geschichte hat Gott immer ein Zeugnis für seinen Namen gehabt. Als der Herr Jesus auf diese Erde kam, befand sich das Volk Gottes in einem sehr schlechten Zustand. Es gab noch nicht mal einen Platz zum Schlafen für ihn; er machte seine ersten Atemzüge in einer Futterkrippe für Tiere. Und doch gab es einen kleinen Überrest: Simeon und Hanna, die im Tempel ausgeharrt hatten; Johannes der Täufer, der in der Wüste umherging; die Hirten, denen die Engel begegneten; und ein paar weise Männer aus dem Osten, die einem übernatürlichen Stern nachgingen.

Gott hat *immer* einen Überrest.

Ob es die frühen Kirchenväter waren, die von den Römern und anderen heidnischen Gruppen verfolgt wurden, oder die Waldenser und Hugenotten, die von der katholischen Kirche verfolgt wurden, die Täufer, die von Protestanten und Katholiken verfolgt wurden, die Puritaner und Herrnhuter, die starken Widerstand erlebten, und so weiter und so fort …

Gott bewahrt sich immer Menschen, die mutig und widerstandsfähig genug sind, ihre Knie nicht vor der Welt zu beugen. (1. Könige 19,18)

Und so wird Gott auch in unserer Generation Lichtträger haben. Die Frage ist nur: *Gehören wir dazu?*

Der Herr sagt in seinem Wort glasklar, was er nicht dulden wird: Menschen, die ohne *erste Liebe* versuchen, Kirche zu spielen. In Offenbarung 2,5 sagt er: *„So komme ich <zu> dir und werde deinen Leuchter von seiner Stelle wegrücken, wenn du nicht Buße tust."* Im Grunde sagt er: Ihr werdet nicht meine Vertreter sein.

Es ist von entscheidender Bedeutung, dass wir unsere Einstellung ändern und eine 180°-Wende vollziehen.

Wir *müssen* unsere Liebe zu Jesus neu entfachen.

Dazu müssen wir verstehen, wie die Flamme ausgebrannt ist, damit wir sie wieder richtig entfachen können. Das Problem ist *nicht* unsere schwache individuelle oder mittelmäßige kollektive Liebe. Das ist nur ein Symptom. Die *wahre* Ursache ist, dass wir nicht verstehen, wie Christus uns geliebt hat. In Johannes 13,34 sagt Jesus: *„Liebt einander."* Nur uns selbst? Nein – er gibt klare Anweisungen, was die wahre Quelle dieser Liebe ist. *„Damit,* ***wie ich euch geliebt habe*** *[Ursache], auch ihr einander liebt [Symptom]."* Im letzten Teil haben wir also entdeckt, dass es ein Problem mit dem „einander lieben" gibt. Das ist schmerzhaft, aber zumindest haben wir das Problem eruiert. Jetzt müssen wir das Problem an der Wurzel packen, und die liegt in unserem Verständnis der Worte Jesu *„Wie ich euch geliebt habe"*.

Lasst uns also neu über die Liebe Gottes nachdenken, um zu verstehen – in seiner ganzen Tiefe und von ganzem Herzen –, wie Gott uns geliebt hat, denn davon hängt unsere Liebe zueinander ab. Gehen wir also an die Wurzel des Problems, sonst werden wir immer nur die Symptome bekämpfen und die gleichen Fehler immer und immer wieder machen. Kurz gesagt: Wir werden wie Glynn Wolfe sein – auf der Suche nach Liebe an den falschen Orten. Eine Ehe nach der anderen – 28 Mal hintereinander – aber nie die wahre Liebe findend.

Dabei hätte er angesichts seines Berufs am besten wissen müssen, was Liebe wirklich ist.

Denn er war kein Zuhälter. Kein Drogendealer. Und auch kein Klubbesitzer.

Er war Baptistenpastor.

TAKEAWAYS

1. **Menschen brauchen Liebe.**
   Liebe ist etwas, ohne das der Mensch nicht leben kann.

2. **Ungeliebte Menschen werden sich abwenden.**
   Wenn junge Menschen die Liebe Gottes nicht in unseren Gemeinden finden, werden sie sich abwenden und sie an der falschen Stelle suchen.

3. **Aber es gibt eine Lösung!**
   Um besser lieben zu können, müssen wir wissen, wie perfekt Christus uns geliebt hat.

GEBET

Danke, Jesus, dass es immer einen Weg zurück gibt. Wir sehen, wie viele Menschen sich abwenden, und das ist unsere Schuld. Sie haben nach Liebe gelechzt und haben sie nicht bekommen. Wir waren lieblos und unfreundlich. Wir haben einander nicht so geliebt, wie wir uns selbst lieben, wahrscheinlich weil wir deine Liebe zu uns nicht verstehen.

Lehre uns durch den Heiligen Geist, wie wir einander wieder lieben können. Zeige uns die Wurzel des Problems und schenke uns den Willen zur Veränderung.

TEIL II

DIE UNTERSUCHUNG:

WARUM LIEBEN WIR NICHT?

KAPITEL 4

WAS IST LIEBE?

WIR KENNEN IHRE BEDEUTUNG NICHT MEHR

Nis Randers

Ich kannte in meiner Kindheit einen alten Mann, der ein ausgezeichneter Geschichtenerzähler war. Wenn er Cowboy-Geschichten erzählte, schaute man sich um, in der Erwartung, dass gleich ein Indianer aus dem Gebüsch springen würde. Wenn er Seemannsgeschichten nachspielte, bekam man fast nasse Füße.

Ich liebte es.

Einmal erzählte er die Ballade von *Nis Randers* nach. In Gedichtform erfährt man von einem Schiff, das in einem Sturm auf einer Sandbank strandet, und von einem Mann, der am Mast hängt und um sein Leben kämpft. Ein Seenotretter, Nis Randers, will helfen und leiht sich ein Boot. Seine Mutter fleht ihn an, sich nicht in Gefahr zu begeben. Sie hat bereits ihren Mann und einen Sohn auf See verloren. Uwe, ein weiterer Sohn, ist seit Jahren verschollen. Sie will nicht auch noch ihren letzten Sohn verlieren. Aber Nis ist fest entschlossen, also riskiert er trotzdem sein Leben und segelt mit sechs Gefährten hinaus auf die tosende See.

Und während der alte Mann die Geschichte von Nis Randers erzählte, bekam sie plötzlich kleine kreative Wendungen (entweder in meinem Kopf oder in seiner Erzählung), die die Geschichte noch faszinierender machten. Schließlich enthielt sie einen Cliffhanger, den es in Wirklichkeit gar nicht gab.

Es war großartig!

Zumindest als ich da saß und zuhörte.

Nur wenige Tage später hatte ich eine Prüfung im Interpretieren von Gedichten. Und rate mal, welches Gedicht ich vor der Nase hatte, als ich den Prüfungsbogen aufschlug: *Nis Randers!*

Ha! Das wird ein Heimspiel. Ein Elfmeter!

Ein Kinderspiel.

Hier bin ich: das letzte Glied der Nahrungskette!

Und ich hab's voll drauf!

Mit einem überlegenen Grinsen auf dem Gesicht überflog ich das Gedicht kurz und nach einem freudigen Blick auf meinen schwitzenden Nachbarn flog mein Stift nur so über die Seiten, einem sicheren Triumph entgegen.

Eine Woche später bekamen wir die Ergebnisse, aber alles, was von meinem Triumph übrig blieb, war dies:

„Umph!"

Ich bekam eine durchschnittliche Note mit dem Vermerk: „Fehlinterpretation".

Was?! Ich traute meinen Augen nicht! Aber als ich mir den Text noch einmal ansah und den tatsächlichen Wortlaut des Gedichts überprüfte, wurde mir klar: Es ist wahr. Ich hatte mich tatsächlich geirrt. Die Geschichte endet ganz anders, als sie mir von dem alten Mann erzählt worden war.

Diese Erfahrung hatte einen prägenden Einfluss auf mich. In gewisser Weise war es ein entscheidender Moment in meinem Leben, denn ich erkannte: Ich kann mir zu 100 % *sicher sein* und doch zu 100 % *falschliegen.*

Ich hatte mich von einer brillanten, aber falschen Idee blenden lassen. Ich war so begeistert gewesen, dass ich mir die ursprüngliche Quelle nicht einmal genau angesehen hatte. Deshalb nahm ich mir bewusst vor, in Zukunft aufmerksamer und selbstkritischer zu sein. Ich würde immer zuerst zur schriftlichen Quelle zurückkehren und mich selbst davon überzeugen.

Um einer „Fehlinterpretation" der Liebe zu entgehen, dürfen wir uns nicht einfach darauf verlassen, was Menschen uns erzählen, sondern wir müssen immer zum Wort zurückkehren und prüfen, was Gott in der Bibel über Liebe sagt.

Eine weiße Weste

Es gibt aber noch ein weiteres Problem beim Verständnis der Liebe Gottes.

Selbst wenn du die richtige Quelle anzapfst, kann eine „Fehlinterpretation" das Resultat sein.

Lass mich dir erklären, warum.

Mit etwas Abstand zu dem Nis-Randers-Ereignis denke ich, dass die Geschichte wahrscheinlich richtig erzählt worden war.

Aber trotzdem war es zu einem Fehler gekommen – weil ich es war, der die kreativen Details hinzugefügt hat. Und das hat mich eine weitere wichtige Lektion gelehrt:

Kommunikation ist eine Straße, die in beide Richtungen führt.

Sie ist eine Kombination aus Sprechen und Hören, aus Schreiben und Lesen.

Bei Kommunikation geht es nicht nur darum, was jemand *sagt,* sondern auch darum, was eine Person *hört.* Falsche Kommunikation kann also aus dem Mund des Sprechers kommen, aber sie kann auch in den Ohren der Zuhörer entstehen. In Matthäus 12,36 wird der Prediger ermahnt, dass er *„von jedem unnützen Wort, das er* ***reden*** *wird, Rechenschaft geben muss am Tag des Gerichts"*, aber Lukas 8,18 warnt auch die Zuhörer: *„Seht nun zu, wie ihr* ***hört!"*** Jemand kann etwas Bestimmtes sagen, aber eine andere Person *hört* etwas ganz anderes – und beide, der Sender sowie auch der Empfänger einer Botschaft, tragen gleichermaßen Verantwortung.

Sowohl das Reden als auch das Hören haben mit der Gesinnung des Herzens zu tun. Genauer gesagt: mit *Vorurteilen.* Vorurteile entstehen, weil unser Gehirn auf Effizienz getrimmt ist. Du musst jeden Tag so viele Entscheidungen treffen, dass dein Gehirn ein Aneurysma bekommen würde, wenn du jeden einzelnen Input bewerten müsstest, bevor du handelst. Also schafft das Gehirn Abkürzungen; Gedanken, die wie Straßen im „Straßennetz" unseres Gehirns funktionieren. Gehirnforscher nennen diese „mentalen Straßen“ neuronale Bahnen.

Um uns das Leben zu erleichtern, will unser Gehirn automatisch immer die beste Abkürzung nehmen. Die Gedanken, die wir am häufigsten denken, formen die am meisten befahrenen Straßen in unserem Kopf. Alles Neue, was uns begegnet, versuchen wir in diese Bahnen zu „zwängen“. Neue Straßen werden selten geschaffen, denn das ist mit Mühe verbunden. Deshalb ist es auch so anstrengend, unsere Meinung zu ändern, je älter wir werden. Dadurch werden wir immer voreingenommener. Wir erschaffen keine neuen Straßen mehr, denn die meisten Situationen passen in unser bestehendes System, und das funktioniert für uns.

Auf der Suche nach Erklärungen neigen wir dazu, neue Informationen in die Schubladen zu stecken, die wir schon kennen und verstehen. Ich will dir im Folgenden zeigen, wie sich das in der frühen Kirche abgespielt hat.

In Apostelgeschichte 2 lesen wir, dass eine große Menge von Menschen zu Pfingsten die Erscheinung des Heiligen Geistes auf eine Weise erlebte, wie sie es noch nie zuvor erlebt hatten. Stell dir die Szene mal vor: Du stehst in einer Gruppe von Menschen, die deine Sprache sprechen. Plötzlich siehst du, wie etwas, das wie „Feuerzungen“ aussieht, auf die Menschen um dich herum herabkommt, und sie beginnen, in verschiedenen Sprachen zu sprechen. So was wäre – gelinde gesagt – wahrscheinlich ziemlich chaotisch. Und es passiert bestimmt auch nicht jeden Tag.

Überleg nur mal: Menschen, die in verschiedenen Sprachen sprechen, zeigen dabei viele freudige Emotionen. Wenn du die Sprache aber nicht verstehst, sind die Botschaften sicherlich verwirrend für dich.

Diejenigen, die damals beobachteten, wie die Menschen anfingen, in für sie unverständlichen Sprachen zu sprechen, hatten also zwei Erklärungsmöglichkeiten für das, was sie sahen:

Entweder waren diese Menschen verrückt oder sie waren betrunken. Auch ihr Gehirn suchte nach der einfachsten Erklärung, und für die Menschen an jenem Tag bedeutete merkwürdiges Verhalten = verrückt oder betrunken. Sie zwängten das, was sie nicht zu verstehen vermochten (Feuerzungen und eine Vielfalt von Sprachen), in die am meisten befahrene und kürzeste Straße in ihrem Kopf. Und da das Muster, das sie sahen, am besten zu Menschen passte, die betrunken waren, kamen sie ganz einfach zu diesem Schluss.

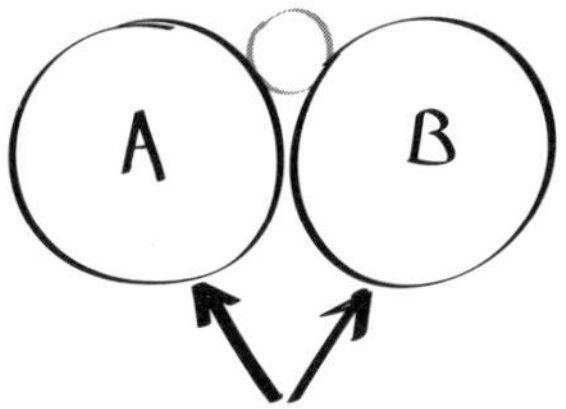

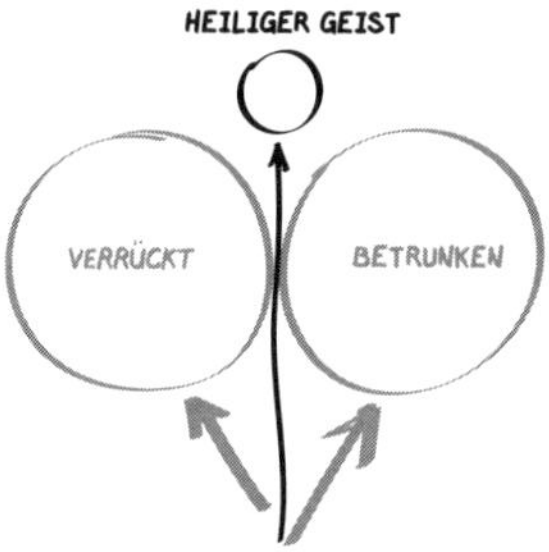

Petrus war sich dieser Situation nur allzu bewusst. Er wusste sogar, was die Leute dachten, und entlarvte rasch ihren ersten Fehlschluss, bevor er ihnen die Wahrheit sagte. In Apostelgeschichte 2,15 heißt es, dass Petrus verkündete: *„Diese Leute sind nicht betrunken, wie ihr vermutet, denn es ist erst die dritte Stunde des Tages.“*

Petrus konzentrierte sich nicht nur auf die Botschaft, die er vermitteln wollte, er ging auch darauf ein, *wie sich seine Zuhörer fühlten,* und griff deren falsche Annahmen direkt auf. Er wusste, dass die Botschaft, die er an diesem Tag verkünden wollte, das Potenzial hatte, die Menschen nachhaltig zu verändern – umso mehr wollte er sicherstellen, dass er sämtliche falschen Vorstellungen korrigierte, bevor diese ausufern konnten.

Prediger haben eine große Verantwortung; nicht nur in Bezug darauf, die richtigen Worte zu sprechen, sondern auch im Hinblick darauf, sich darum zu bemühen, ihre Zuhörer zu verstehen – wer sie sind, woher sie kommen, welche Vorurteile in ihnen verankert sind und von welchen Annahmen sie ausgehen –, um sicherzustellen, dass sie die Botschaft auch *wirklich* verstehen.

Wir können sprachlich die richtigen Worte äußern, aber trotzdem nicht die richtige Botschaft vermitteln.

Gott weiß, dass Lehrer Gefahr laufen, nur zu predigen, ohne wirklich zuzuhören. Deshalb hat er das Amt des Hirten (Zuhören) und des Lehrers (Reden) in einer Verantwortung zusammengefasst: Hirten *und* Lehrer. (Epheser 4) Das griechische Wort *kai* verbindet diese beiden Ämter eng miteinander, sodass es auch mit „Hirten-Lehrer" übersetzt werden kann.

Der Hirtenlehrer muss sein Publikum nicht nur verstehen, sondern auch falsche Vorurteile ausräumen. Das ist wichtig, weil man auf einem schlechten Fundament nicht gut bauen kann. Wenn Vorurteile ausgeräumt werden, hat der Hirtenlehrer ein „leeres Blatt", auf das er „schreiben" kann.

Manchmal müssen wir bis zum Äußersten gehen, um Menschen dazu zu bringen, ihre Vorurteile zu überdenken und die Dinge aus einer neuen Perspektive zu betrachten. Petrus wusste das und trat deshalb sofort in Aktion, als er zu lehren begann. Manchmal müssen wir heute dasselbe tun.

Denk nur mal über das Wort „Religion" nach. Allein bei diesem einen Wort hegst du wahrscheinlich schon einige Vorurteile. Im 19. Jahrhundert hingegen war das Wort sehr beliebt und wurde für „christlicher Glaube" verwendet. Vor diesem Hintergrund hatte Religion eine positive Assoziation. Im Laufe der Zeit wurde der Begriff „Religion", der inzwischen nur noch eine „christliche Verpackung" besaß, jedoch für alle möglichen Dinge verwendet, darunter beispielsweise für bestimmte Rituale, Dogmen und einen tristen Lebensstil.

Wenn heute jemand sagt, dass du „religiös" bist, wird das fast schon als Beleidigung angesehen.

Vor diesem Hintergrund entstand eine neue Generation von Christen, die das wahre Leben in Christus lebten und sich damit von dem toten Ritualismus der „Religion" unterschieden.

Jeff Bethke gehört zu dieser Generation. Heute ist er New-York-Times-Bestsellerautor von *Warum ich Religion hasse. Und Jesus liebe.*[9] Vor einigen Jahren war er allerdings nur ein 22-Jähriger mit einer großen Leidenschaft, der seine Stimme einsetzte, um in einem YouTube-Video, das später viral ging, ein eindrucksvolles Beispiel für diese „Neudefinition" zu geben: „Warum ich Religion hasse, aber Jesus liebe." Ein Jahrhundert zuvor wäre er für eine so kühne Aussage aus der Kirche geworfen worden; jetzt wurde er von mehr als 35 Millionen Zuschauern bejubelt. Warum? Weil jeder, der das Video gesehen hat, verstand, was er sagen wollte: dass die lebendige Beziehung zu Christus vom Ritualismus des toten, theologischen, wirtschaftlichen und politischen christlichen Systems getrennt werden muss.

Das Wort „Religion" hatte sich zwar von der Bedeutung her geändert, sein zugrunde liegender Inhalt jedoch nicht. Daher brauchte der Inhalt neue Worte, um seine Macht zurückzugewinnen.

Religion ist nur ein Wort; das wahre Christentum ist der zugrunde liegende Inhalt.

Das war eine zweite wichtige Erkenntnis für mich: Meine eigenen Voraussetzungen und die meiner Zuhörer spielen eine wesentliche Rolle.

Wenn du heute in eine Kirche gehst und den Leuten sagst: *„Gott liebt dich"*, dann werden sie denken: „Sag mir etwas Neues; etwas, was ich nicht schon weiß." Schließlich kennt fast jeder den Vers: *„So sehr hat Gott die Welt geliebt …"*

Wir haben Johannes 3,16 in unser Gedächtnis eintätowiert, aber was ist, wenn wir die wahre Bedeutung vergessen haben, weil einige „kreative" Details zu seiner ursprünglichen Bedeutung hinzugefügt wurden oder weil wir inzwischen einfach etwas ganz anderes darunter verstehen, wenn wir das Wort „Liebe" hören?

Woran könnte es liegen, dass viele Christen etwas falsch

verstehen, wenn sie von Gottes Liebe hören? Ich vermute, dass es 3 Erfahrungen gibt, die viele Christen gemacht haben und die ihre Vorstellung von Liebe fundamental prägen.

Vielleicht findest du dich wieder?

Keine Liebe

Ein Freund, der in der Mission tätig ist, erzählte mir neulich von seiner Arbeit in einem Stamm und dass sie bei ihrem Bibelstudium vor einem großen Problem standen.

Sie hatten genügend Bibeln.

Sie hatten genügend Kommentare.

Das war *nicht* das Problem.

Sondern: Die Stammesangehörigen hatten noch nie ein Schaf gesehen.

Das hört sich eigentlich nicht nach einem großen Problem an, oder? Aber da sie keine Ahnung hatten, was ein Schaf ist, waren sie verwirrt, als sie diesen Vers lasen:

> *Wir alle irrten umher wie Schafe, wir wandten uns jeder auf seinen eigenen Weg; aber der HERR ließ ihn treffen unser aller Schuld. – Er wurde misshandelt, aber er beugte sich und machte seinen Mund nicht auf wie das Lamm, das zur Schlachtung geführt wird, und wie ein Schaf, das stumm ist vor seinen Scherern; und er machte seinen Mund nicht auf.* (Jesaja 53,6-7)

Wenn du die Schlichtheit und Sanftmut von Schafen nicht verstehst, werden diese Verse für dich wenig Sinn ergeben. Die Missionare wussten nicht, wie sie dem Stamm dieses wichtige Bild erklären sollten, aber sie fanden einen sehr kreativen Weg.

Nun ist die Definition eines Schafs zwar wichtig, aber man kann auch ohne sie ein geistliches Leben führen.

Aber jetzt stell dir mal vor, was passiert, wenn die Menschen die

Bedeutung von „Liebe“ nicht verstehen!

Das ist eine ganz andere Nummer!

Ich denke allerdings, genau das ist heute der Fall. Sonst würden die Menschen als Antwort auf Gottes Liebe auch lieben. *„Wir lieben, weil er uns zuerst geliebt hat.“* (1. Johannes 4,19) Das ist ein Automatismus. In dem Moment, in dem Gott uns die Augen für seine Liebe öffnet, kann es nur eine Antwort geben: unsere Liebe im Gegenzug. Aber aus irgendeinem Grund werden unsere Augen nicht für die Liebe Gottes geöffnet. Und ich glaube, das liegt daran, dass wir sie nicht richtig sehen. Die Liebe ist zwar in unseren Lehren, Predigten und Liedern allgegenwärtig, aber wir sehen sie nicht wirklich, weil es uns an lebendigen Beispielen fehlt. Genauso wie die Stammesangehörigen eine Lösung finden mussten, um das Wort „Schaf“ zu verstehen, bevor sie das Wort verstehen konnten, müssen wir die Liebe *sehen,* bevor wir die wahre Bedeutung des Wortes verstehen.

Und das funktioniert nicht, solange wir „Liebe“ mit „Gesetz“ verwechseln.

So viele Christen werden über die *Liebe* belehrt, aber in Wirklichkeit ist sie für sie ein *Gesetz.* Ihnen wird gesagt, dass die Bibel ein *Liebesbrief* ist, aber stattdessen wird sie von ihnen als *starres Regelwerk* benutzt. Sie hören von *bedingungsloser Liebe,* aber sie erleben eine Liebe, die auf Bedingungen zu beruhen scheint. Sie werden über den Reichtum von Gottes Liebe belehrt, aber wenn sie wirklich geliebt werden wollen, müssen sie zum Reichtum des Pastors beitragen. Gottes Liebe ist wunderbar, aber wenn du in deinem Leben keine Wunder erlebst, liegt das daran, dass du nicht wirklich in der Gunst Gottes stehst.

Verstehst du, warum die Menschen verwirrt sind und warum wir ein Liebesproblem haben?

Wegen dieser Ungereimtheiten sind viele Christen in schrecklichen Ängsten gefangen und machen sich ständig Gedanken darüber, ob sie die richtigen Regeln befolgen oder richtig leben, um Gott zu gefallen.

Das sind Menschen, denen es äußerlich an nichts zu fehlen scheint, denen es aber innerlich an Gnade mangelt. Sie scheinen zu lächeln und führen Small Talk, während sie typische kirchliche Aufgaben erfüllen. Sie *funktionieren,* aber sie *leben* nicht. Ihre Art, das Christentum zu leben, ist eine oberflächliche Karikatur dessen, was es eigentlich sein sollte.

Lass mich dir eine Illustration geben, um zu veranschaulichen, was ich meine.

In einem Sketch einer deutschen Comedyshow bereiten ein Vater und seine Tochter gemeinsam das Abendessen zu.

Die Tochter fragt: „Und, Papa, wie gefällt dir das iPad, das wir dir geschenkt haben?"

Der Vater antwortet: „Oh, ich liebe es", während er gerade etwas klein schnippelt.

Die Tochter hakt nach: „Und was ist mit den Apps?"

Der Vater scheint überrascht zu sein: „Apps?"

In diesem Moment kannst du sehen, wie er das iPad benutzt ... als Unterlage zum Schnittlauchschneiden ... um dann das Gerät kurz unter Wasser zu halten und danach in die Spülmaschine zu stecken. Die Tochter ist verblüfft. Er sieht sie an, ohne die Situation zu begreifen, und murmelt: „Alles in Ordnung?"

Ja, der Vater hat das iPad benutzt, aber nicht wie vorgesehen. Er hat vielleicht 1 % seiner Kapazität genutzt. Wenn du ihn gefragt hättest, was man mit einem iPad alles machen kann, hätte er gesagt: „Es ist eine tolle Unterlage, um Gemüse klein zu schnippeln." Tatsächlich kann man mit einem iPad so viel mehr machen, als nur Schnittlauch klein zu schneiden; es hierfür zu benutzen, ist gar so zweckentfremdet, dass es geradezu lächerlich ist.

Und doch machen wir oftmals genau den gleichen Fehler, wenn es um die Liebe geht.

Wenn du Gottes Liebe nicht verstehst, führt das zu dem gleichen abnormalen Verhalten, nur mit weit weniger humorvollen Resultaten. Und das läuft folgendermaßen ab: Du fragst jemanden: „Woher weißt du, dass Gott dich liebt?" Wenn er oder sie bibelkundig ist, wird er bzw. sie sofort antworten: „Jesus ist am Kreuz für meine Sünden gestorben."

So weit, so gut, aber ist dies das Ende der Geschichte?

„Nein. Er ist wiederauferstanden."

Du fragst: „Und was bedeutet das für dich persönlich?"

Schweigen.

Das ist das „fehlende Schaf".

Viele sogenannte „Gläubige" verstehen, dass der Tod Jesu am Kreuz Liebe bedeutet, aber dann werden die Dinge sehr wischiwaschi. Man gewinnt den Eindruck, dass sie eher denken, dass ein *toter* Jesus sie geliebt hat, anstatt dass der *auferstandene* Jesus sie liebt und Teil ihres Lebens ist, hier und heute. Aber das ist genau das, was du in deinem Alltag brauchst – eine andauernde Beziehung, die du tagtäglich erlebst. Die meisten Menschen betrachten Jesus als jemanden, den sie in Zeiten der Not anrufen können, und nicht als jemanden, der dich ganz genau kennt und mit dir verbunden ist. Deshalb sind einige Menschen auch zunächst überglücklich, ja geradezu „selig", wenn sie in Jesus als Helfer in der Not Zuflucht finden, aber sobald dann nach einer Weile wieder der Alltag einkehrt, erlischt die Flamme.

Und mit einer schlechten Erfahrung kann das Ganze sogar noch schlimmer werden.

Schlechte Liebe

Eine schlechte Erfahrung kann deine Sicht auf etwas für immer verändern.

Das war bei mir mit der Sonne der Fall – eine Lektion, die ich auf die harte Tour gelernt habe, im wahrsten Sinne des Wortes!

Wir waren mit ein paar Freunden zum Surfen in Italien und ich habe mir einen Sonnenbrand geholt. Aber nicht nur irgendeinen Sonnenbrand. Einen richtig, richtig schlimmen Sonnenbrand! Einen, bei dem man sich schwört, nie wieder nach draußen zu gehen. Ich war nicht der Einzige, wir alle hatten uns verbrannt.

Aber bei mir kam noch hinzu, dass mein Körper auf der Rückreise aus dem Urlaub plötzlich extrem zu jucken begann, als hätte jemand Juckpulver auf meinen Rücken gestreut. Der Juckreiz und der gleichzeitige Schmerz waren unerträglich.

An fast jeder Tankstelle mussten wir anhalten, damit ich kurz auf der Toilette Wasser auf den Rücken spritzen konnte. Als ich nach Hause kam, konnte ich nicht schlafen, weil – egal wie ich mich hinlegte – es immer höllisch schmerzte. Die Qualen hielten über drei Tage an und waren der reinste Horror.

Nach dieser Erfahrung hatte ich schreckliche Angst vor der Sonne.

Kein *Respekt*. Angst!

Infolgedessen habe ich versucht, sie so gut wie möglich zu vermeiden. Ich bekam sogar ein Hautekzem, weil ich nicht mehr in die Sonne ging, denn die Haut braucht Licht.

Negative Erfahrungen können eine Kettenreaktion von schlechten Entscheidungen auslösen und jemanden in eine Abwärtsspirale katapultieren. In meinem Fall war das so. (Wie ich den Teufelskreis schließlich stoppen konnte, erzähle ich dir im nächsten Kapitel.)

Für mich brachte diese schlechte Erfahrung sogar etwas so Gutes und Lebenswichtiges wie die Sonne in Misskredit.

Tragischerweise kann das Gleiche auch mit etwas so Positivem und Lebenswichtigem wie der Liebe passieren.

Eine Freundin machte diese Erfahrung einmal bei der Arbeit mit Kindern. Als sie ihnen eine biblische Geschichte erzählte, äußerte sie die Worte „die Liebe des Vaters". Die Kinder schauten angewidert auf und sagten: „Eklig!"

Kannst du dir das vorstellen? Was ein normaler Christ als die höchste Form einer Liebesbeziehung betrachtet, fanden diese Kinder „ekelhaft". Denn als die Bibelschullehrerin über Gott als Vaterfigur und seine aufopferungsvolle Liebe sprach, assoziierte das Gehirn dieser Kinder dies mit dem sexuellen Missbrauch, den sie entweder selbst erlebt oder von anderen gehört hatten.

Das Gleiche geschieht zum Teil in konservativen Kirchen, auch wenn du dir das wahrscheinlich nur schwer vorstellen kannst. Der einzige Unterschied ist, dass diese Kinder die Freiheit hatten, ihre Gedanken zu äußern, während dies in vielen Kirchen unterdrückt wird. Das ist im Grunde genommen nichts anderes als Heuchelei – das eine zu behaupten und das andere zu tun.

Das Ergebnis ist eine doppelzüngige Gemeinde, die in zwei Richtungen gehen kann: entweder in Richtung Liberalismus oder Legalismus. Also entweder erlaubst du jedem zu tun, was er will, wie es bei den Korinthern der Fall war, oder du verbietest alles, wie die Galater es taten.

Welche verheerenden Auswirkungen das auf den Einzelnen haben kann, zeigt der herzzerreißende Erfahrungsbericht von Ina Dill, einer jungen Frau, die in einem streng christlichen Umfeld aufwuchs:

> *„Da stand sie, ein kleines Mädchen in einem hübschen Kleid und rosa Puschen. Sie sah sich um, das Zimmer nur beleuchtet von den Lichtern des Weihnachtsbaumes, der in der Ecke stand. Eine Szene, die Geborgenheit und Liebe ausstrahlen sollte, doch wenn man genauer hinsah, konnte man einen Schatten über diesem Bild erkennen. Damals wusste sie es noch nicht, aber dieser Schatten würde sie noch eine lange Zeit ihres Lebens begleiten – sein Name war „Minderwertigkeit“. Alles was sie tat oder sagte, wurde bewertet. Wie sie aussah, wurde einem Urteil unterzogen, und alles, was sie wollte, war, für gut befunden zu werden. Sie musste gut sein, um geliebt zu werden. Zuhause und auch in ihrer Kirche. Es gab viele Regeln und diese mussten eingehalten werden. So stand sie da in diesem Zimmer und wollte doch nur eins: geliebt werden um ihrer selbst willen. Dieses kleine Mädchen war ich.“*

Wenn Menschen schlechte Erfahrungen machen – sei es im Leben oder in der Liebe –, prägt das ihre Persönlichkeit und führt zu einer Trennung zwischen Kopf und Herz. Kein Wunder also, dass wir nicht mehr wissen, was Liebe ist.

„Kopf-Liebe“

Viel Kopf-Wissen – kein Herz-Wissen.

Das ist unser Problem.

Ein gutes Beispiel dafür, wie es in der heutigen Welt aussieht, ist die Geschichte von Hendrik.

Hendrik war das vierte Kind einer sehr konservativen Familie in den Niederlanden. Die Bibel war seine Heimat. Er war der Beste in der Sonntagsschule und begann bereits im Alter von 12 Jahren, Bibelkommentare zu lesen. Die älteren Leute schauten mit Stolz auf Hendrik. Er war ein regelrechtes Vorzeigebeispiel dafür, wie wichtig die Lehre ist. Er hatte nicht nur die Gesinnung Christi, sondern man konnte sie auch an seinem Verhalten erkennen. Er trug sittsame Kleidung, oft einen Anzug. Und er lächelte leicht, aber nicht zu oft, denn dieser junge Mann kannte den Ernst des Lebens. Doch dann bat Hendrik eines Tages darum, mit einem Ältesten zu sprechen.

Er wollte nicht mehr am Abendmahl teilnehmen. Was?! War irgendetwas mit der Gemeinde nicht in Ordnung?

„Nein“, erwiderte Hendrik. „Mit mir stimmt etwas nicht! Ich glaube, ich bin verflucht, weil ich meinen Herrn nicht liebe. Ich werde einen Fluch über euch alle bringen.“

Die Ältesten waren schockiert! Aber als Hendrik ihnen von seinen inneren Kämpfen erzählte, sahen sie sich erleichtert an. Hendrik hatte niemanden umgebracht. Er hatte keine Unzucht getrieben. Er wollte sogar seinen Anzug weiter tragen. Sie waren zwar überrascht, dass jemand wie Hendrik fleischliche Probleme hatte, nahmen dies aber zunächst nicht allzu ernst, denn Gott war ja Liebe und würde Hendrik schon die entsprechende Gnade schenken. Sie ahnten jedoch nicht, was für ein steinernes Herz vor ihnen saß.

Hendrik lebte nicht nur in moralischer Sünde, er „ertrank“ geradezu in gesetzlicher Dunkelheit.

Erst nach und nach fanden sie heraus, wie tief seine Gesetzlichkeit ging. Jedes Mal, wenn sie ihm von der Liebe Gottes erzählten, bestätigte er sie und zitierte ihnen das ausgefeilteste Beispiel aus dem Neuen Testament mit einer Typologie aus dem Alten Testament, um die Botschaft zu unterstreichen. Doch sie spürten: Er *wusste* zwar alles über die Liebe – aber er hatte sie nie *gekostet*.

Großer Kopf – kleines Herz.

Hier war er also – mental überlegen gegenüber den Lehrern, die nie Väter für ihn gewesen waren. Das Monster Frankensteins, das sie erschaffen hatten, schlug jetzt zurück. Die Kraft des Flusses konnte man deutlich spüren – aber der Fluss floss in die völlig falsche Richtung.

Er war tödlich geworden.

Alle Treffen endeten mit dem üblichen Satz: „Wir werden für dich beten, Hendrik, und denk daran: Gott liebt dich.“ Aber diese Worte hatten für Hendrik keine Bedeutung mehr. Er *wusste,* dass Gott die Welt liebt, das Volk Israel, die Kirche, den Überrest in der Offenbarung, dass er die Sünde hasst und den Sünder liebt – dies alles *wusste* er. Aber er selbst fühlte sich nicht zugehörig. Er merkte bloß, wie vermeintlich „das Fleisch in ihm wirkte“. So floss der Fluss immer weiter abwärts in die Tiefe.

Bis seine Mutter ihn fand: Hendrik stand mit einem Strick um den Hals auf einem Stuhl.

Was war bei Hendrik schiefgelaufen?

In Hebräer 4,12 steht, dass die Bibel ein Schwert ist. Sie ist kein stumpfes Buttermesser. Sie ist eine Waffe mit einer scharfen, zweischneidigen Klinge. Jemandem beizubringen, sie zu benutzen, ohne die Absicht des Herzens zu prüfen, kann tödlich sein.

Das ist so, als hätte man dem Selbstmordkommando von 9/11 beigebracht, wie man ein Flugzeug fliegt. Ein Flugzeug zu fliegen, ist etwas Wunderschönes – aber es ist absolut gefährlich, wenn man es jemandem beibringt, der die falsche Gesinnung im Herzen hat. Jemand, der nur lernen will, wie man fliegt, und nicht, wie man landet.

Die Bibel ist keine neutrale Dokumentation. Sie ist nicht lediglich *Information,* sondern Kommunikation, Aufklärung, Schöpfung, Erleuchtung und Bildung.

- **Kommunikation,** weil sie Gottes Botschaft an die Menschen ist. (2. Timotheus 3,16)
- **Aufklärung,** weil sie beschreibt, wer Gott ist. (1. Johannes 1,5)
- **Erleuchtung,** weil sie unsere Augen für geistliche Realitäten öffnet. (Psalm 119,130)
- **Schöpfung,** weil sie wie ein Samen ist und der Glaube durch das Hören entsteht. (1. Petrus 1,23; Römer 10,17)
- **Erziehung,** weil sie uns lehrt, wie wir in Neuheit des Lebens wandeln können. (1. Petrus 2,2-3)

Für Hendrik bestand die Bibel nur aus Informationen. Er hatte, wie viele intellektuelle Christen, alles *über* die Bibel gelernt, ohne wirklich mit dem Autor in Kontakt zu kommen. Wissen ist nicht gleich Erfahrung. In 2. Timotheus 3,7 heißt es, dass er *„immer [lernte] und niemals zur Erkenntnis [epi-gnosis] der Wahrheit [Jesus] kommen [könnte]."* Hendrik hatte alles über die Liebe *gelernt*, ohne sich selbst geliebt zu fühlen. Er *wusste* alles über die Freiheit, ohne frei zu *sein*. Er hatte eine intellektuelle Beziehung (gnosis) *zu* Gott, aber es fehlte ihm an Intimität *mit* Gott (epi-gnosis).

Dies ist vor allem deshalb so tückisch, weil es extrem schwierig ist, es aufzudecken.

Fassen wir zusammen, was wir bisher besprochen haben: Es ist möglich, dass man die Liebe nicht kennt, weil man sie nie gesehen hat – es fehlt ein Beispiel (Schaf). Oder weil man falsche Erfahrungen mit der Liebe in Form von Missbrauch oder Gesetzlichkeit gemacht hat. Es ist aber auch möglich, die Liebe nicht zu kennen, weil man zu viel über die *theoretische* Liebe weiß, aber die Liebe nicht *in Person* kennt.

Die Pharisäer sind ein perfektes, warnendes Beispiel dafür. Der Herr Jesus selbst sagte: *„Ihr erforscht die Schriften."* (Johannes 5,39) Das bedeutet, dass die Pharisäer Bibelstudierte waren. Sie kannten die Bibel in- und auswendig. Und doch waren sie in totaler Opposition zum Gott der Bibel. Das heißt, sie nutzten das äußerliche Bibellesen, um sich innerlich von Gott fernzuhalten. Wie das?! Sie glaubten, in der *Heiligen Schrift* das ewige Leben zu finden.

Wahrscheinlich runzelst du jetzt die Stirn und fragst dich: „Aber ist das nicht das Ziel?"

Lass mich das anhand einer kleinen Beispielgeschichte verdeutlichen:

Sarah war bis über beide Ohren in Phil verliebt. Um ihm ihre Zuneigung zu zeigen, schrieb sie ihm einen Brief. Phil las den Brief mehrmals durch und entdeckte in Sarahs Worten jedes Mal ein bisschen mehr von ihrer Genialität. In diesem Brief standen auch ein Datum und ein Ort, an dem Sarah sich mit Phil treffen wollte – auf einer Wiese an einem wunderschönen Fluss mit Blick auf die herrliche Landschaft.

Am Tag ihres Dates setzten sie sich ans Ufer des Flusses und Phil nahm den Brief aus seiner Tasche. Er faltete ihn auf und begann vor Sarah, über die Schönheit des Briefes zu sprechen. Sie nickte zustimmend, ohne zu wissen, worauf das alles hinauslaufen sollte.

Er redete über die Schönheit des Papiers, schwärmte von der Struktur der Sätze und dem grammatikalischen Genie, das dahintersteckte. Nach einiger Zeit nahm Sarah ihm sanft den Brief aus der Hand, sah Phil in die Augen und sagte: „Ich weiß das alles, Phil. Ich habe diesen Brief geschrieben! Könntest du mich jetzt einfach mal umarmen?"

Doch Phil sah sie nur verwirrt an: „Warte mal, ich halte dich zwar für ein Genie, aber das heißt nicht, dass ich mehr von dir will. Eigentlich bin ich sogar bereits mit einer anderen in einer Beziehung."

Ganz ähnlich suchten die Pharisäer in der Schrift, um *durch die Schrift* ewiges Leben zu haben. Aber sie wollten das ewige Leben ohne den Ewigen. Jesus sagte: *„Sie sind es, die von mir zeugen; und ihr wollt nicht zu mir kommen, damit ihr Leben habt."* (Johannes 5,39-40) Damit wollte er Folgendes sagen: „Die Heilige Schrift ist ein Mittel zum Zweck, aber ihr betrachtet sie als das Ziel." Das ewige Leben liegt nicht in den einzelnen Wörtern, sondern in **„dem Wort"**, in Jesus selbst. Jesus sagte nie, dass *das Wort* sie frei machen würde. Es ist die Wahrheit des Wortes, die uns frei macht. *„Ihr werdet die Wahrheit erkennen, und die Wahrheit wird euch frei machen."* (Johannes 8,32) Das war nicht die Schrift selbst, sondern die Person, die durch die Schrift vermittelt wird: der *Sohn*. *„Wenn nun der Sohn euch frei machen wird, so werdet ihr wirklich frei sein."* (Johannes 8,36)

Wenn wir die Bibel aus einem anderen Grund lesen, als um Jesus Christus geistlich zu begegnen und ihn verherrlicht zu sehen, verfehlen wir den Grund, warum die Bibel geschrieben wurde. Und wir laufen Gefahr, stolz zu werden, weil wir uns durch die Weisheit, die in der Bibel zum Ausdruck kommt, überlegen fühlen.

Das ist geistlicher Stolz.

Du kannst alle Schriften durchsuchen und trotzdem Christus nicht finden. Du kannst alles Wissen der Bibel verinnerlicht haben und trotzdem mit einem Strick um den Hals enden. Prophezeiungen werden vergehen, Zungenreden wird aufhören und sogar Erkenntnis wird vergehen. !!!

Aber die Liebe wird niemals enden. Tatsächlich wird sich die Liebe an diesem Punkt wie nie zuvor entfalten.

In seinem letzten Gespräch (Johannes 21) mit seinem wortführenden Jünger Simon Petrus sagte der Herr Jesus nicht zu ihm: „Simon, hast du alles verstanden?“

Er fragte: *„Hast du mich lieb?“*

Das ist ein Unterschied von etwa 25 Zentimetern – der Abstand vom *Kopf* zum *Herzen*.

Und dieser Abstand macht den Unterschied aus, wenn es darum geht, die Liebe zu verstehen.

TAKEAWAYS

1. **Entdecke die echte Definition von Liebe.**
   Verlasse deine Welt der selbst konstruierten Ideen und kehre zum Wort zurück.

2. **Sei dir deiner Vorurteile bewusst.**
   Vielleicht hörst du ein Wort und verstehst immer etwas anderes.

3. **Gründe, warum wir das Wort „Liebe“ missverstehen:**
   - Liebe ist nicht da oder wird mit Gesetz verwechselt.
   - Liebe wird mit einer schlechten Liebeserfahrung verwechselt.
   - Liebe wird mit Intellektualismus verwechselt.

GEBET

Herr – lehre mich.

Hilf mir, meine eigenen Gedanken und vorgefassten Meinungen loszulassen. Ich erkenne, dass meine Sicht auf die Liebe wahrscheinlich beeinträchtigt ist. Führe mich zurück zu deinem Wort. Lehre mich, Meister der Liebe – ich bin hier, um zuzuhören.

KAPITEL 5

EIN NEUER SCHATZ

LIEBE KOMMUNIZIERT

Plötzlich war es ganz schwarz. Tintenschwarz.

Sie wusste nicht, wo sie war, aber es war ein dunkler Ort. Und es war unheimlich still. So still, dass sie ihr eigenes Herz klopfen hörte.

Sie war bestimmt schon eine ganze Weile an diesem Ort. Einen Tag, eine Woche, ein Jahr? Sie hatte keine Ahnung. Sie hatte jegliches Zeitgefühl verloren. Und sie wusste nicht, ob es ein Zimmer war, in dem sie sich befand, oder etwas anderes. Vielleicht eine Höhle oder sogar eine Folterkammer? Es war so unglaublich dunkel hier. Sie konnte nur durch blindes Tasten erahnen, welche Gegenstände sie umgaben.

Aber das Unheimlichste war der Moment, in dem sie entdeckte, dass sie nicht allein war.

Jemand beobachtete sie. Sie konnte es *spüren*.

Jemand anderes war bei ihr. Und sie war sich nicht sicher, ob „er/sie/es" gut oder schlecht war. Dieses Ding berührte sie, drückte sie, und manchmal steckte es ihr sogar Dinge in den Mund. Dann wehrte sie sich und „es" ließ sie in Ruhe. Aber nur für eine Weile, dann ging alles wieder von vorne los.

Wessen Gefangene war sie?

Was war das Ziel von alldem?

Dann kam wieder diese „Sache". Diese feste Berührung. Es packte ihren Arm und zog sie in eine bestimmte Richtung. Eine kalte Flüssigkeit berührte ihre Hand. Dann drückte diese seltsame Hand in ihre Hand, Fingerspitzen an Handfläche. Dann wieder diese Flüssigkeit. Wieder diese drückende Hand. Und dann geschah es.

Sie verstand, was passiert war.

Es traf sie wie ein Blitz.

Wie die ersten wärmenden Strahlen der Morgendämmerung nach einer eisigen Nacht.

Wie ein vertrautes Liebeslied, das man zum ersten Mal hört.

Wie ein 7-jähriges Mädchen, taub und blind, das mit seiner Lehrerin an einem Brunnen steht und begreift: Das Drücken, das ich in meiner Hand spüre, ist *Kommunikation*. Da draußen ist jemand, der mit mir reden will.

In diesem Fall war dieses kühle, flüssige „Etwas", das das Mädchen auf seiner Haut spürte, Wasser. Wasser. W-A-S-S-E-R. Ein einfaches Wort. Aber es war auch eine Flucht. Ein Weg aus der chaotischen Dunkelheit, die es umgab, in das wunderbare Licht der Sprache.

Vielleicht kennst du die Geschichte von diesem Mädchen. Ihr Name ist Helen Keller.

Helen Keller verlor im Alter von nur 19 Monaten sowohl ihr Augenlicht als auch ihr Gehör. Wegen dieser unerbittlichen Dunkelheit und der zermürbenden Stille war Helen Keller verständlicherweise ein sehr wildes und widerspenstiges Kind geworden. Ihre Tage müssen schrecklich gewesen sein. So war es keine Überraschung, dass sie trat und schrie, wenn sie wütend war, und unkontrolliert kicherte, wenn sie glücklich war.

Viele Familienangehörige waren der Meinung, dass sie in ein Heim eingewiesen werden sollte.

Aber ihre Eltern gaben sie nicht auf. Die eben beschriebene Situation war der Moment, in dem Anne Sullivan, ihre hingebungsvolle Lehrerin, den Schleier des Schweigens durchbrach und mit dem Wort „Wasser" die Dunkelheit in Helen Kellers Innenleben durchdrang. So erzählte Helen Keller Jahre später von dieser Erfahrung:

Wir gingen den Weg zum Brunnenhaus hinunter, angezogen vom Duft des Geißblattes, mit dem es bedeckt war. Jemand schöpfte Wasser und meine Lehrerin hielt meine Hand unter den Ausguss. Während der kühle Strahl über die eine Hand floss, buchstabierte sie in die andere Hand das Wort „Wasser", erst langsam, dann schnell.

Ich stand still, meine ganze Aufmerksamkeit galt den Bewegungen ihrer Finger. Plötzlich spürte ich ein nebliges Bewusstsein, wie etwas Vergessenes – ein Kribbeln, das zurückkehrte; und irgendwie wurde mir das Geheimnis der Sprache enthüllt.

Da wusste ich, dass „W-a-s-s-e-r" das wunderbare kühle Etwas bedeutete, das über meine Hand floss. Dieses lebendige Wort erweckte meine Seele, gab ihr Licht, Hoffnung, Freude, machte sie frei! Es gab zwar immer noch Barrieren, aber die konnten mit der Zeit weggefegt werden.

Ich verließ das Brunnenhaus und war ***begierig, zu lernen.*** *Alles hatte einen Namen, und jeder Name brachte einen neuen Gedanken hervor. Als wir zum Haus zurückkehrten, schien jeder Gegenstand, den ich berührte, vor Leben zu beben. Das lag daran, dass ich alles mit dem seltsamen, neuen Blick sah, den ich bekommen hatte.*

Als ich durch die Tür trat, erinnerte ich mich an die Puppe, die ich zerbrochen hatte. Ich tastete mich zum Herd und hob die Scherben auf. Vergeblich versuchte ich, sie wieder zusammenzusetzen. Dann füllten sich meine Augen mit Tränen, denn ***mir wurde klar, was ich getan hatte,*** *und ich empfand zum ersten Mal Reue und Trauer.*

An diesem Tag lernte ich eine Menge neuer Wörter. Ich weiß nicht mehr, welche das waren, aber ich weiß, dass „Mutter", „Vater", „Schwester" und „Lehrerin" darunter waren

– Wörter, die die Welt für mich zum Blühen brachten, „wie Aarons Stab mit Blumen“.[10]

Kannst du dir vorstellen, wie glücklich Helen an diesem Tag war? Ich kann förmlich ihr kindliches Lächeln beim Einschlafen vor mir sehen! Aber weißt du, was noch viel krasser ist? Wenn ein Mensch wieder den Zugang zu Gott bekommt. Wenn er seine Worte wieder versteht.

Was der *Brunnen* für Helen war, war *Indien* für mich. Wir haben beide „Wasser“ entdeckt. Für sie war es *natürliches* Wasser und für mich *geistliches* Wasser. Aber das Wasser war nur der Anfang, der mir die Augen für eine viel größere Realität öffnete. Ich war nach Indien gekommen, um Waisenkindern zu helfen – aber das wahre Waisenkind war ich selbst. Ich ahnte nicht, dass mein himmlischer Vater mir begegnen würde, um Zeit mit mir zu verbringen und mir eine völlig neue Welt zu eröffnen.

Ich hatte keine weltlichen Bücher, kein Handy und keinen Computer mitgenommen.

Es waren nur die Bibel und ich.

Und dann entdeckte ich etwas Tiefgreifendes: Es waren *Gott* und ich.

Ich hatte die Bibel schon oft gelesen, aber in dieser ersten Woche in Indien öffnete mir der Herr wirklich die Augen für die Schönheit seines Wortes und noch viel mehr: die Realität *hinter* dem Wort – Gott selbst. Tiefer als je zuvor erkannte ich, dass hinter den Worten auf der Seite DAS Wort steht. Eine Person, die tatsächlich zu mir sprach. Ein Geist, der durch menschliche Worte in meine physische Welt spricht. Die Augen meines Herzens wurden geöffnet.

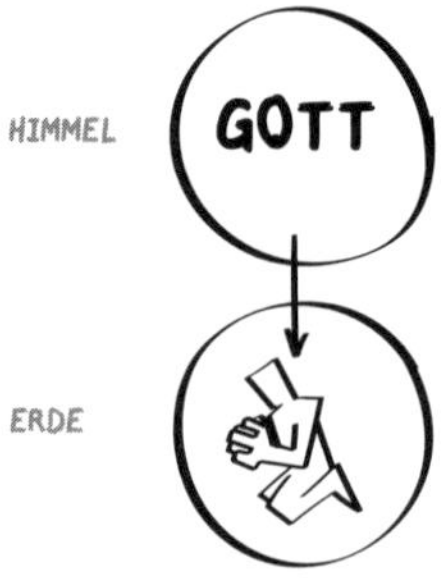

Es war die gleiche Verheißung, die vor Tausenden von Jahren der Gemeinde in Laodizea zu einer sehr dunklen Zeit der Kirchengeschichte gegeben wurde – nachzulesen im Buch der Offenbarung. *„Siehe, ich stehe an der Tür und* ***klopfe*** *an; wenn jemand meine Stimme hört und die Tür öffnet, zu dem werde ich hineingehen und mit ihm* ***essen*** *und er mit mir."* (Offenbarung 3,20)

Das war der Schlüssel! Plötzlich hörte ich Gottes Stimme. Ich hörte ihn anklopfen. Ich hörte seinen Herzschlag.

Zu Hause verstand jeder meine Sprache, aber nur wenige verstanden die Sprache meines Herzens. Hier in Indien verstand niemand meine Worte – aber mein Vater war da in dieser Stille, sprach meine Herzenssprache und eröffnete mir die wirkliche Welt: die geistliche Welt. So wie Helen die Bedeutung des Wassers für sich entdeckte, so öffnete Gott mir die Augen für sein geistliches Wasser.

Mein Leben sollte nie wieder dasselbe sein.

Ich war wie besessen davon, meine Bibel zu lesen. Ich verbrachte jeden Tag fünf bis sechs Stunden damit und ließ Gottes Wort in mich eindringen. Die Liebe teilte sich mir mit und ich war bereit, sie wirklich aufzunehmen. Diese Liebe hat mich seither nicht mehr losgelassen. Ich verbrachte Stunden auf meinen Knien, um für Europa zu beten, und der Herr kam wie versprochen und „aß mit mir zu Abend".

Wir redeten, lachten und weinten miteinander.

Es war die schönste Zeit meines Lebens.

Bro (auch Sis ;-)), erinnerst du dich daran, was ich dir am Anfang gesagt habe? Ich bin kein außerirdischer Christ. Ich bin ein ganz normaler Mensch. *Ich bin genauso wie du.* Obwohl das, was ich während meiner Zeit in Indien erlebt habe, für mich unglaublich war, war es nichts Besonderes. Es geht mir auch nicht um die Zeit an sich, sondern um die Intensität unserer Beziehung zu Gott.

In diese Beziehung investiere ich jeden Tag. Und ich kann dir sagen: Wenn ich die Tür meines Herzens öffne, kommt Gott jeden

Morgen herein und wir trinken einen Kaffee zusammen. Das ist die schönste Zeit des Tages.

Wenn das bei dir noch nicht der Fall ist, dann verzweifle nicht. Er sieht dich jetzt gerade lesen. Er sieht dein Herz. Er möchte, dass du seine Liebe in vollem Umfang erfährst.

Ich bete, dass am Ende des Buches auch deine Augen dafür geöffnet sind.

Verwirrt

Wenn du dich an meine Erfahrung mit der Ballade *Nis Randers* erinnerst, wirst du verstehen, warum es für mich so überaus wichtig war, durch den Text Zugang zu Gott zu finden. Das Problem war, dass die Geschichte bei der Weitergabe verändert worden war und ich nicht zum Text zurückgekehrt war.

Jene Verzerrung des Textes hatte mich mein ganzes Leben lang in eine gewisse „Unruhe" versetzt. Ich hatte in Männern nach „Vätern" gesucht und war enttäuscht worden. Ich hatte „Worte" über das kostbare Wort Gottes gehört und meiner Erfahrung nach waren diese Worte bestenfalls gut gemeint und schlimmstenfalls schädlich. Oft waren sie voreingenommen.

Jetzt hatte ich den Text endlich vor mir! Ich war an der Quelle angekommen und kommunizierte direkt mit meinem himmlischen Erlöser. Er sprach mit mir. Er liebte mich!

Die großartige Nachricht ist: Auch *du* hast diesen Zugang. Du hältst die Bibel in Händen – ein Privileg, das so viele Generationen vor dir nicht hatten und das viele Menschen auf der Welt immer noch missen!

Aber erinnerst du dich auch daran, was ich über das falsche Hören des Wortes Gottes gesagt habe? Jetzt tauchte nämlich ein zweites Problem auf: Ich konnte zwar hören, aber ...

Hatte ich auch richtig gehört?

Wie konnte ich sicherstellen, dass ich den Text richtig verstanden hatte? Wie kannst *du* dich vergewissern, dass du den Text richtig verstanden hast? Warum bist du so sicher, dass *deine Auslegung* die richtige ist? Es gibt so viele, die das Gleiche denken, oder?

„Hat Gott wirklich gesagt, dass …?“ – Das war von Anbeginn der Menschheitsgeschichte die Angriffsstrategie des Teufels und es ist immer noch sein Ziel, die Kommunikation zwischen dir und Gott zu kappen. Er wird dir sagen, dass du stolz bist, wenn du denkst, dass du die Bibel verstehen kannst, aber in Wirklichkeit ist das nur eine Taktik, um dich deinem himmlischen Vater zu entfremden. Durch intensives Bibellesen habe ich ein erstaunliches Geheimnis verstanden, das Gott in sein eigenes Wort gelegt hat:

Die Bibel ist in sich selbst ausreichend.

Wie kann ich das mit solcher Sicherheit sagen? Lass es mich erklären. Hast du jemals eine Anleitung für ein Puzzle gelesen? Nein. Warum nicht? Weil ein Puzzle keine schriftliche Anleitung braucht. Ein Puzzle ist superkomplex und hat viele Teile, aber die Logik, wie man das Puzzle zusammensetzt, *steckt im Puzzle selbst.* Und wenn du dieser in sich geschlossenen Logik sorgfältig folgst, werden sich alle Teile zusammenfügen und schließlich ein schönes Bild ergeben. Selbst jemand, der noch nie etwas von Puzzles gehört hat, wird ihre Logik verstehen und begreifen, warum sie funktionieren – ein Puzzle ist selbsterklärend.

Die Bibel funktioniert genau wie ein Puzzle. (Das Bild kommt übrigens aus 2. Timotheus 1,13: *„Halte fest das Bild gesunder Worte.“*)

Du beginnst immer damit, ein Puzzle zusammenzusetzen, indem du die *Eckteile* suchst. Es gibt nur vier. Niemand wird bestreiten, dass diese die Ecken bilden, denn sie heben sich von den anderen Teilen ab.

Auch in der Bibel kann man vier Eckpfeiler erkennen:

1. der **Sündenfall** im Garten Eden, wo die Sünde in die Welt kam
2. das **Gesetz** und Israel, wo die Sünde von Gott aufgedeckt wurde
3. das **Kreuz**, an dem Gott mit der Sünde abrechnete
4. das **Königreich** und die Ewigkeit, in der die Sünde besiegt und für immer beseitigt werden wird

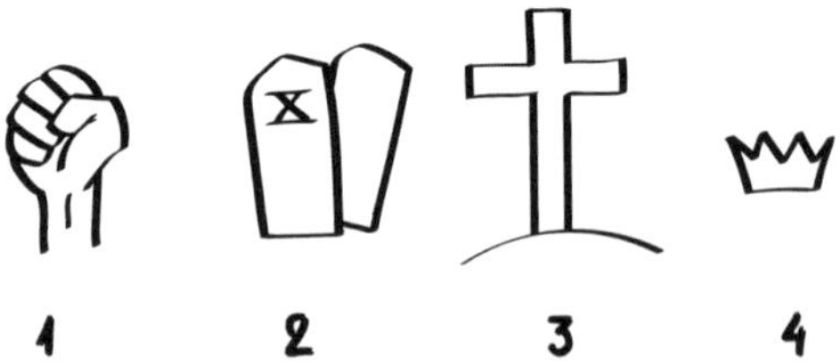

Niemand wird bezweifeln, dass diese vier Teile in der Bibel sehr wichtig sind. Niemand, der die Bibel liest, wird sie übersehen. Noch erstaunlicher ist, dass diese Eckteile mit der *Menschheitsgeschichte* verbunden sind. Du findest ähnliche Geschichten in allen Kulturen und es gibt ein Empfinden für Sünde, als ob sie im Bewusstsein der menschlichen Geschichte verankert ist.

Und du kannst sie auch in der *Natur* finden. Wir müssen nicht darüber diskutieren, ob Menschen sündig sind – wir alle wissen das. Sonst würden wir unsere Türen nicht abschließen, wenn wir schlafen gehen. Und jeder kennt die Macht des Gesetzes – das siehst du allein schon an Kindern. Sobald du ihnen ein Gesetz (eine Regel, eine Richtlinie) gibst, versuchen sie, es zu übertreten, *weil es ein Gesetz gibt*. Es liegt in ihrer Natur, zu sehen, womit sie durchkommen.

Auch die folgenden zwei Wahrheiten sind zutreffend:

1. Fast niemand leugnet die Historizität der Kreuzigung.
2. Jeder sehnt sich nach einem Retter – deshalb gibt es Superheldengeschichten.

Wir sind noch nicht am Ende der Menschheitsgeschichte angekommen, aber wir können in der Welt spüren, wie die Menschen – auch in der säkularen Welt – ein Bewusstsein dafür haben, dass die Dinge zu Ende gehen.

Die wichtigsten Eckpfeiler der Bibel sind erstaunlich real und wahr.

Und das ist unglaublich hilfreich, um mit dem Zusammensetzen des Puzzles zu beginnen.

Hast du dir bei deinem Puzzle deine Ecken zusammengesucht, geht es weiter mit den *Seitenrändern*. Sie füllen die Räume zwischen den Ecken aus und stehen – übertragen auf unsere Betrachtung – ebenfalls für die Menschheitsgeschichte sowie für die Realität, die wir in der Natur finden: Himmel, Erde, Licht, Dunkelheit, Vaterschaft, Familie usw. Es gibt auch metaphysische Konzepte wie Liebe, Hass, Gehorsam, Übertretung usw.

Wenn alle diese Puzzleteile an ihrem richtigen Platz liegen, ist die Grundform festgelegt.

Kommen wir nun zu den *mittleren Puzzleteilen*. Hier wird es komplizierter, weil diese Teile mehrere Andockmöglichkeiten haben. Aber wenn wir die Ecksteine und die Seitenteile zusammenfügen, entsteht etwas Neues: ein Gesamtbild. Die Stärke eines Puzzles liegt nicht nur in den Eck- und Seitenteilen, sondern darin, dass sich ein Puzzle aus einem vorgefassten Bild ergibt.

Die Verbindung zwischen dem Erfinder des Puzzles und demjenigen, der es zusammensetzt, ist die Hoffnung, dass das Ganze am Ende einen Sinn ergeben wird. Die Idee hinter dem Puzzle ist nicht auf purem Zufall gegründet. Diese Hoffnung macht es dem Puzzler möglich, das Puzzle zusammenzusetzen.

Die Geschichte der Menschheit und die Art und Weise, wie der Geist sie in der Bibel zusammengesetzt hat, gibt uns die Hoffnung, dass hinter den chaotischen Teilen unseres individuellen Lebens ein Sinn steckt. Jedes Mal, wenn du in der Bibel liest, wird das große Ganze lebendig. Je öfter du sie liest, desto klarer wird sie. Es ist, als würdest du in den Grand Canyon blicken, ins Feuer schauen oder einer Sinfonie lauschen. Du siehst oder hörst etwas, was mit dem, was du bist, im Einklang steht. Du siehst die Bilder eines Gottes, nach dessen Bild du geschaffen bist. Wenn du in die Bibel schaust, bekommst du einen direkten Einblick in das Herz Gottes.

Aber es gibt mehr als nur das große Bild, aus dem das Puzzle besteht: Es ist voll von übergreifenden Prinzipien. In einem Puzzle würdest du sie als grenzübergreifende Linien bezeichnen. Es gibt Gestaltungsmuster (Gesetze/Linien), die sich durch die ganze Bibel ziehen und die dir die Teile zeigen, die miteinander verbunden sind. Wenn du zum Beispiel recherchierst, wo die Wörter „Liebe“, „Lamm“, „Blut“, „Furcht“, „Vater“ usw. vorkommen, wirst du sehen, dass das Puzzle lebendig wird, wenn diese Themen auftauchen.

Als ich diese Prinzipien zum ersten Mal entdeckte, war es wie bei Helen Keller, die zum ersten Mal die Bedeutung eines Wortes verstand. „Alles hatte einen Namen, und jeder Name zog einen neuen Gedanken nach sich. Jedes Wort führte mich weiter und weiter in das Herz Gottes und das Endergebnis war eine Intimität, wie ich sie noch nie erlebt hatte. Es war Liebe. Ich hatte nicht den heiligen Gral gefunden – aber der Heilige hatte mich gefunden."

Ein neues Werkzeug und eine neue Hoffnung!

Diesen Zugang zum Schatz der Bibel erschloss sich mir auf tiefste Weise, als ich 2005 nach Indien reiste und dort in einem abgelegenen Dorf arbeitete – weit weg vom Lärm der Stadt. Einige Monate tat ich nichts anderes, als täglich in der Bibel zu „puzzeln" und die Gemeinden in der Gegend zu besuchen. Ich wollte Christus und Christen kennenlernen. Ich wollte keine Tempel, Museen oder Weltwunder besuchen, denn ich war bereits in einer Welt voller Wunder – als ich die Bibel aufschlug.

Vielleicht ist das auch etwas, was du ausprobieren möchtest. Vielleicht warst du in letzter Zeit entmutigt oder hast aus anderen Gründen aufgehört, in deiner Bibel zu lesen. Oder vielleicht hast du darin gelesen, aber dabei die „Flamme" nicht gespürt. Vielleicht sehnst du dich nach dieser Art von Verständnis des Wortes Gottes, weißt aber nicht, wie oder wo du anfangen sollst.

Lass mich dich ermutigen: Wenn du dieses Buch zu Ende gelesen hast und anfängst, die Wunder Gottes neu zu sehen, wirst du die Lebendigkeit erfahren, nach der du dich sehnst. Es wird wie in der Geschichte von Jakob sein:

Jakob hatte schon alles gesehen. Er war ein Mann, der über sich selbst hinausgewachsen war, aber dann schlug das Leben zurück. Es hatte eine Zeit gegeben, in der er voller Ideen und Visionen für die Zukunft gewesen war, aber nun war er desillusioniert. Er hatte das Wertvollste verloren, was es in seinem Leben gab – seinen Sohn. Und mit diesem Verlust verlor er auch die Hoffnung.

Er konnte nicht wissen, dass Josef noch lebte, weil *alle* in seinem Haus ihn anlogen.

Aber das passte ja zu ihm, dessen Name „Betrüger" bedeutet. Und jetzt, Jahre später, kamen seine Söhne und erzählten ihm, dass Josef noch am Leben sei. Was?! Wie konnte das sein? Wollten sie ihn etwa täuschen?

Ist das nicht manchmal ein bisschen wie bei uns? Wir sind vom Leben und durch das Leben enttäuscht worden und wenn wir plötzlich gute Nachrichten hören, wirkt das wie Hohn. Als ob uns jemand einen Streich spielen will oder nur darauf wartet, uns für dumm zu verkaufen.

Jakob wusste, dass er mit seinem Vertrauen vorsichtig sein musste – vor allem, wenn die Ankündigung so ein großes Versprechen beinhaltete. Schließlich erzählten seine Söhne ihm gerade, dass Josef noch am Leben und sogar der Statthalter von Ägypten sei.

In Jakobs Kopf drehte sich alles. *Sein tot geglaubter Sohn war Herrscher über die mächtigste Nation der Welt?!*

In der Bibel heißt es, dass sein Herz stillstand. Wahrscheinlich ging so viel Schmerz und Betrug durch das Herz des alten Mannes, dass er fast einen Herzinfarkt bekam. Und ohne Beweise konnte er ihnen nicht glauben.

Aber dann hörte er die *Worte,* die Josef gesagt hatte. Die *Worte!* Worte der Herrlichkeit und der Gnade. Worte, die nur ein geliebter Sohn sagen konnte. Diese Worte öffneten seine Augen, um die Wagen zu sehen, die Josef geschickt hatte, denn er wusste, dass sein Vater wahrscheinlich sonst nicht glauben würde. Jakobs Augen sahen die Wagen und er hörte die Worte. Konnte es wahr sein, dass sein Sohn noch am Leben war? Dass es noch Hoffnung gab? Konnte es sein, dass die Liebe seines Herzens noch zu finden war?

Vielleicht geht es dir wie Jakob. Es gibt einen Hoffnungsschimmer, aber du bist dir noch nicht sicher.

Vielleicht hast du ... keine Ahnung, was Liebe ist.

Vielleicht hast du eine schlechte Erfahrung in Bezug auf die Liebe gemacht und hast diese Erfahrung noch nicht verarbeitet.

Vielleicht kennst du die Liebe mit dem Kopf, aber sie hat es noch nicht bis in dein Herz geschafft.

Aber könnte es nicht sein, dass Gott auch in deinem Leben etwas Erstaunliches für dich bereithält? Dass all die Dinge, die du erlitten hast, und all die Dinge, die du sehen musstest, unvergleichbar sind mit der Herrlichkeit, die auf dich wartet? Dass das Ende besser sein wird als der Anfang? Dass die Liebe Gottes in einem fremden Land auf dich wartet? Dass es vielleicht etwas gibt, was du bisher noch nicht erlebt hast, du es aber in aller Demut kennen- und lieben lernen kannst, als wäre es die erste Liebe?

Auf den nächsten Seiten möchte ich die *Worte Jesu* mit dir teilen. Die Worte des abgelehnten Königs, der gerade im Himmel lebt, weil die Welt seiner nicht würdig war. Aber er schickt dir trotzdem diese Worte zu. Er klopft an die Tür deines Herzens und schickt dir Wagen, um dich abzuholen!

Also komm! Steig in den Wagen.

Es heißt, der Geist Jakobs lebte wieder auf. Möge der Heilige Geist auch *deinen Geist jetzt beleben!*

Jakob sagte: *„Genug! Mein Sohn Josef lebt noch! Ich will hinziehen und ihn sehen, bevor ich sterbe.“*

Mein Freund, es reicht! Es reicht, nur herumzusitzen. Es reicht mit der Verzweiflung. Es reicht, weder heiß noch kalt zu sein. Genug der Ausreden. Genug davon, weder dies noch das zu sein. Es reicht mit den Depressionen. Es reicht, nicht tot, aber auch nicht ganz lebendig zu sein.

Ich weiß, dass du diesen Zustand hasst – also lass uns Schluss damit machen!

Die Wahrheit ist: Jesus lebt!

Lasst uns hingehen und ihn sehen!

Los gehts!

TAKEAWAYS

(1) **Gott möchte reden.**
- Gott, der das Wort ist, ist ein Gott, der in unsere gefallene Welt gekommen ist, um mit uns zu kommunizieren.

(2) **Gott spricht durch ein wunderbares Wort – die Bibel.**
- Die Bibel ist völlig eigenständig und selbsterklärend. Sie braucht keine weitere externe Quelle und kann von jedem einfachen, aber aufrichtigen Leser verstanden werden.

(3) **Die Worte selbst werden dich „entflammen".**
- Der Appetit kommt bekanntlich beim Essen. – Halte am Ziel fest, auch wenn du den Erfolg noch nicht sehen kannst, und fange an, die Bibel zu lesen. Du wirst sehen, wie der Heilige Geist dein Herz entzünden wird, um Schätze in seinem Wort zu finden.

GEBET

Danke, Gott, dass du immer noch sprichst. Du bist das Wort. Du willst die Kommunikation noch mehr als ich. Ich höre, wie du an meine Tür klopfst. Ich möchte dafür brennen, die Bibel zu lesen. Hilf mir, sie richtig zu verstehen – danke, dass die Bibel in sich selbst ausreichend ist! Öffne mir dein Herz und zeige mir deine Herrlichkeit, wie du es bei Jakob getan hast, damit ich dich lebendig sehe, sitzend zur Rechten Gottes – sodass mein Herz nichts anderes mehr will.

KAPITEL 6

START

ÄGYPTEN – RÖMER 1-3

Das Körperliche ist wichtig

Im März 2022 wurde ich eingeladen, bei der Hopenight zu sprechen, einer Jugendveranstaltung in Kaiserslautern. Ich begann meine Predigt mit drei einfachen Fragen. Zuerst fragte ich: „Wer von euch glaubt, dass der Begriff *Fleisch* in der Bibel etwas *Gutes* beschreibt?“ Als ich von der Bühne durch die Scheinwerfer in die Menge blickte, konnte ich sehen, dass fast niemand die Hand hob.

Das überraschte mich nicht.

Als Nächstes stellte ich die umgekehrte Frage: „Wer glaubt, dass der Begriff *Fleisch* in der Bibel etwas *Böses* beschreibt?“ Man konnte hören, wie sich die Anwesenden in ihren Sitzen bewegten und viele Hände in die Höhe gingen. Ich hielt einen Moment inne und stellte dann meine dritte Frage: „Wer von euch glaubt, dass Jesus *ohne Sünde* war?“

Das war eine einfache Frage. Alle Hände gingen nach oben.

Ich schlug meine Bibel auf und las zwei Verse vor:

> *Das Wort wurde Fleisch.* (Johannes 1,14)

> *Der lebendige Gott […], der offenbart worden ist im Fleisch.* (1. Timotheus 3,16)

Ich hielt inne, um den Moment wirken zu lassen, und ließ das Wort „Fleisch“ im Raum stehen.

Man konnte die Spannung spüren, als die Teilnehmer sich in ihren Sitzen bewegten. Was war das Problem? Sie realisierten: Wenn das Fleisch „etwas Böses“ war, wie konnte dann Jesus (von dem sie gerade zugegeben hatten, dass er ohne Sünde war) „etwas Böses“ werden? Viele meiner Zuhörer hatten eine falsche oder feste, voreingenommene Vorstellung davon, was mit dem *Fleisch* gemeint ist. Sie dachten, das Fleisch sei etwas Böses.

Man könnte meinen, die Frage, ob wir vielleicht falsche Vorstellungen über die körperliche Komponente unseres Wesens haben, ist nebensächlich – aber ich versichere dir, das ist sie nicht.

Erinnerst du dich an das grausame Experiment, das Kaiser Friedrich II. zugeschrieben wird? (Das war das Experiment, bei dem die Ammen *nie* mit den Kindern sprachen, sondern sie in der Stille hielten, um herauszufinden, welche Sprache sie sprechen würden.)

Bei diesem bösen Spiel gab es sogar noch eine zweite Regel. Den Ammen war es nicht nur verboten, mit den Babys zu sprechen – sie durften die Kinder nicht einmal *anfassen*. Als die armen Säuglinge starben, schrieb ein italienischer Historiker namens Salimbene di Adam: „Sie konnten nicht leben, ohne berührt zu werden.“ Die Babys starben buchstäblich aus Mangel an körperlicher Nähe.

Das sollte uns nicht überraschen – wir brauchen Berührung! Wir sehnen uns danach. Nach Verbindung, nach Nähe, nach Intimität. Als Jesus auf der Erde war, *berührte* er die Menschen. Nicht nur, um sie zu heilen, sondern auch, um Nähe zu zeigen. Und er ließ sich auch von anderen Menschen berühren: von Johannes, von Maria, von Thomas und einer ganzen Reihe anderer Personen. Der Sohn Gottes wusste, dass wir nicht nur geistige Nähe brauchen, sondern auch körperliche.

Erinnerst du dich an meine „Sonnenbrand-Erfahrung“? Als ich diese Schmerzen durchmachte, wurde mir bewusst, wie wichtig körperliche Berührungen sind. In dieser Zeit begann ich, über Hautkrankheiten zu recherchieren, und stieß dabei auf eine sehr interessante Erkenntnis: Menschen, die eine Hautkrankheit oder -verformung haben, werden oftmals nur selten von anderen Menschen berührt, weil ihre Hautkrankheit die Menschen abstößt. Die Ironie dabei ist, dass sich dadurch zusätzliche Hautprobleme entwickeln.

Wir brauchen Berührung.

Warum erzähle ich das?

Es gibt ein großes Missverständnis in Bezug auf die physische Welt und die Beziehung, die wir zu unserem eigenen Körper haben. Viele körperliche und geistige Krankheiten sind die Folge davon. Wenn du denkst, dass Gott das Fleisch hasst, und du Fleisch bist, wirst du unbewusst denken, dass Gott grundsätzlich *gegen dein Menschsein* ist, und das wird einen großen Einfluss darauf haben, wie du *seine Liebe erlebst*. Stell dir einmal vor, jemand sagt zu einem Deutschen: „Ich liebe dich, aber es gefällt mir nicht, dass du Deutscher bist."

In gewisser Weise könnte diese Person Liebe empfinden, aber sie würde sich in einer ihrer Kernidentitäten nicht geliebt *fühlen:* als Deutsche(r). Oder was wäre, wenn jemand zu einer Frau sagen würde: „Ich liebe alles an dir – was seltsam ist, weil ich Frauen eigentlich nicht mag!" Das Misstrauen würde in dieser Beziehung immer bestehen bleiben.

Doch genau diese Art von Konflikt sehe ich bei vielen Christen und er führt zu einer großen Verwirrung bezüglich ihrer eigenen Identität. Sie *wissen,* dass sie geliebt sind, nehmen das aber nur zum Teil in Anspruch. Worüber sie verwirrt sind, ist ihr Menschsein. Diese Verwirrung beruht auf einem Konzept, das wir nicht wirklich begreifen: das Fleisch.

Um Gottes Liebe für uns zurückzugewinnen, müssen wir daher unsere fehlerhafte Definition des Fleisches hinterfragen.

Eine fehlerhafte Definition des Fleisches

Wenn du in einem Bibellexikon nach einer Definition für „Fleisch" suchst, wirst du feststellen, dass es viele Definitionen gibt, die sich alle grundlegend voneinander unterscheiden. Das ist verwirrend.

In der Tat bekommt das Wort „Fleisch" durch den Apostel Paulus eine sehr komplexe Färbung, über die sich viele Theologen die Haare raufen. Ich möchte mir nicht anmaßen zu sagen, dass ich hier die richtige Antwort gefunden habe.

Aber ich will die Sache wieder ein bisschen vereinfachen.

Komplexität rausnehmen.

Zurück zu der grundsätzlichen Definition gehen.

Gott sei Dank hat Gott uns die Bibel gegeben, die sich selbst erklärt und auslegt. Die Logik des Puzzles, deren wir uns vorhin bedient haben, funktioniert auch hier. Wir haben nicht nur ein Puzzleteil, das uns hilft, zu bestimmen, was wir sehen – wir haben das ganze Puzzle. Und dieses bildet eine zusammenhängende Sammlung, die ein Bild zeichnet und so jedem Teil seine genaue Kerndefinition innerhalb des Ganzen gibt. Deshalb hat der Heilige Geist uns in der Bibel einen *Kontext* gegeben. Der Kontext macht es möglich, das Wort Gottes selbst zu interpretieren, solange wir es *sorgfältig* und mit einem *demütigen Geist* lesen.

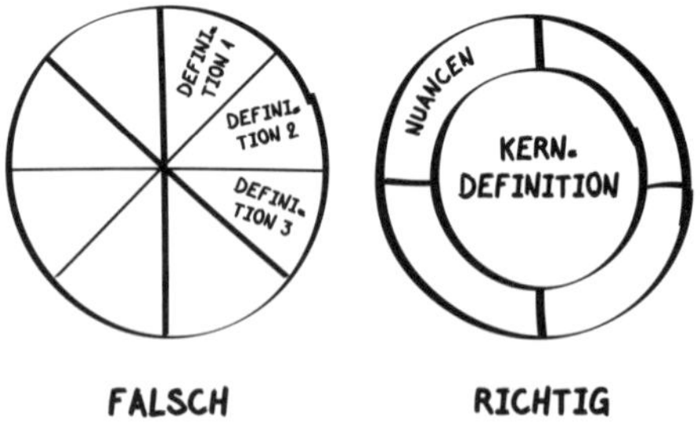

Um das klarzustellen, werden wir folgendermaßen vorgehen. Wir werden *nicht* nach mehreren Definitionen *eines Wortes* suchen und dann diejenige auswählen, die unsere Überzeugungen stärkt (Bild 1), sondern wir werden die Bibel nach der Kerndefinition durchsuchen (Bild 2).

Dabei sind wir uns natürlich darüber im Klaren, dass die

Kerndefinition verschiedene *Nuancen* haben wird – genauso wie ein Puzzleteil verschiedene Farben und verschiedene Enden auf jeder Seite hat, je nachdem, mit welchem Teil es verbunden ist. Aber alle Enden sind mit dem Kern verbunden! Es kann also anders *aussehen,* aber es wird nie etwas *grundlegend* anderes sein. Auch die Wörter in der Bibel können so aussehen, aber in ihrem Kern werden sie immer gleich sein. Der Mensch wird nicht plötzlich zum Hund und die Liebe wird nicht plötzlich zum Hass.

Gehen wir also nun die Bibel durch, um zu verstehen, was die Bibel grundsätzlich meint, wenn sie von *Fleisch* spricht. Entpacken wir die Kerndefinition.

Wir fangen am Anfang an, wo das Wort zum ersten Mal erwähnt wird:

> *„Da ließ der HERR, Gott, einen tiefen Schlaf auf den Menschen fallen, sodass er einschlief. Und er nahm eine von seinen Rippen und verschloss ihre Stelle mit* ***Fleisch*** *(בָּשָׂר – basar)."* (1. Mose 2,21)

Wenn du diesen Vers zum ersten Mal lesen würdest, was würdest du denken? Du würdest verstehen, dass Fleisch eine sehr *reale* Sache ist. Und es muss von Natur aus gut sein, denn Gott hat es geschaffen, und alles, was Gott schafft, ist gut.

Wenn du dir den Vers noch einmal ansiehst, erkennst du, dass die grundlegende Bedeutung von Fleisch das Gewebe des Körpers ist – vereinfacht ausgedrückt ist es Muskelgewebe. Es ist etwas Materielles, was die Knochen umgibt (die Rippen des Mannes geben uns ein Beispiel dafür) und durch das Blut zirkuliert. (siehe 1. Mose 9,4; 3. Mose 17,11; Matthäus 16,17 und Epheser 6,12) Tiere bestehen im Gegensatz zu Pflanzen, aber ähnlich wie Menschen, auch aus Fleisch. (2. Mose 7,15)

Diese Bibelstellen geben uns die Kerndefinition für *Fleisch*.

In den nächsten Versen erfahren wir die genaue Bedeutung des Wortes:

> *„Da sagte der Mensch: Diese endlich ist Gebein von meinem Gebein und **Fleisch** von meinem **Fleisch;** diese soll Männin heißen, denn vom Mann ist sie genommen. Darum wird ein Mann seinen Vater und seine Mutter verlassen und seiner Frau anhängen, und sie werden zu **einem Fleisch** werden. Und sie waren beide nackt, der Mensch und seine Frau, und sie schämten sich nicht.“* (1. Mose 2,23-25)

Die Schrift sagt uns, dass Knochen und Muskelgewebe (Fleisch) von Adams Körper genommen wurden, um Eva zu bauen. Und wenn du ganz genau hinsiehst, sagt Adam nicht: „Eva ist mir *ähnlich,* denn auch sie ist aus Fleisch und Knochen.“ Nein! Er sagt: *„mein* Gebein“ und *„mein* Fleisch“. Sie wurde ihm *wortwörtlich* entnommen. Von seiner Seite. Sie wurde nicht nur aus dem gleichen Material wie er gemacht, sondern es wurde etwas von seiner Substanz (Fleisch) genommen, um sie zu erschaffen.

Ist das nicht unglaublich?

Eva war, materiell gesehen, „von Adam“ (1. Korinther 11,8), auch wenn nur ein Teil von ihm genommen wurde. Es gibt eine rhetorische Figur mit der lateinischen Bezeichnung *pars pro toto,* die dieses Konzept beschreibt. Sie bedeutet „ein Teil (genommen) für das Ganze“: ein Teil eines Objekts, eines Ortes oder eines Konzepts repräsentiert dessen Gesamtheit. Wenn du zum Beispiel sagst: „Wir leben unter einem Dach“, meinst du eigentlich: „Wir leben in einem Haus“. Das Dach ist der Teil, der die Gesamtheit repräsentiert: das Haus.

Das Stück Fleisch, das von Adam genommen wurde, steht für das gesamte Fleisch von Eva.

Dieses Konzept ist sehr wichtig, um den nächsten Gedanken in Vers 24 zu verstehen: *„Sie werden zu einem Fleisch werden.“* In 1. Korinther 6,16 wird deutlich, dass sich die primäre Bedeutung von „ein Fleisch“ in 1. Mose 2,24 auf den *körperlichen* Aspekt der Verbindung bezieht. *„Oder wisst ihr nicht, dass, wer der Hure anhängt, ein Leib mit ihr ist? ‚Denn es werden‘, heißt es, ‚die zwei ein Fleisch sein.‘“* Paulus benutzt 1. Mose 2,24, um das sexuelle Einssein zu erklären, auch wenn es mit einer Prostituierten geschieht. Der Apostel sagt also, dass sexuelle Aktivität – auch wenn sie nur körperlich ist – *per Definition* eine Einheit schafft.

In Wirklichkeit werden beim Sex aber nur Teile des Körpers *eins*. Deshalb ist *pars pro toto* wichtig. Ein *Teil* des Fleisches (die Sexualorgane) steht für die *Gesamtheit* des Fleisches (ein Fleisch). Deshalb wurde der Israelit später als beschnitten angesehen, obwohl nur ein Teil seines Körpers betroffen war. (1. Mose 17,11; 3. Mose 12,3) *„Sie werden zu einem Fleisch werden“* bedeutet also eigentlich: Sie werden körperlich eins, auch wenn es nur ein Teil von ihnen ist, der den Akt vollzieht. Der letzte Satz macht noch einmal ganz deutlich, dass die Bibel hier in erster Linie über den äußerlichen, körperlichen Aspekt des Fleisches spricht:

> *„Und sie waren beide nackt, der Mensch und seine Frau, und sie schämten sich nicht.“* (1. Mose 2,25)

Adam und Eva erkannten zu einem bestimmten Zeitpunkt, dass sie *nackt* waren. Das bedeutet, dass sie keine Kleidung an ihrem *Körper* hatten. Deshalb machten sie sich später auch Lendenschurze aus Feigenblättern. (1. Mose 3,7; siehe auch 2. Mose 28,42) Zu Beginn jedoch waren sie unbedeckt, ihr Fleisch war materiell und sichtbar. Sie konnten das Fleisch des anderen *sehen* und anfassen und schämten sich nicht. Das Fleisch ist also im Grunde genommen materiell, es ist der physische Teil eines Menschen oder Tieres, und es ist gut, weil Gott es geschaffen hat. WICHTIG!

Es gibt viele Verse über das Fleisch, aber an dieser Stelle möchte ich dir lediglich die wichtigsten Punkte aufzeigen:

Altes Testament – (בָּשָׂר – basar)

Noah: *„Nur Fleisch mit seiner Seele, seinem Blut, sollt ihr nicht essen!“* (1. Mose 9,4)

- Iss kein tierisches Fleisch, das noch Blut enthält.

Abraham: *„Und zwar sollt ihr am Fleisch eurer Vorhaut beschnitten werden!“* (1. Mose 17,11)

- Schneide die Vorhaut von deinem Körper ab.

Neues Testament – (σάρξ – sarx)

Jesus: *„Glückselig bist du, Simon, Bar Jona; denn Fleisch und Blut haben es dir nicht offenbart, sondern mein Vater, der in den Himmeln ist.“* (Matthäus 16,17)

- Diese Erkenntnis kam nicht von einem *physischen* Menschen, sondern von deinem *geistlichen* Vater.

Johannes: *„Und das Wort wurde Fleisch und wohnte unter uns.“* (Johannes 1,14)

- Das geistliche „Wort“ wurde physisch, sodass es unter den Menschen leben konnte.

Petrus: *„Sein Fleisch hat nicht die Verwesung gesehen.“* (Apostelgeschichte 2,31)

- Der Körper Christi ist nie in einen Zustand der körperlichen Verwesung verfallen.

Paulus: *„Nicht alles Fleisch ist dasselbe Fleisch; sondern ein anderes ist das der Menschen und ein anderes das Fleisch des Viehs und ein anderes das der Vögel und ein anderes das der Fische."* (1. Korinther 15,39)

- Menschen, Vögel und Fische haben nicht die gleiche körperliche Veranlagung.

Nachdem wir also das Alte und das Neue Testament durchgegangen sind und uns angeschaut haben, was die Patriarchen, das Gesetz, Jesus selbst und die Apostel, einschließlich Paulus, über das Fleisch gesagt haben, müssen wir zustimmen: Das Fleisch bedeutet wirklich Fleisch. In seiner Kernbedeutung ist es der physische Teil eines Menschen oder eines Tieres, und es ist gut, weil Gott es so gewollt hat.

Das ist von entscheidender Bedeutung für unsere Identität. So viele verstehen diesen Punkt falsch und haben deshalb ein falsches Bild von Gott und von sich selbst. Deshalb möchte ich es dir klar und deutlich sagen:

Gott liebt dich so, wie er dich geschaffen hat.

Gott liebt alles, was er macht. Und er hat Fleisch gemacht. (1. Mose 1,4.12.18.21.25; Psalm 104,31) Er macht keine Fehler – auch nicht bei dir! (Psalm 18,31; Matthäus 5,48) Seine Wege sind rein und die Erschaffung des Fleisches war *keine* Ausnahme von dieser Regel. Sie war von reiner Liebe motiviert und wurde mit ewiger Genialität ausgeführt.

Dein Körper ist erstaunlich!

Stell dir das mal vor: Das *Herz,* der Maschinenraum deines Körpers, ist dafür verantwortlich, lebenserhaltendes Blut durch ein 100.000 Kilometer langes Gefäßnetz zu pumpen! Zum Vergleich: Der Erdumfang beträgt etwa 40.000 Kilometer. Das bedeutet, dass die Blutgefäße einer Person die Erde mehr als zweimal umkreisen könnten!

Dein *Gehirn,* die wichtigste Schaltzentrale deines Körpers, ist komplexer als jede andere bekannte Struktur im Universum. Das durchschnittliche Gehirn wiegt etwa 1,5 Kilogramm und besteht aus zwei Arten von Zellen: Gliazellen und Neuronen. Die Anzahl der Synapsen und Zellen in unserem Gehirn ist astronomisch. Man hat sie mit der Anzahl der Sterne im Universum verglichen. „Es gibt 400 Milliarden synaptische Verbindungen in einem Gramm Gehirngewebe."

Dein *Verdauungssystem,* deine Brennstofffabrik, versorgt den Körper mit verschiedenen Nahrungsmitteln. Das Verdauungssystem ist eine Reihe von Organen, die das, was wir essen, in Treibstoff für unseren Körper umwandeln. Im Verdauungssystem gibt es etwa 9 Meter lange Schläuche! Während wir essen, wird unsere Nahrung aufgespalten und sortiert. Dann wird sie durch unseren Körper geschickt, damit neue Zellen wachsen und wir Energie bekommen.

Deine *Lunge* sorgt für deinen Lebensatem. Sie atmet jeden Tag zwischen 8.000 und 9.000 Liter Luft ein – die Menge, die benötigt wird, um etwa 9.000 Liter Blut, die täglich durch das Herz gepumpt werden, mit Sauerstoff anzureichern.

Deine *Haut* ist das einzige Körperorgan, das du äußerlich trägst. Sie ist unser größtes Organ – bei einem Erwachsenen beträgt ihre Masse etwa 3,6 Kilogramm und umspannt 2 Quadratmeter. Innerhalb von 24 Stunden kannst du bis zu 5 Milliarden Hautzellen (das sind neun Nullen!) verlieren – etwa 200 Millionen pro Stunde. Die Haut funktioniert wie ein wasserdichtes, isolierendes Schild, das den Körper vor extremen Temperaturen, schädlichem Sonnenlicht und schädlichen Chemikalien schützt. Sie sondert auch antibakterielle Substanzen ab, die Infektionen verhindern, und stellt Vitamin D her, das Kalzium in gesunde Knochen umwandelt. Außerdem ist die Haut ein riesiger Sensor mit vielen Nerven, die das Gehirn mit der Außenwelt in Verbindung halten. Gleichzeitig ermöglicht uns die Haut durch ihre Elastizität einen bestimmten Bewegungsfreiraum und erweist sich damit als erstaunlich vielseitiges Organ.

Da ist es wohl kaum ein Wunder, dass der Psalmist sagt:

> *„Denn du bildetest meine Nieren. Du wobst mich in meiner Mutter Leib. Ich preise dich darüber, dass ich auf eine erstaunliche, ausgezeichnete Weise gemacht bin. Wunderbar sind deine Werke, und meine Seele erkennt es sehr wohl.“* (Psalm 139,13-14)

Gott liebt deinen Körper. Er hat ihn gemacht!

Aber der Mensch ist mehr als nur ein erstaunliches Beispiel für Gottes schöpferisches Genie. Er ist vor allem Ausdruck von Gottes erstaunlichem Wesen. Der Mensch ist *„als Gottes Bild geschaffen“*. (1. Mose 1,27)

Lass uns mal sehen, wie es sich auf den Geist und Körper des Menschen auswirkt: Das Ebenbild eines „Geistes Gottes“ zu sein, bedeutet, dass wir die gleichen geistigen Eigenschaften wie er zeigen. Da Gott ewig ist, ist auch der Geist des Menschen ewig.

Gott ist das „ICH BIN“ und deshalb hat der Mensch – im Gegensatz zu allen anderen Geschöpfen – ein ausdrückliches „Ich-Bewusstsein“. Aber das ist nicht alles: Da Gott Weisheit ist, besitzt der Mensch Verstand und Vernunft. Gott ist ein Richter, deshalb hat der Mensch ein Gewissen – den inneren Gesetzgeber – und kennt die Furcht des Herrn. Das bedeutet, er kann ein moralisches Urteil darüber fällen, was gut und böse ist. Gott ist frei in seiner Entscheidung und deshalb wurde der Mensch mit einem freien Willen geschaffen.

Nur wenn wir diese inneren Veranlagungen eines Menschen anerkennen, können wir ihr Spiegelbild im Äußeren – dem Fleisch – sehen. Die Überlegenheit des Menschen zeigt sich in seinem aufrechten Gang, der selbst die wildesten Tiere erschreckt. Sein „Ich-Bewusstsein“ macht dem Menschen klar, dass es ein viel größeres „Du“ gibt, das über dem Universum steht. Deshalb ist der Mensch das einzige nach oben blickende Lebewesen auf der Erde. Gott ist das Wort und deshalb benutzt der Mensch Worte, um zu kommunizieren. Gott hat tiefe Gefühle und deshalb drückt der Mensch seine Gefühle durch Lieder, Tanzen, Lachen und Weinen aus. All das gehört dazu, ein Ebenbild dessen zu sein, der *„jauchzt über dich mit Jubel“.* (Zefanja 3,17)

Aber ein Ebenbild Gottes zu sein, ist nicht das, was der Mann – das Männliche – allein ist, denn Gott ist Liebe und Liebe braucht immer ein Gegenstück, um sich auszudrücken. Deshalb ist Gott eine Dreieinigkeit. So kann der Vater den Sohn lieben. Um dies in einer physischen Form auszudrücken, schuf er das innere und äußere Wesen des Menschen in zwei verschiedenen, sich ergänzenden Formen. In der Bibel heißt es: *„Und Gott schuf den Menschen als sein Bild, als Bild Gottes schuf er ihn; als **Mann und Frau** schuf er sie.“* (1. Mose 1,27) Als Adam seine Frau sieht, nachdem er aus seinem tiefen Schlaf erwacht ist, kann er nicht anders, als sie mit künstlerischen Begriffen zu beschreiben. Auf Hebräisch ist sein Ausruf keine Prosa, sondern Poesie.

Ist das nicht wunderschön?

Adam sah ihr Fleisch und er freute sich. Er liebte sie so, wie sie war. In ihrem Fleisch waren sie wahre Ebenbilder Gottes – nackt und ohne sich zu schämen.

Jesus schämt sich auch nicht für das Fleisch. Er wurde sogar einer von uns: Fleisch. *„Weil nun die Kinder Blutes und Fleisches teilhaftig sind, hat auch er in gleicher Weise daran Anteil gehabt.“* (Hebräer 2,14) Er schämte sich überhaupt nicht – ganz im Gegenteil: wie Adam dichtet und singt er sogar darüber:

> *„Er schämt sich nicht, sie Brüder zu nennen, indem er spricht: ‚Kundtun will ich deinen Namen meinen Brüdern; inmitten der Gemeinde will ich dir lobsingen.‘“* (Hebräer 2,11-12)

Wenn du immer noch ein verdrehtes Menschenbild hast, möchte

ich dich daran erinnern, dass Gott in Psalm 8 das Menschsein *„mit Herrlichkeit und Pracht krönt“*. Bis in alle Ewigkeit werden wir einen Gott anbeten, der *Mensch* ist. Ja, du hast richtig gelesen: Wir werden in alle Ewigkeit Fleisch sein und uns vor unserem wunderbaren Erlöser verneigen, ihn berühren und bei ihm sein, der für immer und ewig der *verherrlichte* Mensch mit einem Körper sein wird.

Satan weiß, dass dies die Wahrheit ist, und deshalb hat er versucht, Lügen in den Herzen der Menschen zu verbreiten und die Menschen über ihre Identität und ihr Menschsein zu verwirren. Warum ist dies so wichtig und wie sieht das konkret aus? Das erfährst du in den folgenden Abschnitten.

Eine falsche Definition ist nicht nebensächlich

Kurze Frage: Was denkst du, wenn du die folgende Aussage hörst?

Jesus war 100 % Mensch.

Wenn du wie die meisten Leute bist, fühlst du wahrscheinlich sofort den Drang zu sagen: „Ja, aber er war auch 100 % Gott!“ Wenn wir jedoch die Aussage hören, dass *Jesus Gott ist*, haben wir nicht denselben Drang, hinzuzufügen: „Ja, aber er ist auch Mensch!“ Wenn das auf dich zutrifft, bist du in guter Gesellschaft, denn wir alle neigen dazu, die Menschheit Jesu zu vernachlässigen.

Ich hoffe, der letzte Abschnitt über die Einzigartigkeit und das Wunder unseres Fleisches war für dich augenöffnend. Für mich war es das. Gott liebt dich und mich wirklich *in unserer körperlichen Gestalt*. Warum ist das so eine große Sache? Weil es das Wesen von Jesus berührt. Die erste Wahrheit, die Satan in der frühen Kirche angriff, war das *physische* Sein – nämlich dass die Materie gut sei – mittels eines verkehrten Glaubenssystems namens Gnostizismus.

Der *Gnostizismus* war die erste Irrlehre, die Paulus bekämpfen musste, und ihr Kerngedanke war einfach: Materie ist schlecht.

Jetzt denkst du vielleicht: Was ist daran so schlimm? Lass uns noch einmal einen Blick in die Bibel werfen. Der Gedanke, dass das Materielle schlecht ist, taucht dort nicht auf. Er hat seinen Ursprung im griechischen Denken. Einige Philosophen, wie Platon, glaubten, dass der Mensch aus zwei Teilen bestehe. Sie betrachteten den Menschen als einen Dualismus oder als eine Zweiteilung. Das eine war das Körperliche, das Fleisch, das ihrer Meinung nach böse war. Das andere war der Geist, der als gut angesehen wurde.

Das scheint kein großes Problem zu sein, aber es steht in direktem Widerspruch zu den ersten Seiten der Bibel. In 1. Mose heißt es, dass Gott den Menschen schuf und dass dieser Mensch „sehr gut" war. Alles am Menschen – auch sein materieller Aspekt – war sehr gut. Wenn etwas gegen die erste Seite der Bibel verstößt, bleibt es oft nicht dabei. Um es kurz zu machen: Die Folgen sind verheerend und können deine Heiligung auf zwei Arten torpedieren – in Form von Askese oder in Form von Intellektualismus.

Die *Askese* lehrt, dass, wenn das Körperliche und das Fleisch schlecht sind, der einzige Weg zu wahrer Geistlichkeit darin besteht, dem Fleisch alles zu verweigern, was es zur Sünde verleiten könnte. Diejenigen, die so dachten, wurden Asketen. Das sind Personen, die sich von der materiellen Welt loslösen und dadurch Gott näher sein möchten.

Kommt uns das vielleicht bekannt vor? Sind unsere Gemeinden nicht voll von dieser Art legalistischen Denkens?

Der *Intellektualismus* ist genau das Gegenteil. Er lehrt, dass nur der Geist zählt und dass – auch wenn die Materie böse ist – die Dinge, die im Körper getan werden, unbedeutend sind. Vor diesem Hintergrund ist es nachvollziehbar, dass Gnostiker oft in Verantwortungslosigkeit und Zügellosigkeit verfielen. Und sehen wir heute nicht auch viele Christen, die denken, dass sie zwar eine böse Natur haben, dass aber nur das zählt, was man *denkt?* Sie sündigen immer wieder und schreiben das dann dem *Fleisch* zu. Sie meinen, dass man über dieses Verhalten hinwegsehen könne, weil sie *denken,* dass nur ihre Stellung in Christus und den himmlischen Örtern zähle. Also nicht die physische Wirklichkeit zählt, sondern eine abstrakte geistliche Realität ist ausschlaggebend. Nicht, was dein Nachbar sieht, sondern wie Gott dich sieht.

Beides, sowohl die Askese als auch der Intellektualismus, ist jedoch ein geistlicher Angriff, um die Menschen davon abzuhalten, wirklich in der Erkenntnis Gottes zu wachsen und ihre gottgegebene Aufgabe hier auf Erden zu erfüllen.

Aber der Gnostizismus hatte noch weitreichendere Konsequenzen. Er griff nicht nur „den Adel" der Menschen an, sondern stellte auch die Person Christi infrage. Die Argumentation sah folgendermaßen aus: Wenn die Materie schlecht war, wie konnte Gott dann eine *physische Form* in einem Körper annehmen, der sündig und böse war? Damit leugneten sie die Inkarnation und hegten die Vorstellung, Jesus sei nur ein Geist.

Der Apostel Johannes begegnete dieser Art von Lehre zu seiner Zeit und warnte vor ihr: *„Hieran erkennt ihr den Geist Gottes: Jeder Geist, der Jesus Christus,* ***im Fleisch*** *gekommen, bekennt, ist aus Gott; und jeder Geist, der nicht Jesus bekennt, ist nicht aus Gott."* (1. Johannes 4,2-3)

Die Leugnung der guten Schöpfung und ein richtiges Verständnis des Fleisches waren für die Apostel also *nicht* nebensächlich. Und das sollten sie auch für uns heute nicht sein, denn dies wird die gleichen Auswirkungen haben: entweder Askese oder Zügellosigkeit – beides wird von der Bibel verurteilt. (Kolosser 2,23; Judas 4)

Und – Achtung, Spoiler! – das wird die Hauptbotschaft des Antichristen sein: *„Denn viele Verführer sind in die Welt hinausgegangen, die nicht bekennen, dass Jesus Christus* ***im Fleisch*** *gekommen ist. Dies ist der Verführer und der Antichrist."* (2. Johannes 7)

Der Geist des Antichristen ist bereits unter uns.

Deshalb ist diese Angelegenheit keine Bagatelle! Sie ist sogar lebenswichtig.

Wir müssen uns also die Frage stellen: Warum denken viele

Christen, dass Fleisch etwas *von Natur aus* Schlechtes ist? Wir müssen die Quelle dieses Missverständnisses ausfindig machen. Wenn wir dem Problem auf die Spur kommen, können wir auch eine Lösung finden. Wenn wir die Lüge entlarven, können wir sie mit der Wahrheit ersetzen.

Die meisten Christen werden zustimmen, dass das Fleisch, das Gott geschaffen hat, nicht böse war. Das bedeutet, dass die Bösartigkeit des Fleisches mit dem zu tun haben muss, was *nach* der Schöpfung geschah. Es hat mit dem Ereignis zu tun, das zwischen Adams Liebeslied, in dem er seine neue Gefährtin rühmt, und Gottes Klage über die Menschheit nur ein paar Jahre später stattfand. Zwischen dem *„Das ist endlich Fleisch von meinem Fleisch"* und dem *„Das Ende alles Fleisches ist vor mich gekommen;"* (1. Mose 6,13) geschah etwas äußerst Schmerzliches und Tragisches – *der Sündenfall.*

Wir müssen also den Sündenfall analysieren, um zu verstehen, welche Auswirkungen er auf die materielle Welt und das Fleisch hatte, und um die falschen Vorstellungen aufzudecken, die wir von uns selbst und von Gott haben.

Rückblick auf den Sündenfall

Der Sündenfall wurde von Satan herbeigeführt. Und dafür hatte er einen guten Grund!

2. Korinther 2,11 sagt uns deutlich, dass wir Satans Plan verstehen können:

„Damit wir nicht vom Satan übervorteilt werden; denn seine Gedanken sind uns nicht unbekannt."

Wenn wir als Christen Satans Denkmuster kennen, hilft uns das, seine Täuschungsversuche aufzudecken. Um es auf den Punkt zu bringen: Der Teufel will immer das Gegenteil von Gott.

- Gott will *Verbindung,* Satan will *Entkopplung.*
- Gott will *Vielfalt in der Einheit,* Satan will *Gleichförmigkeit.*
- Gott will *Autorität,* Satan will *Rebellion.*

Ich möchte dir nun aufzeigen, wo und wie sich diese Prinzipien zeigen.

Wo werden diese Prinzipien sichtbar?

Geistliche Prinzipien zeigen sich in der physischen Welt. Das nennt man Physikalisierung. Zum Beispiel hat Gott, der Geist ist, den Menschen *nach* seinem Ebenbild *aus* Fleisch gemacht. Er hat unsichtbare Dinge über sich selbst in der physischen Welt kundgetan. Ein weiteres Beispiel ist die Stiftshütte, die Mose als Darstellung der geistigen Wirklichkeit gezeigt wurde. Die unsichtbare Beziehung zwischen „Christus und der Kirche" wird in der Vereinigung von Mann und Frau physisch dargestellt. – Jedes dieser Beispiele zeigt, dass die physische Welt eine Darstellung der geistlichen Realität ist.

Gottes Bühne für die physische Darstellung ist die Schöpfung. Denn in der Schöpfung offenbart sich Gott. (Psalm 19,2) Das Erste, was er geschaffen hat, sind Himmel und Erde.

> *„Im Anfang schuf Gott den Himmel und die Erde."* (1. Mose 1,1)

Erstens sind Himmel und Erde miteinander verbunden und wirken als eine **Einheit**, so wie *„Gott einer ist"*. (1. Timotheus 2,5) Diese Verbindung zwischen Himmel und Erde wird zum Beispiel durch eine Wolkensäule bei Tag und eine Feuersäule bei Nacht über der Stiftshütte sichtbar. Im Tausendjährigen Reich wird es Jesus, der Messias, sein, der Vermittler, der Himmel und Erde verbindet.

„Und er spricht zu ihm: Wahrlich, wahrlich, ich sage euch: Ihr werdet den Himmel geöffnet sehen und die Engel Gottes auf- und niedersteigen auf den Sohn des Menschen.“ (Johannes 1,51)

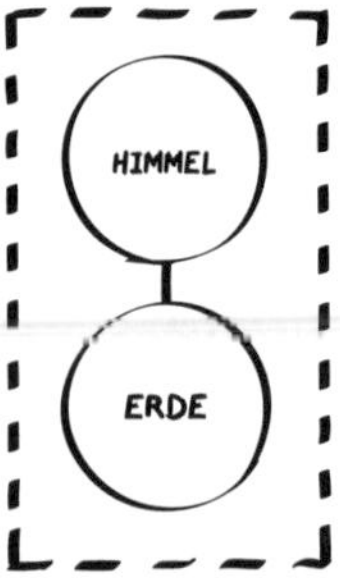

Zweitens sind Himmel und Erde zwei verschiedene Sphären, was bedeutet, dass sie grundsätzlich unterschiedlich sind. Das bedeutet, dass Gott sich in der **Vielfalt** zeigt. Die Gottheit ist vielfältig in Vater, Sohn und Geist. (Matthäus 28,19) Gott möchte, dass diese beiden Prinzipien miteinander harmonieren und nebeneinander existieren. Und im Bild von Himmel und Erde gehen Vielfalt und Einheit wunderbar Hand in Hand. Die Sphären sind unterschiedlich (Vielfalt/Diversität), aber in perfekter Verbindung (Einheit/Unität).

Unität + Diversität = “Unidiversität”[11]

Es gibt noch einen dritten Grundsatz, den wir beachten müssen: Himmel und Erde sind nicht gleichwertig. Sie sind nicht gleichberechtigt. Der Himmel hat **Autorität** über die Erde. In Daniel 4,23 steht: *„Der Himmel herrscht.“* Als der Sohn Gottes ein Mensch wurde, war er als Mensch Gott gehorsam, und diesen Gehorsam hat er geliebt. (Johannes 4,34) Paulus erklärt diese Hierarchie in 1. Korinther 11,3: *„Ich will aber, dass ihr wisst, dass der Christus das Haupt eines jeden Mannes ist, das Haupt der Frau aber der Mann, des Christus Haupt aber Gott.“*

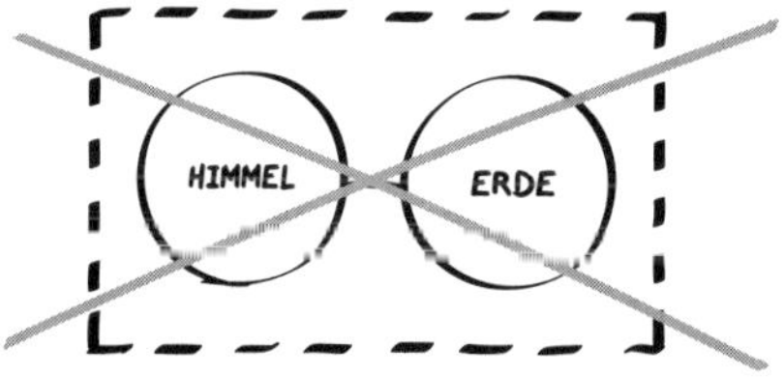

Um es auf den Punkt zu bringen: Der Himmel ist die geistliche Sphäre, in welcher Gott lebt (Matthäus 23,22; Hebräer 4,14; Epheser 6,12), und die Erde ist die materielle Sphäre, in welcher der Mensch lebt. (Psalm 24,1; 2. Chronik 6,18) Beide Sphären harmonieren freudig miteinander, wenn Gott regiert. (1. Chronik 16,31) Was die beiden Sphären am Anfang verband, waren Gottes Liebe und der Gehorsam der Menschen als Antwort auf seine Liebe. Himmel und Erde waren also in Form und Hierarchie *unterschiedlich,* aber durch vollkommene Liebe und Harmonie miteinander *verbunden.*

So hat sich Gott das vorgestellt.

Doch der Teufel versuchte schon immer, die ganze Sache auf den Kopf zu stellen.

Aber zuerst: Wer ist Satan eigentlich?

Satan war ein wunderschöner Engel Gottes, wurde aber aus eigenem Willen zu Gottes Widersacher. In der vergangenen Ewigkeit rebellierte er gegen Gott (Hesekiel 28 und Jesaja 14) und versucht seitdem, alles zu zerstören, was Gott tut. Als Gott also Himmel und Erde schuf, war das die perfekte Bühne für Satan, um seine Feindschaft gegen Gott zu zeigen. Man kann das mit einem Künstler vergleichen, der am Strand eine wunderbare Sandburg gebaut hat. Nachts kommt sein Widersacher und zerstört die Burg, um diesem Mann wehzutun.

Das ist genau das, was Satan getan hat – und er versucht es bis heute.

Wie hat Satan also Einheit, Vielfalt und Autorität zerstört?

1 *Zuerst* zerstörte er die verbundene Einheit von Himmel und Erde, indem er die beiden Sphären voneinander trennte. Um das zu erreichen, musste er eine Seite unabhängig machen. Er ging zu dem Herrscher der Erde und verführte ihn dazu, sich gegen den Himmel aufzulehnen. Das geschah, als Adam das Gebot Gottes übertrat und vom verbotenen Baum aß.

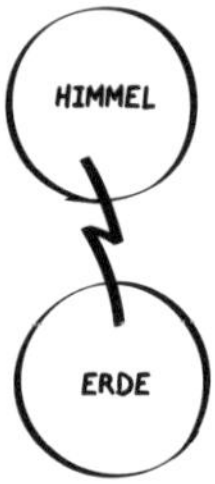

Einheit:
Erde dekonnektiert sich vom Himmel

2 *Zweitens* zerstörte er die Vielfalt, indem er die beiden Sphären vermischte. Er vermischte Himmel und Erde, die von Gott als getrennt gedacht waren. Satan stiftete himmlische Wesen an, sich mit irdischen Frauen zu vermischen. Er überfiel die Erde mit dem Himmel, was *nicht* Gottes Plan war. Das Ergebnis waren sehr große und starke Männer. Und diese Männer waren *große* Sünder.

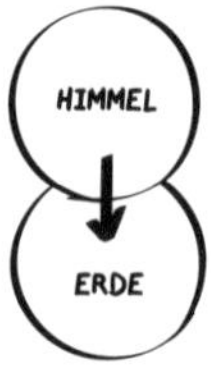

Vielfalt:
Der Himmel dringt in die Erde ein

3 *Drittens* zerstörte er die Autorität, indem er mit der Erde in den Himmel eindrang. Er ließ die Menschen die Erde (Lehm) nehmen, um in den Himmel zu gelangen (Turm von Babel). Anstatt sich waagerecht auf der Erde auszubreiten, stiegen die Menschen senkrecht nach oben, um himmlische Autorität zu beanspruchen.

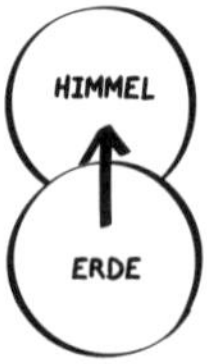

Autorität:
Die Erde dringt in den Himmel

Satan will also die Erde benutzen, um das wunderbare Werk Gottes zu zerstören. Die Erde und das Physische sind an sich nicht schlecht, aber Satan benutzt sie, um sich Gott zu widersetzen.

Und alles beginnt mit der Trennung von Gott. Wir müssen uns also den Kern des Problems genauer ansehen: Trennung.

Die Trennung

Ich werde oft gefragt: „Warum schickt ein liebender Gott Menschen für Sünden, die sie in einer kurzen Lebenszeit begangen haben, für die Ewigkeit in die Hölle?“

Die Frage scheint vernünftig, bis man das Problem versteht.

Bei dem Problem der Sünde geht es nicht um große und kleine Sünden, sondern darum, dass selbst die kleinste Sünde eine Trennung von Gott bedeutet. Lass mich dies anhand einer Illustration veranschaulichen:

Jedes Mal, wenn ein Astronaut aus einem Raumfahrzeug aussteigt, nennt man das einen Weltraumspaziergang. Vor einem Weltraumspaziergang befestigen sich die Astronauten mit Sicherungsseilen an ihrem Raumschiff. Ein Ende ist mit dem Astronauten verbunden, das andere Ende mit dem Raumschiff. Ohne diese Seile würde ein Astronaut bei einem Weltraumspaziergang ins All treiben und sterben. Das liegt an Newtons erstem Gesetz der Physik. Es besagt, dass ein Körper so lange in seiner momentanen Bewegung bleibt, bis eine äußere Kraft auf ihn einwirkt. Im Vakuum des Weltraums wird ein Astronaut ohne eine Rettungsleine, die ihn an sein Schiff bindet, für immer in dieselbe Richtung treiben, es sei denn, etwas zieht oder schiebt ihn in Sicherheit. Dabei spielt es keine Rolle, ob er 1 Zentimeter oder 1 Kilometer vom Raumschiff getrennt ist. Er wird selbst dann abdriften, wenn das Objekt, mit dem er verbunden sein soll, nur 1 Millimeter entfernt ist!

Als der Mensch sündigte, durchtrennte er quasi das Verbindungsseil und entfernte sich von Gott. Nur ein kleines bisschen. Nur durch das Verzehren einer Frucht. Aber es war trotzdem eine Entkopplung. Und die Menschen machten sich ohne Gott auf den Weg in die unbekannte Dunkelheit – wie ein Astronaut, der nicht mehr mit seinem Raumschiff verbunden ist.

Damit Satan die Erde vom Himmel entkoppeln konnte, musste er die entsprechende Verbindung kappen.

Was war in diesem Fall die Verbindung?

Eine Verbindung ist immer ein Mittelstück, das so gebaut wurde, dass es für zwei verschiedene Teile passend ist. Die Verbindung zwischen dem Materiellen und dem Geistigen war also etwas, was beides war: materiell und doch geistlich. Dieses Mittelstück war Adam. Er war Fleisch (materiell) und Geist (geistlich). Während Adam im Fleisch auf der Erde lebte, war seine Verbindung zu Gott geistlicher Natur, denn Gott ist Geist. (Johannes 4,24) Die Bibel spricht an keiner Stelle davon, dass Gott *leiblich* mit Adam im Garten war. Sie sagt, dass Adam, als er in der Gegenwart des Herrn war, ein *Geräusch* hörte, das vom *Wind* kam. (1. Mose 3,8) Adams geistliche Verbindung zu Gott kam also durch Worte (Töne) zustande.

Was konnte Satan also tun, um die Verbindung zwischen Adam und Gott zu unterbrechen?

Stell dir vor, du wolltest den Bundesstaat Texas von den Vereinigten Staaten abtrennen. Was würdest du tun? Du würdest versuchen, den Gouverneur von Texas zu beeinflussen und ihn dazu zu bringen, gegen die Regierung zu rebellieren, indem er das Bundesgesetz ignoriert. Wenn du ihn dazu bringen könntest, nur *einen* Befehl zu missachten, würde das ausreichen, um die Abtrennung deutlich zu machen.

So machte sich Satan über Eva an Adam heran, indem er ihr ins Ohr flüsterte: *Trenne dich von Gott! Werde selbstständig. Brich die eine Regel, die er dir gegeben hat.*

Denk mal darüber nach: Gott hatte Adam alles gegeben, was er wollte, mit nur einer Bedingung: *„Von* ***jedem*** *Baum des Gartens darfst du* ***nach Belieben*** *essen; aber von dem Baum der Erkenntnis des Guten und des Bösen sollst du nicht essen; denn an dem Tag, da du davon isst, musst du gewisslich sterben!"* (1. Mose 2,16-17; Schlachter[12])

Gott überschüttete seine Geschöpfe mit seiner Liebe, indem er ihnen Raum *(jeder Baum)*, Entscheidungsfreiheit *(frei essen)*, den Baum des Lebens *(Leben)* und sogar die Möglichkeit gab, seine Liebe zu Gott zurückzugeben, und zwar in der Form, *ein einziges* Gebot *passiv* zu befolgen!

Keine lästigen Regeln. Keine unmöglichen Standards. Keine Liste mit absurden Forderungen.

Nur eine einfache Regel – *nicht* von *einem einzigen Baum* zu essen.

Wie böse war es da, Gott ins Gesicht zu schlagen, indem man von diesem Baum aß?

Wenn mich also Menschen fragen: „Warum schickt Gott Menschen für ewig in die Hölle, obwohl sie zeitlich begrenzte Sünden begangen haben?", dann liegt das daran, dass sie nicht das ganze Ausmaß des Problems erkennen.

Gott hat gesagt: „Ihr werdet ganz sicher sterben." Das klingt jetzt vielleicht wie eine Drohung. Einerseits war es das auch, weil der Himmel die Regeln vorgibt. Nicht die Erde oder Adam legt die Regeln fest, sondern Gott. Andererseits war es wiederum keine Drohung, denn diese Aussage bedeutete nicht, dass Gott die Beziehung zu seinen Geschöpfen abbrechen wollte, sondern es war eine automatische Folge des Ungehorsams der Menschen. Vergleichbar mit einer Lampe, die sich selbst aus der Fassung zieht. Ihr Licht geht nicht aus, weil das Elektrizitätswerk die Glühbirne kaputt macht, sondern weil sie vom Stromkreis getrennt ist.

Wir müssen uns nun genau ansehen, was das für uns Menschen bedeutet. Die Menschen, vertreten durch Adam und unter der Führung Satans, haben sich aktiv von Gottes Wesen abgekoppelt. Das war nicht nur ein kleiner Fehltritt. Dieser Fehltritt war gewaltig und kostspielig.

Es geht nicht darum, ob Adams Sünde ein großes oder kleines Problem war.

Es ist ein *wesentliches* Problem.

Lass mich dir ein Beispiel geben. Wenn ein gebürtiger Amerikaner Präsident der Vereinigten Staaten werden will, aber seinen Namen auf dem Anmeldeformular falsch geschrieben hat, hat er nur ein *unwesentliches* Problem, denn er kann seinen Namen schnell korrigieren. Wenn allerdings ein Kanadier Präsident der Vereinigten Staaten werden möchte, würde er beim Ausfüllen des Registrierungsformulars in jedem Fall abgelehnt. Warum? Weil man, um Präsident der Vereinigten Staaten zu werden, in Amerika geboren sein muss. Nun hat dieser Kanadier ein *wesentliches* Problem. Eines, das er nicht ändern kann.

Denn das Problem betrifft eben sein *Wesen*. Was auch immer er versuchen würde, er könnte nie aus reiner Willenskraft etwas werden, was er vom Wesen her nicht ist.

Die Bibel sagt nicht nur, dass wir *in* der Finsternis waren oder dunkle Taten vollbracht haben, sondern dass *wir* Finsternis *waren*. *„Denn einst wart ihr Finsternis, jetzt aber seid ihr Licht im*

Herrn. Wandelt als Kinder des Lichts.“ (Epheser 5,8) Wir waren dem Wesen nach Finsternis! Als Adam sich von Gott trennte, war er kein Licht außerhalb von Gott – er wurde zur Finsternis. Sein Leben unterschied sich nicht nur ein bisschen von Gott – er hatte sein Leben komplett verwirkt; es war überhaupt kein Leben mehr. Es war der Tod.

Das liegt daran, dass der Mensch kein autonomes Wesen ist. Der Mensch ist völlig abhängig von Gott und hat sich vom Geist Gottes, der sein Leben war, abgekoppelt. In Jakobus 2,26 heißt es: *„Der Leib ohne Geist ist tot.“*

Verstehst du jetzt, wie verheerend die Katastrophe war? Mit demselben leichtsinnigen Ruck, mit dem der Mensch die Frucht vom verbotenen Baum riss, riss er sich von Gott los ... und wurde „Gott-los“.

Anstatt also Lichtträger Gottes zu sein und seinen majestätischen Glanz auf die Erde zu bringen, war Adam zur Finsternis geworden. Die Sünde war in eine gute Welt gekommen und breitete sich auf alle Menschen aus. (Römer 5,12) Für einen Gott, der Liebe *ist,* stellte das ein großes Problem dar.

Erstens, weil der Mensch sein geliebtes Geschöpf war. Er hatte es gut und vollkommen erschaffen; nun war es verdorben. Das Fleisch war zum *„Fleisch der Sünde“* geworden (Römer 8,3), das Geschöpf zu einer Karikatur. Es behielt zwar seine schöpferischen Eigenschaften und hatte immer noch erstaunliche Genialität, aber anstatt seine ganze Kraft einzusetzen, um die Herrlichkeit Gottes zu vergrößern, vergrößerte es nun die Finsternis mit derselben Macht wie Satan selbst.

Der Mensch wurde zur Gotteslästerung in Person.

Zweitens: Da Gott Liebe ist, wollte er eine Beziehung. Aber der Mensch war zur Finsternis geworden und Gott ist Licht. Das Licht kann aber keine Gemeinschaft mit der Finsternis haben. Du kannst nicht einen dunklen Raum beleuchten und Helligkeit und Dunkelheit am selben Ort haben. Wo Licht ist, da muss die Dunkelheit fliehen. Es ist eine Trennung, die Gott in die Schöpfung gelegt hat (1. Mose 1,4); wo auch immer das Licht erscheint, verschwindet die Dunkelheit. Ihre Koexistenz ist ein Ding der Unmöglichkeit.

Das bedeutete, dass Gott nicht mehr mit dem Menschen koexistieren konnte. Und da der Mensch seine geistige Antenne für Gott verloren hatte, fürchtete er sich ab diesem Zeitpunkt vor der Gegenwart Gottes. So als wenn du in einem dunklen Raum bist und spürst, dass da jemand ist, der dich möglicherweise berühren könnte. Wenn du die Person allerdings nicht kennst, wird diese Berührung kein wohliges Gefühl der Vertrautheit, sondern Angst erzeugen.

Doch Gott will Intimität, denn er ist Liebe!

Wie kann Gott also die Intimität mit den Sündern zurückgewinnen, ohne sie völlig zu vernichten? Genau darum geht es im Evangelium. Wenn du die Evangelien aus diesem Blickwinkel liest, zeigen sich darin Gottes Weisheit, seine Macht und seine überfließende Liebe. Und um uns selbst wirklich zu verstehen, müssen wir den Menschen auf den Operationstisch legen und uns genau ansehen, wie die Sünde sein ganzes Wesen beeinflusst hat.

Das Wesen des Problems: Entkopplung

Um das Wesen, das Ausmaß und die Auswirkungen des Problems des Menschen mit Gott zu verdeutlichen, werde ich das Beispiel eines Flugzeugs verwenden:

Der Pilot bist du, der für das Fliegen verantwortlich ist. Das Flugzeug ist dein Körper. Der Kontrollturm ist Gott. Der Himmel ist die geistige Sphäre. Die Erde ist die materielle Sphäre.

Die erste und unmittelbare Folge der Sünde war die *Entkopplung. „Da wurden ihrer beider Augen aufgetan.“* (1. Mose 3,7) Das mag nach etwas Großartigem klingen, war es aber nicht. Adam und Eva konnten zwar den Unterschied zwischen Gut und Böse erkennen, hatten aber nicht die Kraft, das Gute zu tun. Sie waren für den Rest ihres Lebens *geistlich* blind. Sie waren auf das Fleisch fixiert, und deshalb war das Erste, was sie bemerkten, dass sie nackt waren. Und da sie nun rein nach dem Fleisch lebten, war das ein großes Problem, denn Gott, ihr Schöpfer, war ein Geist. Deshalb konnten sie sich Gott von ihrem *Wesen* her nicht unterordnen. (Römer 8,7) Sie hatten sich wesentlich verändert. Um das mit unserer Flugzeugmetapher zu veranschaulichen: Der Mensch war wie ein Flugzeug, das den Funkkontakt zum Tower verloren hat.

Das Ausmaß des Problems: Verunreinigung

Die zweite Folge der Sünde war die *Verunreinigung*: *„... und sie erkannten, dass sie nackt waren."* (1. Mose 3,7) Die Nacktheit war vorher nie ein Problem gewesen, aber jetzt hatte sich etwas geändert. Adam und Eva konnten sich nicht mehr an der Nacktheit des anderen erfreuen, weil sie befleckt war. Ihr Fleisch war befleckt wie ein weißes T-Shirt, das mit Schmutz bedeckt ist. (Jakobus 3,6; Judas 23) Also bedeckten sie ihr Fleisch, um die Verunreinigung zu verbergen. (1. Mose 3,7)

Um bei dem Beispiel des Flugzeugs zu bleiben: Verunreinigung ist der *Schaden,* der am Flugzeug entsteht, wenn das Flugzeug nicht abhebt, sondern plötzlich mit dem Fahrwerk den Flughafen verlässt und wie ein Auto durch eine Stadt fährt. Die Tragflächen würden beim Aufeinanderprallen mit Gebäuden und Häusern abgeschert und der ganze Rumpf würde extrem beschädigt werden.

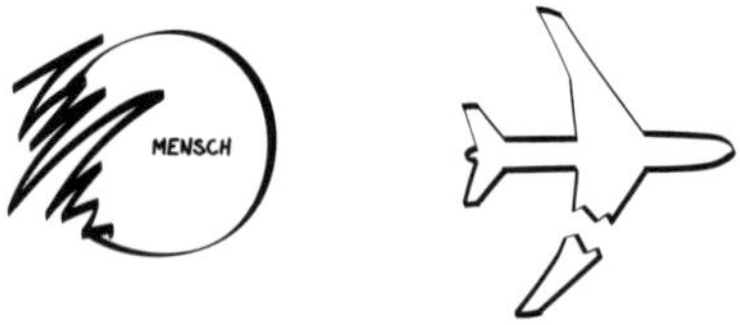

Die Auswirkungen des Problems: Fehlfunktion

Die dritte Folge der Sünde war eine *Funktionsstörung*. Adam aß die Frucht und starb *geistlich gesehen* auf der Stelle. Lass mich zunächst erklären, was das *nicht* bedeutet:

Zunächst einmal bedeutet es nicht, dass er direkt *körperlich* gestorben ist. Zwar erlebte Adam irgendwann einen körperlichen Tod, aber das war erst viele Jahre später. Nachdem er die Frucht gegessen hatte, war er also *körperlich* noch am Leben – allerdings war er *geistlich* tot. In 1. Timotheus 5,6 heißt es, dass ein Mensch

„lebendig tot" sein kann.

Auch wenn er körperlich noch lebte, war das neue Prinzip, das sein Leben bestimmte, der *Tod.*

Zweitens bedeutet der Tod *nicht,* dass der Mensch keinen Geist mehr hat. Der Tod ist „das unumkehrbare Aufhören aller Funktionen" in einem Körper, aber *nicht* das Verschwinden dieses Körpers. Wenn jemand stirbt, verschwindet seine äußerliche Hülle nicht einfach. Der Geist des Menschen war also noch da, aber er war tot. Tot für Gott. Er hatte unwiderruflich aufgehört, in Bezug auf Gott zu funktionieren. (Epheser 2,1; Kolosser 2,13) Anstatt von einem Leben spendenden Geist angetrieben zu werden, hatte der Mensch nun einen Motor des Todes in seinem Fleisch: die Sünde. Und dieser Motor begann, sich durch Heuchelei (das Bedecken von Blättern) und Anklagen (Gott, Eva und die Schlange) zu äußern. Sein Leib war ein Leib des Todes geworden. (Römer 7,24) Im Beispiel des Flugzeugs ist es so, als hätte das Flugzeug einen Softwarevirus, das die Kontrolle über das Flugzeug übernommen hat und es ständig in eine falsche Richtung schickt.

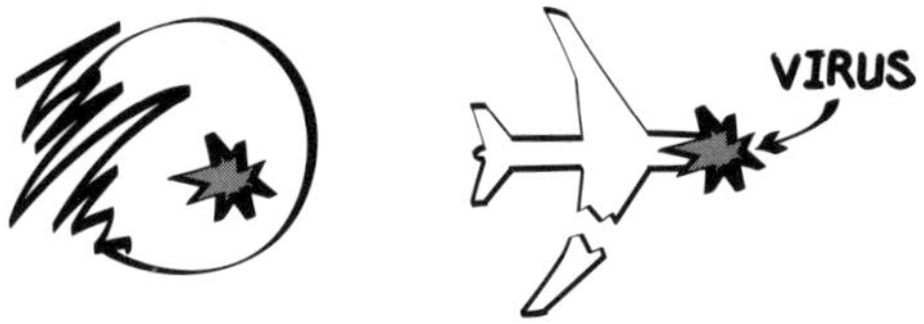

Der Mensch war ein Wrack. Nicht einmal ein schönes Wrack, ein hässliches Wrack.

Abgetrennt.

Verunreinigt.

Funktionsgestört.

Aber die wunderbare Wahrheit ist, dass Gott, obwohl der Mensch zum Gespött geworden war, immer noch gut war. Er war immer noch Liebe. Er ändert sich nicht. Und mit seiner erstaunlichen Genialität, die Paulus später als die Weisheit Gottes (Römer 11,33) und die unergründliche Liebe des Allmächtigen (Epheser 3,14-19) preisen würde, entwarf er einen Plan, um zu retten, was verloren war; zu waschen, was befleckt war; und zum Leben zu erwecken, was tot war.

Die Liebe wollte wieder Intimität zum Menschen, und sie sollte sie bekommen, denn Gottes Plan hatte Bestand.

Gott hat sich nicht aus der Geschichte der Menschen zurückgezogen. Vielmehr nahm er aktiv an der gefallenen physischen Welt teil. Ein sehr gutes Beispiel hierfür ist das Volk Israel in Ägypten. Das werde ich dir im nächsten Kapitel zeigen.

TAKEAWAYS

1. **Gott hat das Fleisch gemacht und es ist gut.**
   Das Fleisch ist in erster Linie gut.

2. **Wir müssen bei der Kerndefinition bleiben.**
   Eine beeinträchtigte Definition des Fleisches verzerrt dein Bild von deinem Menschsein.

3. **Das Problem (die Sünde) ist die Entkopplung – nicht dein Menschsein.**
   Fleisch ist nicht sündig, aber Fleisch, das von Gott getrennt ist, schon. Die Bibel nennt das „Fleisch der Sünde". (Römer 8,3)

GEBET

Gott, mein Schöpfer, ich bin deine geliebte Schöpfung. Du freust dich mit Gesang über mich, denn ich bin zu deiner Ehre geschaffen. Hilf mir zu verstehen, dass mein Menschsein ein Ergebnis deiner liebevollen schöpferischen Hand ist. Du hast meinen Körper gemacht und er ist perfekt. Es tut mir so sehr leid, dass wir uns von deiner Heiligkeit entfernt haben, weil wir dachten, wir könnten alles allein schaffen. Hilf mir zu erkennen, dass die Verbindung zu dir einfach schön ist. Lehre mich, den Gehorsam zu lieben – mich als Mensch dir, Gott, zu unterstellen.

KAPITEL 7

GOTTES LIEBE IN ÄGYPTEN

ÄGYPTEN – RÖMER 1-3

Wenn man die Geschichte des Exodus liest, kann man leicht denken, dass die Ägypter „die Bösen“ und das Volk Israel „die Guten“ waren.

Aber das ist falsch.

Die Israeliten waren genauso schlecht wie die Ägypter.

Sie waren Götzendiener, genau wie die Ägypter. Sie waren keine frommen Menschen, die auf einen Befreier warteten. Als Mose auftauchte, um sie zu befreien, lehnten sie ihn ab.

Sie waren von Gott losgelöst, durch Götzendienst verunreinigt und funktionsunfähig, weil sie kein freies Volk waren, sondern den Befehlen des Pharaos folgten.

Deshalb sind sie ein so gutes Beispiel für den Zustand des Menschen.

Und was tut Gott in einem solchen Fall?

> *„Der HERR aber sprach: [...] und ich bin herabgekommen, um es aus der Gewalt der Ägypter zu retten.“* (2. Mose 3,7-8)

Warum?

Warum liebt Gott Menschen, die freiwillig weggelaufen sind, die hoffnungslos verloren sind und die ihn gar nicht wollen? Bestimmt *nicht,* weil eine kleine, rebellische Schar von Sklaven so anziehend ist. Gott sagt: *„Nicht weil ihr mehr wäret als alle Völker, hat der HERR sich euch zugeneigt und euch erwählt – ihr seid ja das geringste unter allen Völkern –, sondern wegen der Liebe des HERRN zu euch.“* (5. Mose 7,7-8)

Liebe.

Der Fokus dieses Buches.

Halleluja! Preist den Herrn, denn ER IST GUT! Gott hat in sich selbst einen Grund gefunden, um zu lieben. Lass uns zusammen Psalm 103 lesen – ich denke, dass der Psalm diesen Punkt wunderbar nach Hause fährt:

> Er hat uns nicht getan nach unseren Vergehen *[sonst hätte Israel keine Chance gehabt]*, nach unseren Sünden uns nicht vergolten. Denn so hoch der Himmel über der Erde ist *[er gehört zu einer anderen, höheren Sphäre]*, so übermächtig ist seine Gnade über denen, die ihn fürchten. So fern der Osten ist vom Westen *[das werden wir in den nächsten Kapiteln sehen!]*, hat er von uns entfernt unsere Vergehen. Wie sich ein Vater über Kinder erbarmt *[du wirst den Vater noch kennenlernen wie nie zuvor]*, so erbarmt sich der HERR über die, die ihn fürchten.
>
> Denn er kennt unser Gebilde *[er weiß, dass wir aus dieser niederen Sphäre kommen]*, denkt daran, dass wir Staub sind. (Psalm 103,10-14)

Der Grund, warum Gott herabkam, um Israel zu befreien, war *Liebe*. Nicht eine natürliche, sondern eine übernatürliche Liebe. Wissend, dass Israel den Befreier Mose ablehnen würde, dass sie während der Wüstenwanderung bei jeder Gelegenheit jammern und klagen würden, dann ihre Befreiung einem Goldenen Kalb gutschreiben würden, das endgültige Ziel ablehnen würden und, sobald sie im Land waren, so schnell wie möglich dem Götzendienst verfallen würden – wie konnte Gott da trotzdem kommen und sie befreien?!

Die Antwort ist: *Agape-Liebe*.

Gott fand diese Liebe in sich selbst. Agape-Liebe hängt nicht von den Kriterien der Welt ab, wie zum Beispiel der Attraktivität. Israel war zutiefst unattraktiv, aber Gott schaute nicht auf das, was war, ist oder sogar sein wird. Er schaut auf das, was er in sich selbst ist.

Der große ICH BIN. Und was hat er gefunden? ICH BIN Liebe. Selbstlose, einseitige Liebe ist eine gute Nachricht für die Zerbrochenen, Trost für die Müden und Stabilität, wenn wir ins Wanken geraten. Lass mich erklären, warum uns einseitige Liebe so viel Stabilität gibt:

Einseitige Liebe mag auf den ersten Blick verletzend wirken. Stell dir vor, du sagst deiner Frau: „Ich liebe dich – nicht, weil du schön bist, sondern weil ich mich dazu entschieden habe!" Das mag zunächst nicht sehr charmant klingen. Aber du weißt auch: Wenn deine Frau sich nur aufgrund ihrer Schönheit geliebt fühlt, wird sie sich irgendwann fragen, was passiert, wenn ihre Schönheit einmal vergeht. Eine klare Entscheidung dagegen gibt ihr Gewissheit, dass deine Liebe beständig sein wird.

Genauso ist es auch mit Gott und uns:

Wenn du denkst, dass Gottes Liebe auf deinen Taten, deiner Treue, deinem Eifer oder deiner Heiligung beruht, dann wirst du *immer an ihr zweifeln, sobald du sündigst oder versagst.* Du wirst dich fragen: Liebt Gott mich immer noch, auch wenn ich gesündigt habe – auch wenn ich mich gestern wieder schmutzig gemacht habe? Das ist der Moment, in dem du Gottes einseitige Liebe verstehen und kennenlernen musst. Es ist eine Liebe, die nicht von deinem Handeln (oder fehlendem oder falschem Handeln) abhängt.

Das ist eine großartige Nachricht! Und es ist auch der Grund, warum Ägypten für uns so wichtig ist.

Gott liebte Israel, *bevor* es für ihn attraktiv war. Gott liebte Israel als Sklaven in Ägypten unter dem Pharao, bevor Israel unter Salomo in Jerusalem zum Inbegriff der Schönheit wurde.

Das ist die Zusage, mein Freund. Das ist unser Gott! Und hier beginnt der gute Teil der Geschichte. Gott hat dich geliebt, *bevor* du gut warst. Du sagst: „Ich war gestern nicht gut!" Lass mich dich daran erinnern, wie unsere Beziehung begann: Während du noch schmutzig, ein Dreckskerl und eine totale Dreckschleuder, ein völliges Durcheinander warst, *hat Gott dich schon geliebt*. Du hast sündige *Taten* begangen, warst in deiner *Identität* ein Sünder und hattest die Sünde als herrschenden König *in dir*.

Aber Gott hat dich geliebt.

„Gott aber erweist seine Liebe zu uns darin, dass Christus, als wir noch Sünder waren, für uns gestorben ist." (Römer 5,8)

Ja, Gott ist Liebe und er hörte den Schrei Israels: *„Der HERR aber sprach: Gesehen habe ich das Elend meines Volkes in Ägypten, und sein Geschrei wegen seiner Antreiber habe ich gehört; ja, ich kenne seine Schmerzen."* (2. Mose 3,7)

Das Erstaunliche daran ist: Israel hat in Ägypten wahrscheinlich nicht *zu Gott* geschrien, sondern nur aufgrund der Last und Schmerzen der Sklaverei. Zumindest sagt die Bibel das nicht. Die Bibel sagt aber sehr wohl, dass sie Götzendiener waren. Aber Gottes liebendes Herz hört sogar den unausgesprochenen Schrei.

Er hat dich gehört, bevor du überhaupt um Hilfe geschrien hast.

Kommt dir das bekannt vor?

Erinnere dich an Hagar: *„Denn Gott hat auf die Stimme des Jungen gehört, dort, wo er ist."*

Dein himmlischer Vater kennt deine Not – sogar besser als du.

Er sieht. Er hört. Er weiß.

Und dann kommt er – *„mit Heilung unter seinen Flügeln"*. (Maleachi 3,20)

Um eine neue Reise zu beginnen.

Wie sieht die Reise aus?

Warum eine lange Reise und keine Abkürzung?

Bevor wir uns nun auf eine Reise mit Gott begeben, müssen wir uns kurz die Frage stellen:

Warum ist das Leben eine lange Reise ohne Abkürzungen?

Warum hat Gott Israel vierzig Jahre lang durch die Wüste wandern lassen, obwohl die Reise von Ägypten nach Kanaan eigentlich nur elf Tage gedauert hätte?

Warum überhaupt die Wüste? Warum lässt Gott uns manchmal durch Schwierigkeiten gehen, wenn es auch anders – sorgenfrei – gehen könnte?

Hand aufs Herz: Du hast dir diese Frage bestimmt auch schon gestellt, oder?

Fakt ist: Gott möchte eine intime Gemeinschaft mit uns pflegen. Intimität bedeutet *Erfahrungswissen*. Um dir ein Beispiel zu geben: Wenn wir mit anderen den Verlust eines wunderbaren Menschen betrauern, macht es bei unserer Anteilnahme einen großen Unterschied, ob wir schon mal selbst den Verlust eines Menschen erlebt haben. Erst dann können wir den Schmerz durch die gemeinsame Erfahrung wirklich verstehen. Es ist dann nicht mehr nur „theoretisches Kopfwissen".

Gott möchte, dass wir seine Freude und seinen Schmerz aus eigener Erfahrung kennen und fühlen, damit wir Gemeinschaft mit ihm haben können. Das heißt, wenn Gott die Sünde nach dem Sündenfall privat gesühnt und zu Adam gesagt hätte: „Oh, Adam, kein Problem. Ich hab's im Griff!", dann wäre Adam zwar befreit worden, aber er wäre nicht in seiner intimen Gotteserkenntnis gewachsen. Er hätte nicht gewusst, was Sünde für Gott bedeutet. Er hätte Gott nicht verstanden – seine Heiligkeit und seine Liebe. Aber Gott will, dass wir daran teilhaben.

Er *ist* Liebe und deshalb will er, dass wir diese Liebe teilen.

Er *ist* heilig und deshalb will er, dass auch wir heilig sind.

Aber diese hohe Berufung hat auch einen hohen Preis.

Durch den Sündenfall hat der Mensch die Erkenntnis von Gut und Böse erlangt.

Durch die Reise mit Gott erhält er das Wissen Gottes über Gut und Böse.

Unsere Wüstenreise hier auf der Erde ist dazu gedacht, dieses Problem in unseren Herzen zu lösen, indem wir so darüber nachdenken, wie Gott es tun würde. Am Baum im Garten Eden schauten Adam und Eva mit ihren physischen Augen auf Gut und Böse. Am Baum von Golgatha müssen wir mit Gottes Augen auf Gut und Böse schauen – mit geistlichen Augen (1. Korinther 2,15) – und das ist eine wunderbare Sache! Weißt du, im Himmel werden wir die Liebe Gottes genießen, aber wir werden sie dort nicht erst lernen. Das müssen wir hier auf der Erde tun. In der Herrlichkeit werden wir in seiner Gegenwart sein; aber um sie zu genießen, müssen wir sie hier auf der Erde kennenlernen.

Aber wie können wir das alles hier auf der Erde lernen? Durch die Reise. Dein Leben ist eigentlich eine Lektion in Gottes Klassenzimmer. Und in diesem Klassenzimmer hat Gott eine Tafel und ein Lehrbuch. Eigentlich hat er sogar mehrere, aber wir werden uns heute nur die beiden wichtigsten ansehen. Wenn du verstehst, wie sie funktionieren, kannst du sie auf alles andere anwenden.

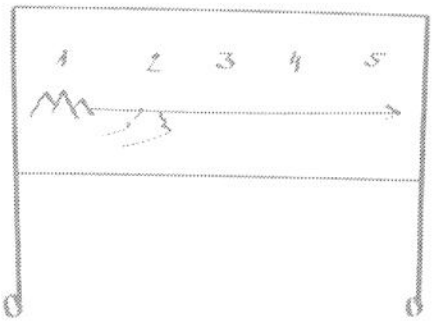

Die Tafel: Der Exodus

Ok, ich habe ein Versprechen zu halten.

Wie in Kapitel 4 bereits angekündigt, komme ich jetzt noch mal auf die asiatischen Stammesangehörigen zurück, die noch nie in ihrem Leben ein Schaf gesehen hatten. Als die Missionare ihnen zu erklären versuchten, wie das „Lamm Gottes“ für sie gestorben ist, stießen sie auf Unverständnis.

Ich möchte dir nun erzählen, wie die Geschichte ausging. Die Missionare kamen auf eine einfache, wenn auch kostspielige Idee. Sie ließen zwei lebendige Schafe einfliegen. Kannst du dir vorstellen, welche Aufregung sich im Dorf breitmachte, als die Stammesangehörigen diese Tiere zum ersten Mal in ihrem Leben sahen? Jetzt hatten sie – im wahrsten Sinne des Wortes – ein lebendiges Beispiel. Aus einem abstrakten Konzept wurde ein lebendiges

Beispiel in Form eines Tieres mit Wolle und einem wuscheligen Schwanz, das die Menschen sehen, hören und anfassen konnten.

Genau das hat Gott auch getan. Er „flog“ ein Lamm ein. Er sagte den Israeliten, sie sollten sich ein Lamm zur Veranschaulichung holen. Das Passahlamm. Ein anschauliches Beispiel, das uns hilft, das Herz Gottes zu verstehen und zu begreifen, wie sehr er uns liebt.

Aber nach dem Passahfest war die Geschichte noch nicht zu Ende. Eigentlich spricht die ganze Reise von Ägypten nach Kanaan über das Opfer Gottes! Das ist die Tafel. Es ist eine Selbstoffenbarung Gottes und wie er uns retten will. Gott will uns sein Herz zeigen.

Wir haben also reichlich Material, um tief in das Geheimnis Gottes und seiner Liebe einzutauchen.

Aber dazu brauchen wir noch etwas: ein Lehrbuch.

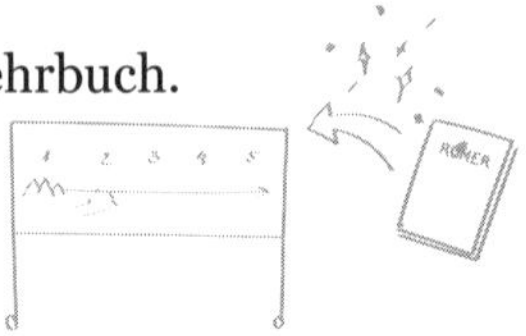

Das Lehrbuch: Der Römerbrief

Ein Bild vermag mehr zu sagen als tausend Worte, aber tausend Worte können viel präziser sein als ein Bild. Wenn wir uns also die Illustration der Wüstenreise ansehen, brauchen wir Worte, um diese Bilder zu erklären. Wir brauchen so etwas wie ein „Lösungsbuch“, um zu erklären, was Ägypten, das Lamm, das Rote Meer usw. wirklich bedeuten.

Dieses Buch ist der Brief an die Römer.

Es ist unser Lehrbuch, um die Illustrationen an der Tafel zu erklären.

Ohne den Römerbrief kannst du nicht über das Kreuz sprechen. Deshalb werde ich mit dir parallel zur Wüstenreise die Schlüsselstellen des Römerbriefs durchgehen, um das Bild noch genauer zu erklären.

Eine kleine Randbemerkung: Die Argumentationslinie im Römerbrief ist jedoch nicht die Liebe, sondern die *Gerechtigkeit!*

Und warum? Weil Gerechtigkeit die Liebe erstrahlen lässt.

Die Gerechtigkeit zeigt Gottes Vollkommenheit in der Liebe und unsere vollkommene Sicherheit in seiner Liebe. Lass mich dies anhand eines Beispiels veranschaulichen:

Ein Mann kommt auf dich zu und sagt, dass er dir ein Haus schenken möchte. Du bist natürlich hocherfreut, denn wer würde es schon ablehnen, ein Haus geschenkt zu bekommen? Er sieht dich an und sagt: „Ich liebe dich, hier ist der Schlüssel." Jetzt stehst du vor der Wahl: Entweder vertraust du ihm und nimmst die Schlüssel. Oder du misstraust ihm und gehst weg.

Ich würde wahrscheinlich Folgendes machen. Ich würde die Schlüssel nehmen, das Haus betreten und dann denken: „Wo ist der Haken? Gibt es wirklich keine Bedingungen?" Und genau das ist der Zustand, in dem wir uns als gerettete Sünder befinden. Wir misstrauen Gott oft. Selbst für Christen scheint das Evangelium manchmal zu schön, um wahr zu sein. Deshalb ist die Argumentationslinie im Römerbrief so entscheidend. Gott hat nicht nur gesagt, dass er uns liebt; er hat es durch den Tod seines Sohnes am Kreuz bewiesen! Er ist nicht nur zu gut, um wahr zu sein, sondern auch zu wahr, um schlecht zu sein. Er ist zu gerecht, um uns nicht zu vergeben, wenn wir unserer Sünden bekennen. (1. Johannes 1,9)

Es macht einen Unterschied, ob ein Fremder dir einen Schlüsselbund überreicht und sagt, dass er dir ein Haus schenkt, oder ob du offiziell per Einschreiben einen Brief vom Besitzer des Hauses erhältst, in dem steht:

Ich liebe Dich.

Das Haus gehört Dir.

Hier sind die Schlüssel und die Urkunde.

Die beiliegende Urkunde ist von ihm und einem Anwalt unterschrieben. Die Schlüssel sind in deiner Hand. Auf der Besitzurkunde steht dein Name. Jetzt weißt du ganz sicher: Das Haus *gehört* mir. Dieser Tatbestand ist *rechtlich* abgesichert.

Hier geht es nicht um das Wohlwollen dieser Person oder dergleichen; hier geht es um klare Fakten und handfeste Beweise, die sich in diesem Falle in der Unterschrift dieser Person manifestieren. Das Eigentum ist auf dich übertragen worden, das Haus gehört jetzt dir und die Person ist aus juristischer Sicht nicht berechtigt, es wieder zurückzufordern. Und natürlich beweist diese Handlung noch etwas viel Größeres: die Liebe des Gebers!

Wenn dir jemand sagt, dass er Liebe *ist,* hast du vielleicht Zweifel. Denn was bedeutet das schon? Aber wenn er dir diese Liebe *in seinem Wesen und in seinem Handeln beweist* – wenn du sie mit deinen eigenen Augen sehen und mit deinen eigenen Händen greifen kannst, handfest und konkret –, dann glaubst du ihm wirklich. Deshalb lässt die Gerechtigkeit im Römerbrief die Liebe Gottes erstrahlen. Das ist es, was Gott im Römerbrief für uns tut. Paulus zeigt uns, wie Gott es durch das Opfer Jesu quasi *unmöglich* gemacht hat, dich zu verurteilen.

So beweist die *Gerechtigkeit* im Römerbrief Gottes Liebe.

Das Resultat

Verstehen, dass Gott *dich* liebt

Wenn wir nicht in Gottes Liebe ruhen, verlieren wir unsere Bestimmung.

Frag Adam und Eva.

Frag den verlorenen Sohn.

Sie alle zweifelten an der Liebe Gottes und beide mussten die bitteren Früchte ernten. Adam und Eva bedeckten sich mit Blättern und der verlorene Sohn musste mit den Schweinen essen.

Warum ist das Bedecken mit Blättern so eine große Sache? Als sich Adam und Eva Schurze aus Blättern machten und sich damit bedeckten, konnten sie sich nicht mehr so zeigen, wie sie wirklich waren. Das bedeutete, dass sie auch nicht mehr so *geliebt* werden konnten, wie sie wirklich waren.

Das Gleiche gilt für den verlorenen Sohn. Er gab seine hohe Stellung als Sohn auf und musste letztlich als Schweinehirte arbeiten. Mit Schlamm bedeckt statt mit Gewändern war er nicht mehr das, was ihn eigentlich ausmachte.

Wenn wir uns also von Gottes Liebe entfernen, verlieren wir unsere Bestimmung. Wir verlieren das Bewusstsein für das, was wir wirklich sind.

Bedenke: Du kannst dich entweder darauf konzentrieren, die Wurzeln deines Herzens in Gottes Liebe wachsen zu lassen, oder du kannst dich darauf konzentrieren, „Blätter" auf deine Handlungen zu legen, um die Anerkennung der Menschen zu gewinnen. Erinnerst du dich an Inas Zeugnis? Sie suchte die Anerkennung der Menschen, und das ging auf Kosten ihrer selbst. Sie sagte weiter:

> *„Ich hasste diese Gedanken in mir, meine Achtung vor mir selbst sank mehr und mehr. Wie konnte mich jemand lieben, wenn er mich wirklich jemals richtig kennenlernen würde? Wie konnte Gott mich lieben? So trug ich meine Masken, um ja nichts auffliegen zu lassen [...] Nichts wünschte ich mir mehr, als endlich echt und ehrlich sein zu können und trotzdem geliebt zu werden."*

Herzzerreißend.

Aber am schmerzlichsten ist, dass Ina ein *christliches* Mädchen war. Wenn du sie gefragt hättest: „Weißt du, dass Gott alle Menschen liebt?", hätte sie wie aus der Pistole geschossen geantwortet: „Ja, so sehr hat Gott die Welt geliebt ..."

„Glaubst du, dass Jesus dich liebt?"

„Ja!"

„Weißt du, dass du *um deiner selbst willen* geliebt bist?"

An dieser Stelle wäre wohl eine lange Schweigeminute entstanden. Das kleine Mädchen in ihrem hübschen Kleid und ihren rosa Hausschuhen hätte den gleichen traurigen Blick gehabt wie ihre Urmutter Eva damals im Garten Eden.

Mein Freund, die Worte *„Du bist geliebt"* bedeuten nichts, solange wir nicht verstehen, was *„du"* tatsächlich bedeutet. Liebe bedeutet gar nichts, solange du nicht verstehst, dass DU geliebt wirst.

Das ist eine Frage von Leben und Tod.

Deshalb möchte ich dir in den nächsten drei Kapiteln zeigen, was am Kreuz mit deinem DU passiert ist. Mit deiner Identität. Es gibt eine Menge Dinge, die du wahrscheinlich als „du“ identifizierst, die in Wirklichkeit aber gar nicht dazugehören. Gemeinsam möchte ich mit dir das Wort Gottes öffnen und diese Überbleibsel ausmerzen, damit du die Liebe Gottes ungehindert erfahren kannst. Ich werde zunächst zeigen, dass Selbsthilfe unmöglich ist. Nur Gott kann retten. Dann werden wir uns das Ende des „alten Selbst“ ansehen, dann wie Gott ein „neues Selbst“ geschaffen hat und schließlich sehen, wie man ein „falsches Selbst“ vermeidet.

Warum das so enorm wichtig ist? Wenn wir nicht tief in der Liebe Gottes verwurzelt sind, werden wir niemals in der Erkenntnis Gottes wachsen.

Du brauchst Liebe, um Liebe zu verstehen

Epheser 3,17 sagt uns, dass wir *in der Liebe verwurzelt* sein müssen, wenn wir Fortschritte im Verständnis der Liebe Gottes machen wollen.

> *„Deshalb beuge ich meine Knie vor dem Vater [...] dass der Christus durch den Glauben in euren Herzen wohnt und ihr in Liebe gewurzelt und gegründet seid, damit ihr imstande seid, mit allen Heiligen völlig zu erfassen, was die Breite und Länge und Höhe und Tiefe ist, und zu erkennen die alle Erkenntnis übersteigende Liebe des Christus, damit ihr erfüllt werdet zur ganzen Fülle Gottes.“* (Epheser 3,14-19)

Erkennst du den scheinbaren Widerspruch? Du musst in der Liebe *verwurzelt* sein, um die Liebe zu *verstehen*. Es ist fast so ironisch wie bei einer Bank. Eine Bank ist im Grunde eine Institution, die dir Geld leiht, wenn du nachweisen kannst, dass du genug Geld hast, um es zurückzuzahlen.

Du brauchst also Liebe, um die Liebe zu verstehen. Wir müssen in der Liebe verwurzelt und geerdet sein, um diese Liebe zu *erkennen*. Das bedeutet, dass der erste Impuls der Liebe nicht von uns kommen kann. Wir müssen ihn von außen empfangen.

Wo kann ich die Liebe Gottes erfahren?

Gottes Liebe leuchtet nirgendwo so hell wie unter dem Kreuz, wo er uns von unseren Sünden gereinigt hat. Deshalb schrieb Petrus: *„Denn bei wem diese Dinge (Liebe) nicht vorhanden sind, der ist blind, kurzsichtig und hat die Reinigung von seinen früheren Sünden vergessen (Kreuz)."* (2. Petrus 1,9)

Wenn wir die Breite und Länge und Höhe und Tiefe von Gottes Liebe verstehen wollen, müssen wir mehr unter dem Kreuz leben. Das ist ein weiterer Grund, warum wir die Wüstengeschichte und den Römerbrief durchgehen werden, denn beide sprechen vom Kreuz. Willst du mit mir zum Kreuz gehen und von Gottes Liebe *überwältigt* werden?

TAKEAWAYS

1. **Gott liebt dich bedingungslos.**
Du kannst keine Bedingungen schaffen, die bedingungslose Liebe rückgängig machen.

2. **Eine Reise – keine schnelle Lösung.**
Gott nutzt die Reise, damit wir ihn durch Erfahrungen kennenlernen.

3. **Gottes Tafel und Lehrbuch.**
Die Reise durch die Wüste ist eine Selbstoffenbarung Gottes und zeigt, wie er uns retten will.
Der Exodus ist die anschauliche Tafel und der Römerbrief das erklärende Lehrbuch.

4. **Finde deine wahre Identität „in Christus".**
Es gibt eine Menge Dinge, die du wahrscheinlich als „ich" bezeichnest, die in Wirklichkeit aber gar nicht dazugehören. Wir werden sie ausmerzen, um wirklich zu verstehen, dass Gott dich liebt.

GEBET

Mein Herr, du bist so gut. Du gibst dir so viel Mühe, dich uns zu offenbaren. Wie groß ist deine Liebe!

Aber ich brauche deine Hilfe. Ich muss in der Liebe verwurzelt sein, um die Liebe zu verstehen. Wie kann das gehen? Unmöglich. Deine Gnade ist meine einzige Zuflucht. Bitte schenke mir, deine Liebe durch dein Wort zu verstehen. Hilf mir auf der Reise durch die Wüste und den Römerbrief. Hilf mir, wirklich zu verstehen, wer du bist und wer ich bin.

TEIL III

DIE BEWÄLTIGUNG:
GOTT LIEBT DICH

EINE KURZE ÜBERSICHT

KAPITEL 7: SELBST VERSCHULDET

Ägypten

Römer 1-3

Problem:
Eine verlorene Welt, die keine Hilfe will

Lösung:
Gottes selbstlose, einseitige Retterliebe

Liebe:
Gott liebt die Welt

KAPITEL 8: KEINE SELBSTHILFE

Exodus

Römer 3-5

Problem:
Befleckung (Taten)

Lösung:
Gewaschen durch das Blut des Lammes

Liebe:
Gott sieht deine Sünden nicht mehr

KAPITEL 9: DAS ALTE UND DAS NEUE SELBST

Rotes Meer

Römer 5-6

Problem:
Trennung (Wesen)

Lösung:
Wesensveränderung: Ein neues Selbst

Liebe:
Gott liebt dich! Denn du hast Sein Leben

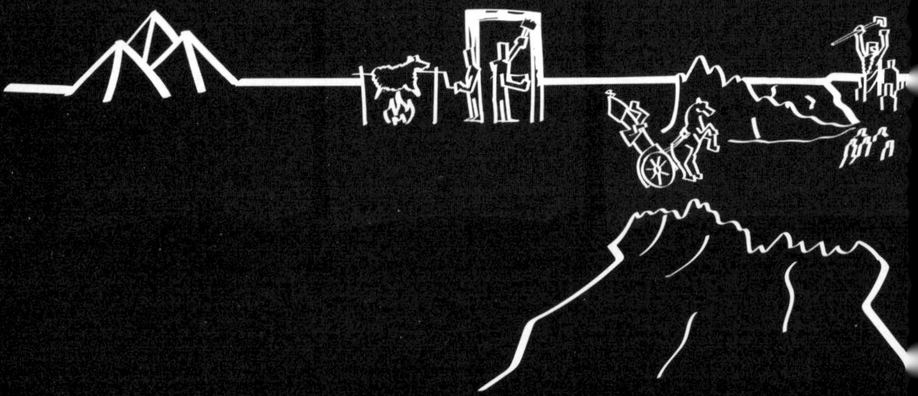

KAPITEL 10:

DAS FALSCHE SELBST

Sinai und Schlange

Römer 7-8

Problem:
Sünde in uns (Funktion)

Lösung:
Verurteilung und Trennung von der Sünde

Liebe:
Gott liebt Dich!
Die Sünde bist nicht Du

KAPITEL 11:

GELIEBT

Jordan

Römer 8+12

Problem:
Irdisches Christentum

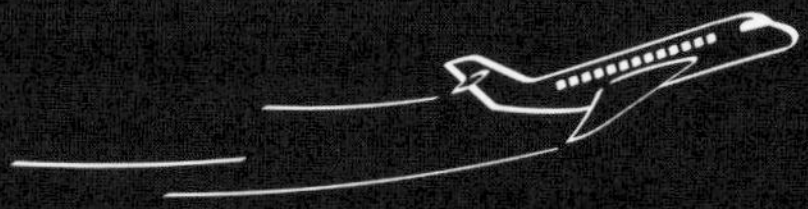

Lösung:
Verbindung zu dem himmlischen Christus

Liebe:
Gott liebt Dich und möchte jetzt schon jeden Moment zusammen erleben

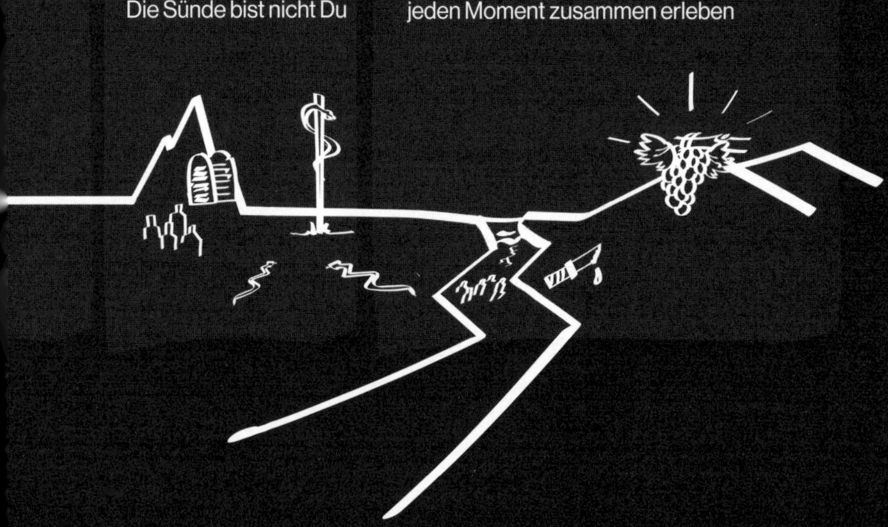

KAPITEL 8

KEINE SELBSTHILFE

Passah (Stellvertretung)

Er war im Gefängnis.

Die Anklage: Totschlag. In Europa bekommt man dafür nicht mehr die Todesstrafe, aber im Nahen Osten ist das anders. Er wusste, was auf ihn zukam. Die Familie seines Opfers forderte sicherlich Vergeltung. Und sie waren diejenigen, die das Sagen hatten. Aber die Menge stand heimlich hinter ihm. Doch irgendwie war heute alles anders. Er konnte wieder eine Menschenmenge vor dem Gefängnis stehen hören. Aber sie war wütend. Er wusste, dass es um ihn ging! Hatte die Familie des toten Mannes die anderen umstimmen können?

Plötzlich rief die ganze Menge seinen Namen! Adrenalin schoss durch seinen Körper: Würden sie ihn steinigen? Oder etwas noch Schlimmeres?

Da, wieder Schreie: „Kreuzigt ihn!"

Er spürte, wie seine Knie bei dem Gedanken nachgaben, und verlor fast das Bewusstsein. War das ihr Ernst? Nein, nein, nein! Nicht die Kreuzigung. Nicht die stundenlangen Folterungen. Nicht nackt vor allen Leuten sterben wie ein Stück Fleisch in der Sonne.

Sofort sah er sich um, verzweifelt auf der Suche nach einem Ausweg, aber das Schloss knackte auf und zwei Soldaten standen in der Tür:

„Mitkommen!"

„Nein!", schrie er und machte sich zum Kampf bereit.

„Hör auf!", sagte der Soldat. „Barabbas – du bist frei."

Der Totschläger verstand die Welt nicht mehr. Träumte er? Nicht nur, dass er nicht gekreuzigt werden würde, er war auch frei? Er war nicht länger ein Gefangener?!

Der Soldat erklärte kühl: „Du hast noch mal Glück gehabt. Es ist das Passahfest und ein anderer wurde zum Sterben auserwählt."

Barabbas war frei. Jemand anderes würde an seiner Stelle sterben.

Die Christen nannten diesen anderen das Lamm, Jesus.

Warum ausgerechnet „das Lamm"?

Dazu musst du verstehen, was das Passahfest ist. Du wirst sehen, dass es Gottes Art ist zu sagen: Ich liebe dich so sehr, dass ich an deiner Stelle sterben werde.

Gericht über Ägypten

Historisch gesehen ist das Passah ein Fest, das Gott den Israeliten anordnete, kurz *bevor* er das böse System Ägyptens richten wollte. Ja – Ägypten würde fallen. Alle, die in Ägypten lebten, waren dem Gericht unterworfen. Auch die Israeliten. Sie hatten sich von Gott entfernt und waren anderen Göttern nachgegangen. Sie waren Söhne eines anderen Vaters geworden – des Teufels. Dieser Vater war von Anfang an ein Mörder. (Johannes 8,44)

Wenn wir diese Situation mit Barabbas vergleichen, können wir Ähnlichkeiten erkennen: „Barabbas" bedeutet „Sohn des Vaters". Er war dem Beispiel seines Vaters gefolgt und ein Mörder geworden. Ob beabsichtigt oder nicht, ist zweitrangig. Er hatte es getan.

Auch Israel hatte seine eigenen Kinder in den Nil geworfen. Sicherlich nicht freiwillig, aber sie hatten es trotzdem getan.

Gott *hasst* Kindermord. Und er wollte dem ein Ende setzen. Deshalb musste das Gericht kommen. Nicht über Israel und nicht über Ägypten, sondern über „die Götter Ägyptens". (2. Mose 12,12) Sie waren die eigentliche Ursache für diese Probleme. Der Kindermord war nur das Symptom einer dämonischen Weltanschauung. Aber die Schwierigkeit bestand darin, dass sowohl die Ägypter als *auch* die Israeliten diese Götter anbeteten (Josua 24,14; Hesekiel 20,8) und Gott sie deshalb von diesen Götzen trennen musste, und zwar vor allem innerlich. Gott ließ sein Volk nicht einfach so aus Ägypten ausziehen, sonst hätten sie diese Götter mitgeschleppt. Sie mussten sie in ihrem Herzen töten.

Äußerlich mussten sie das, was ihnen am wichtigsten war – nämlich ihre erstgeborenen Kinder –, Gott überlassen. Ihr Stolz musste gebrochen werden. Und die Erstgeborenen waren ein Ausdruck dieses Stolzes. Also kündigte Gott an, dass er die Erstgeborenen töten würde.

Aber Moment mal, Gott ist doch Liebe – oder nicht? Wie kann er die Erstgeborenen dann töten wollen?

Die Antwort ist: Er wollte das nie tun. Er wollte den inneren Stolz töten, nicht den Menschen. Er wollte die Sünde aus dem Menschen herausschneiden, aber nicht den Patienten bei der Operation töten. Die Bibel nennt den moralisch-sündigen Zustand des Menschen „den alten Menschen". *„Da wir dies erkennen, dass unser alter Mensch mitgekreuzigt worden ist, damit der Leib der Sünde abgetan sein soll, dass wir der Sünde nicht mehr dienen."* (Römer 6,6)

Aber damit die Operation erfolgreich war, musste seine Liebe so weit gehen, dass *er selbst* „bei der Rettungsaktion" sterben würde.

Um zu verstehen, wie das kam, hilft uns das Konzept der Stellvertretung.

Stellvertretung

Die Stellvertretung ist ein sehr altes biblisches Konzept.

Adam brauchte ein Opfertier für seine Sünden.

Abel brachte ein Lamm.

Noah opferte ein Tier.

Abraham opferte einen Widder anstelle von Isaak.

Stellvertretung ist die Handlung einer Person (Vertreter) für ein anderes Rechtssubjekt (Vertretener).

Das Passahlamm spricht von Stellvertretung. Es reiht sich also in eine lange Liste von stellvertretenden Opfern ein.

Es war ein Stellvertreter für den Erstgeborenen. Und der Erstgeborene stand wiederum stellvertretend für den Rest der Menschheit. Prinzip erkannt? Ein Teil steht für das Ganze.

Der Erstgeborene war das Symbol für den Stolz der gesamten Menschheit. Es war der Stolz des Fleisches: „Seht euch meinen großartigen Nachkommen an!" Dieser Stolz musste gebrochen werden. Er musste getötet werden. Aber Gott wollte die Menschen nicht töten, sondern sie retten und an ihnen „vorübergehen" (hebr. *pæsaḥ).* Daher der Name: Gott würde an den Sünden „vorübergehen" und das Lamm anstelle des Erstgeborenen töten. Das demütige Lamm wurde gegen das Objekt des Stolzes ausgetauscht.

Dieses Lamm war letztendlich Jesus Christus.

Und das sollte uns zum Anbeten bringen.

Denk mal darüber nach, was diese Stellvertretung Gott gekostet hat. Sie war ein Liebesplan für alle Ewigkeit. In 1. Petrus 1,18-20 heißt es: *„Denn ihr wisst, dass ihr […] erlöst worden seid […] mit dem kostbaren Blut Christi als eines* ***Lammes*** *ohne Fehler und ohne Flecken. Er ist zwar im Voraus* ***vor Grundlegung der Welt*** *erkannt, aber am Ende der Zeiten offenbart worden um euretwillen."*[13]

Warum hat Gott das getan?

In der vergangenen Ewigkeit erfreuten sich Gott, der Vater, Gott, der Sohn, und Gott, der Heilige Geist, einer innigen Liebe. Und Liebe will sich immer ausdrücken. Nicht, weil sie es muss, sondern weil es ihrem Wesen entspricht. Aus Liebe schuf Gott den Menschen. Mit der Erschaffung der Menschen kam auch die Möglichkeit, dass diese fallen könnten. Gott hätte die ganze Idee stoppen können, als er sah, dass sie ihn den höchsten Preis kosten würde: seinen Sohn. Aber er tat es nicht. Denn noch bevor die Sünde in die Welt kam, gab es das Lamm bereits. Bevor das Problem auftrat, war die Lösung schon da. Der Ungehorsam von Adam und Eva war für Gott weder eine Überraschung noch durchkreuzte er seine Pläne. Er unterstrich nur die Macht, die Weisheit und die Liebe Gottes.

Der Vater gab seinen einzigen und einzigartigen Sohn her. Wie sehr musst du jemanden lieben, um deinen ersten und einzigen Sohn zu opfern, damit er für einen anderen Menschen stirbt?

(Schließe das Buch für 30 Sekunden und stell dir vor, du müsstest das Leben deines Sohnes für die Schuld eines anderen Menschen opfern. Nun schließe das Buch für weitere 30 Sekunden: Wie wäre es, das Leben deines Sohnes für deinen ärgsten Feind zu opfern?!)

Aber es geht sogar noch weiter: Gott ist der Einzige in der gesamten Menschheitsgeschichte, der für alle Ewigkeit gezeichnet sein wird. Wenn die Geschichte der Menschheit zu Ende ist, ist der Einzige, der für immer die Konsequenzen tragen wird, Jesus Christus. Die Spuren der Kreuzigung werden bei ihm für immer sichtbar sein. Unsere Tränen werden abgewischt werden, aber seine Narben werden für immer bleiben.

„Aber was ist mit den Menschen in der Hölle?“, höre ich dich fragen.

Kein einziger Mensch ist in der Hölle, weil Gott es so wollte. Die Bibel sagt ausdrücklich, dass die Hölle für den Teufel und seine Engel gemacht worden ist. (Matthäus 25,41) Wenn sich jeder Mensch dazu entscheiden würde, Gott zu folgen, wäre sie menschenleer. Das Opfer des stellvertretenden Lammes reicht für jeden Menschen auf dem Planeten Erde. Menschen landen in der Hölle, weil sie sich willentlich entschieden haben, Gott zu hassen. Niemand zwingt sie dazu!

Aber Jesus *musste* sterben. Keine Stellvertretung ohne Stellvertreter. Und diesen Stellvertreter konnte nur Gott selbst stellen. Er nahm die Schuld auf sich. Er trug alle Konsequenzen selbst.

Trotzdem blieb Gott bei seinem Plan, Menschen zu erschaffen, die fallen würden, nur um gerettet zu werden und sie dadurch

Gnade und Liebe zu lehren und in die Position von Söhnen zu versetzen. Gott, der Sohn, wurde Mensch und erlitt den Tod, damit wir Menschen leben und Söhne werden können. Er wurde unser Passahlamm. (1. Korinther 5,7)

Worte reichen nicht aus, um die selbstlose Liebe zu beschreiben, die sich selbst opfert. Am ehesten trifft es vielleicht die „Agape-Liebe“ – die selbstlose Liebe. *„Denn so viel der Himmel höher ist als die Erde, so sind meine Wege höher als eure Wege und meine Gedanken als eure Gedanken.“* (Jesaja 55,9)

Ich hoffe, du kannst das Klopfen des Vaters an der Tür deines Herzens spüren.

Denn sein Herz – sein geliebter Sohn – blutete buchstäblich für dich.

Am Kreuz wurde er durchbohrt.

Sein Blut musste fließen, um deine Sünden weiß zu waschen.

Blut (Rechtfertigung)

Da stand sie also.

Aus einem kurzen Spaß war bitterer Ernst geworden.

Als jüdische Frau beim Ehebruch erwischt zu werden, war keine Lappalie. Es bedeutete den sicheren Tod durch Steinigung. Auf frischer Tat ertappt, wurde sie vor einen religiösen Rabbiner geschleift, der das Urteil offiziell verkünden sollte. Die Sache war klar. Mit gesenktem Blick erwartete sie ihr Todesurteil. Doch der Rabbiner schwieg. Stattdessen hockte er sich hin und begann, mit seiner Fingerspitze etwas in den staubigen Boden zu schreiben.

Was tat er da? War er etwa dagegen, sie zu töten? Oder wollte er der Frage ausweichen?

Hoffnung keimte im Herzen der Frau auf.

Die Menge schaute neugierig zu. Nur die Frau wurde beschuldigt. Der Mann, mit dem sie erwischt worden war, war nirgends zu sehen. Ein paar Gesichter in der Menge erkannte sie sogar. Sie waren nicht einen Deut besser als sie. Der Mob forderte ihn immer wieder auf, das Todesurteil zu verkünden, damit die Steinigung beginnen konnte. Vielleicht war dieser Rabbi anders. Viele hatten ihr gesagt, dass er das Gesetz tatsächlich perfekt einhielt. Niemand konnte ihm einen Fehltritt nachweisen!

Schließlich stand der junge Rabbiner auf und sagte: „Wer von euch ohne Sünde ist, werfe den ersten Stein auf sie."

„Aha", schoss es ihr vielleicht durch den Kopf, „dieser perfekte Rabbi will wohl den ersten Stein werfen! Was für ein Mörder!" Sie vergrub das Gesicht in den Händen, schloss die Augen und wartete auf den ersten Schlag, in der Hoffnung, dass er sie sofort umhauen würde.

Wenn du gesündigt hast, wirkt Gott zweifellos abschreckend. Diese Frau sah in Gott einen schrecklichen Tyrannen, der jeden richten würde. Für die Israeliten in Ägypten war es genauso. Gott war eine furchtbare Bedrohung. Er forderte Blut.

Frag die Erstgeborenen.

Aber die Erstgeborenen sollten erfahren, dass zwar Blut vergossen werden würde, Gott sie aber nicht töten wollte. Das Blut *eines* Erstgeborenen würde vergossen werden, und zwar nur seines: Gottes eingeborener Sohn. Gott allein nimmt die Schuld auf sich. Wir wissen aus dem Neuen Testament, dass es *„ohne Blutvergießen keine Vergebung gibt"*. (Hebräer 9,22) Die Lösung dieses Dilemmas: Der Gott, der das Blutvergießen verlangt, bezahlt selbst den Preis dafür: sein eigenes Blut.

Was die ehebrecherische Frau nicht ahnte, war, dass Jesus nicht vorhatte, sie zu töten. Wenn er ihre Existenz nicht gewollt hätte, dann hätte er sie gar nicht erst ins Leben gerufen. Sie stand nicht vor ihrem Zerstörer, sondern vor ihrem Schöpfer. Er wollte ihr wieder Leben schenken. Neues Leben, das besser ist als illegaler Sex.

Echte Intimität – mit *ihm*.

Nicht flüchtig – *ewig*.

Die anderen waren gekommen, um zu töten, weil sie „Söhne des Vaters“ waren – des Mörders. Jesus war vom himmlischen Vater gekommen. In Johannes 10,10 stellt er sich dem Teufel, dem mörderischen Dieb, gegenüber: *„Der Dieb kommt nur, um zu stehlen und zu schlachten und zu verderben. Ich bin gekommen, damit sie Leben haben und es in Überfluss haben.“*

Jesus wollte ihr Leben im Überfluss schenken! Aber um zu leben, musste sie sterben. Ihr von Gott diskonnektiertes „altes Selbst“ musste zu einem Ende kommen– und das galt auch für alle anderen, die mit Steinen in den Händen um sie herumstanden. Deshalb deckte er die Sündhaftigkeit von allen auf. Sie nahmen sich nichts. Das war sicherlich ernüchternd. Manche vermuten, dass Jesus die Sünden der Umherstehenden in den Sand schrieb. Vielleicht derjenigen, die diese oder andere Frauen heimlich besucht hatten. Vom Ältesten bis zum Jüngsten ließen sie ihre Steine fallen und verschwanden. Als der Finger desjenigen, der die Zehn Gebote geschrieben hatte, in den Sand schrieb, machten sich selbst die größten Heuchler davon. Sie hätten Vergebung empfangen können, wenn sie sich neben die Frau gestellt und wie Juda in einer ganz ähnlichen Situation bekannt hätten: *„Sie ist im Recht mir gegenüber.“* (1. Mose 38,26)

Plötzlich stand sie allein da. Sie wartete immer noch angespannt auf den ersten Stein. Sie konnte Bewegungen um sich herum hören und spüren. Steine fielen auf den Boden. Aber sonst geschah nichts.

Es wurde still.

Stumm.

Alles, was sie sah, waren zwei Paar Füße im Sand. Ihre und die des Rabbiners. Sein Leben: perfekt; ihres: verpfuscht. Er hatte gerade befohlen, Steine nach ihr zu werfen, aber nichts war geschehen. Sie blickte auf und hörte Worte, die ihre Sicht auf Gott für immer verändern sollten: „Ich verurteile dich nicht.“

Die Lüge des Teufels war gebrochen: Gott war nicht *gegen* sie.

Er war *für* sie!

Aber was, wenn ihr betrogener Ehemann auf der Bildfläche erschienen wäre und Bestrafung gefordert hätte? „Sie hat meine Ehe ruiniert! Du kannst sie nicht gehen lassen."

Zu Recht.

Wie kann Jesus dann also sagen: „Ich verdamme dich nicht."? Es gibt keine Sündenvergebung ohne Blutvergießen! Die Antwort ist: Jesus hatte vorausschauend die Last der Sünden vom Rücken der Frau genommen und auf seinen eigenen gelegt. Er wusste, dass er diese Sünde wenige Monate später auf einem Hügel außerhalb Jerusalems tragen und dafür bezahlen würde. Seine Zusage: „Du brauchst nicht zu bezahlen" bedeutete für ihn: „Ich werde bezahlen".

Und er bezahlte alles, bis auf den letzten Blutstropfen.

Diese Ehebrecherin wurde durch das kostbare Blut des Lammes *gerechtfertigt* (Römer 3,23-25; 1. Petrus 1,18-19). Rechtfertigung bedeutet, dass Gott einen Gläubigen gerecht macht und für gerecht erklärt. Rechtfertigung erfolgt:

- durch Blut (Römer 5,9) als Grundlage,
- durch Gnade (Römer 3,24) ohne Verdienst des Menschen,
- durch Glauben (Römer 3,28; 5,1) als Mittel, um sie zu erlangen,
- durch Werke (Jakobus 2,24-25) als Resultat dessen, was man ist.

Die Rechtfertigung hat einen wiedergutmachenden und einen hinzufügenden Aspekt. Für den Moment wollen wir nur den wiedergutmachenden Aspekt untersuchen. Er konzentriert sich auf die Tatsache, dass Gott die Sünden *weggenommen* hat. Er hat die Sünder begnadigt und ihre Sünden mit seinem Blut bedeckt. Lass mich das am Beispiel eines Flugzeugs verdeutlichen: Stell dir die

Sünden als die Häuser und Gebäude vor, die das Flugzeug beim Überfliegen der Stadt zerstört hat. Rechtfertigung bedeutet nicht nur, für alle Zerstörungen zu bezahlen, sondern sogar noch weiter zu gehen und all die Häuser, die Gebäude und die Stadt so wiederaufzubauen, als ob der Unfall nie passiert wäre. Jeder Heilige ist frei von Sünde, als hätte er nie etwas getan. Der Gläubige muss nicht einmal mehr ein schlechtes Gewissen haben. (Hebräer 9,14) Das Lied *Washed Away* von Michael W. Smith drückt es treffend aus:

And all my sin was washed away, washed away
You took them all, *there's not a trace*
I stand here free, with every stain
Forever washed away[14]

Während die religiösen Heuchler nach Hause trotteten und ihr Gewissen sie anklagte, hatte diese Frau ihren Frieden gefunden und wusste: Meine Sünden sind vergeben.

Kannst du dir vorstellen, wie wertvoll diese Vergebung für diese Frau war? Jesus hatte ihre Sünde nicht kleingeredet. Er hatte sie voll in das Licht gestellt. Aber in diesem Licht fand sie Liebe. Sie fand Vergebung. Es bedeutete alles für sie. Siehst du, wie kostbar das Blut der Vergebung für dich und mich ist?

Das Blut hat sie gerechtfertigt. (Römer 5,9)
Das Blut hat sie gewaschen. (1. Johannes 1,7)
Das Blut hat Vergebung bewirkt. (Hebräer 9,22)
Das Blut hat sie erlöst. (Epheser 1,7)
Das Blut hat Heiligung bewirkt. (Hebräer 13,12)
Das Blut hat Frieden gestiftet. (Kolosser 1,20)
Das Blut hat einander nahegebracht. (Epheser 2,13)
Das Blut hat das Gewissen gereinigt. (Hebräer 9,14)
Das Blut hat den vollen und freien Zugang zum Heiligtum ermöglicht – zu Gott selbst. (Hebräer 10,19)

Als Jesus und die Frau sich trennten, hatte sie all das erfahren dürfen. Aber Jesus musste nun die Rechnung bezahlen, und das würde ihn alles kosten.

Wirklich alles. Bis hin zum Tod.

Tod (Sühne und Versöhnung)

Als ich mein letztes Buch *Überrascht von Furcht* schrieb, berührte Kapitel 9, in dem es um das Leiden Christi ging, viele Menschen und brachte sie dazu, Jesus unter dem Kreuz anzubeten.

Aber eine Person sah in dieser Szene etwas ganz anderes und konfrontierte mich in einem anschließenden Livestream mit folgender Frage: „War es nicht brutal von Gott, seinen Sohn zu schlachten? Gott sagt zu seinem Sohn: ‚Hör zu, die Menschen tun nicht, was ich will, und deshalb will ich dich auf die gröbste Art und Weise bestrafen.'" Dieser Gedanke ist kein Novum. Er hat sogar einen Namen: kosmischer Kindesmissbrauch (KKM).

> *„Tatsache ist, dass das Kreuz nicht eine Form von kosmischem Kindesmissbrauch ist – ein rachsüchtiger Vater, der seinen Sohn für ein Vergehen bestraft, das er nicht einmal begangen hat."*[15]

Der KKM-Gedanke will Gott als grausamen Vater darstellen. Zumindest, wenn du an einen Gott glaubst, der seinen Sohn zum Sterben an ein Kreuz geschickt hat. Die Vertreter dieser Theorie wollen, dass du dich für deine biblische Haltung schämst.

Dazu benutzen sie emotionale Ausdrücke, wie das Wort *Kind*. Jesus Christus war kein Kind. Gott musste auch nicht einfach nur Dampf ablassen. Er war nicht gefügig oder schwach. Er war auch nicht bösartig oder gereizt. Ihm fehlte es nicht an Selbstbeherrschung. Als heiliger Gott ist er weit von diesen Wesenszügen entfernt. Es wird eine Karikatur von Gott gezeichnet, die es nicht gibt. Sühne und Versöhnung sind die Lehren des Christentums, die am meisten angegriffen werden, deshalb ist es sinnvoll, sie einmal näher zu beleuchten. Sühne und Versöhnung stehen nicht in Widerspruch zu Gottes Liebe – sie sind Ausdruck seiner Liebe.

Sühne bedeutet, dass der Weg zu Gott frei ist – die Tür steht weit offen. Dem heiligen und gerechten Charakter Gottes wurde vollständig Genüge getan und jeder Sünder kann nun zu ihm kommen. Auf der Grundlage der Sühne kann Gott uns *Versöhnung* anbieten: Er erwartet uns mit offenen Armen. Unsere zerrüttete Beziehung zu Gott ist wiederhergestellt.

Klar, dass die Sühne angegriffen wird: Sie ist die Grundlage für unsere Versöhnung mit Gott.

Lass uns den Denkfehler analysieren: In dem Argument werden Vater und Sohn getrennt. Jesus zeigt Liebe und der Vater zeigt Zorn. Das heißt, du siehst Gott als eine Partei, Jesus als eine andere und den Menschen als dritte Partei. Gott feuert die Kugel auf den Menschen ab und Jesus springt in die Schusslinie: der Mensch Jesus Christus. Am Ende ist einer tot, aber gut ... „das ist eben echte Liebe".

Das ist völlig falsch.

Bei der Sühne gibt es nur zwei Parteien: Gott und den Menschen. Und Gott regelt alles unter sich. Gott wird Mensch und dieser Gott-Mensch zahlt den Preis. Als Jesus auf der Erde war, blieb er immer Gott, auch wenn seine Gottheit verschleiert war. In Johannes 1,18 lesen wir: *„Niemand hat Gott jemals gesehen; der einziggeborene Sohn, der in des Vaters Schoß* ***ist,*** *der hat ihn bekannt gemacht."* Während Jesus als Mensch auf der Erde war, war er dennoch immer auch im Schoß des Vaters.

Als Jesus ans Kreuz ging, war es Gott, der ans Kreuz ging. Vater und Sohn waren in perfekter Harmonie miteinander. Der Sohn wollte die Frage der Sünde genauso klären wie der Vater. Der Sohn hasste die Sünde genauso sehr wie der Vater. (2. Thessalonicher 1,6; Johannes 5,26-27) *„Sie gingen beide miteinander"*, wie es im Vater-Sohn-Bild von Abraham und Isaak zu sehen ist. (1. Mose 22,8) Jesus wurde *bereitwillig* unser Stellvertreter, unser Passah –

er war *kein* Opfer der Umstände! Jesus wollte am Kreuz Gottes Hass auf die Sünde und dessen Liebe zu den Sündern zeigen, weil er Gott war.

Zweitens können sich viele nicht mehr vorstellen, dass Gott Gewalt zulassen würde. Doch das ist falsch. Die Bibel zeigt uns ein ganz anderes Bild. Schau dir die Sintflut, die Rebellion von Korah oder Sodom und Gomorra an. Wir haben die Furcht vor dem Herrn verloren und kommen deshalb auf so seltsame Ideen. Gott hat einen gerechten Zorn. Die Frage ist: Woher kommt dieser Zorn?

In der KKM-Theorie wird Gott als jemand dargestellt, der aktiv strafen will. Jemand hat rechtmäßig etwas Falsches getan und Gott schlägt drauflos. Aber die Bibel zeigt uns, dass der Zorn Gottes unmittelbar mit seinem Wesen zu tun hat.

Nehmen wir zum Beispiel eine Geschwindigkeitsüberschreitung.

Stell dir vor, du fährst zu schnell und bekommst infolgedessen einen Strafzettel. Es gibt keinen direkten, untrennbaren Zusammenhang zwischen der Geschwindigkeitsüberschreitung und dem Strafzettel. Es ist eine verkehrspolitische Entscheidung, dass man auf einer bestimmten Strecke nicht mehr als 100 km/h fahren darf.

Aber jetzt stell dir vor, du fährst zu schnell, verlierst die Kontrolle und fliegst aus der Kurve. Ein Unfall. Die „Strafe" für deine Raserei steht in direktem Zusammenhang mit der Geschwindigkeitsüberschreitung. Es gibt eine unmittelbare Verbindung zwischen deinem Fehlverhalten und der Folge.

Genauso ist es auch mit der Beziehung zwischen der Heiligkeit Gottes und der Sünde. Nicht nur, weil es eine theoretische Diskrepanz zwischen der Sünde und dem Wesen Gottes gibt, sondern weil es sich um ein organisches Problem handelt. Es ist ein wesentliches Problem. Du erinnerst dich vielleicht daran, dass wir über Licht und Dunkelheit gesprochen haben. Darum geht es hier. Gott ist gerecht und deshalb muss er die Sünde bestrafen. Wenn er einmal gegen sich selbst verstoßen würde, würde das gesamte Universum mit seinen fein abgestimmten Gesetzen zusammenbrechen. Nein, Gott musste strafen – selbst wenn er es nicht wollte. Aber er wollte es – auch wenn es uns nicht gefällt oder wir es nicht verstehen –, weil sein Wille immer mit seinem Wesen übereinstimmt.

Deshalb hat Gott den Gott-Mensch Jesus bestraft.

Die Menschheit ist lediglich Nutznießer und Objekt der Liebe Gottes. Mit anderen Worten: Was Gott fordert, stellt er selbst in Christus bereit. Und Christus nimmt bereitwillig seine Rolle als Versöhner (derjenige, der das Geschenk der Versöhnung anbietet) *und* Versöhnung (die Gabe der Versöhnung selbst) an. Er ist Priester und Opfer, Vermittler und Gabe, aus eigenem Entschluss und um unseretwillen. *„Wie denn Gott in Christus war und die Welt mit sich selbst versöhnte, ihnen ihre Übertretungen nicht zurechnete und in uns das Wort von der Versöhnung gelegt hat."* (2. Korinther 5,19)

Kannst du sehen, wie Gott sein Herz für Sünder wie uns geöffnet hat? Das Kreuz zeigt, wie sehr der Mensch Gott hasste und wie groß die Liebe Gottes zu den Menschen ist. Auf Golgatha zeigte der Mensch den Höhepunkt seiner Feindschaft gegen Gott. Aber dort zeigte Gott auch den Höhepunkt seiner Liebe zu den Menschen. Gott sah Jesus an und sagte: *„Mein Vielgeliebter, ein vor Gott wohlgefälliger Mensch."* Die Welt nahm ihn und kreuzigte ihn. Einen heiligen, makellosen, vollkommen gütigen Menschen; den einzigen reinen Menschen, den besten, den die Welt je gesehen hat und sehen wird. Einen Mann, der Gott auf dieser Erde vollkommen verherrlicht und ihn auf allen seinen Wegen vollkommen offenbart hatte.

Wenn wir den Herzschlag des Vaters hören wollen, brauchen wir nur zum Kreuz schauen.

Gehen wir zurück zum Passah: Als den Israeliten befohlen wurde, das Passahlamm zu nehmen, wurde ihnen gesagt, dass sie es braten sollten „samt seinem Kopf, samt seinen Beinen und samt seinem Eingeweide". (2. Mose 12,9) Das spricht von der Vollkommenheit Christi. Sein Kopf hatte nur reine Gedanken des Friedens, seine „Unterschenkel gingen", um die Liebe Gottes zu verkünden, und seine Eingeweide bewegten sich bei jeder Gelegenheit für die Einzelnen und die Menge. Er liebte die Menschen. Genau die Menschen, die ihn kreuzigen würden. Was für eine unglaubliche Liebe. Merkst du, wie der Heilige Geist in dir jubelt und weint?

Das ist der geliebte Retter, an dem wir Wohlgefallen haben!

Und dann musste die jüdische Familie das Fleisch nehmen und „auf dem Feuer braten". Es heißt ausdrücklich: „Esst nichts davon roh oder in Wasser gekocht, sondern gebraten!" Gott wollte nicht, dass sie es bei 100 Grad Celsius kochten, sondern bei 1000 Grad Celsius. Es war ein Bild für das Leiden Christi und Gott wollte das Leiden nicht abschwächen. Jesus wurde an unserer Stelle von der göttlichen Kraft der Heiligkeit getroffen. Er ertrank in der Heiligkeit Gottes, damit du von seiner Liebe trinken kannst. Jesus ist stellvertretend für uns vor Gott getreten. Stell dir vor, was es für Jesus bedeutete, mit unseren Sünden vor Gott zu stehen:

Hast du die Frucht vom verbotenen Baum genommen? – *Ja.*
Hast du mit der Frau von Urija geschlafen? – *Ja.*
Hast du ihn belogen? – *Ja.*
Und hast du ihn danach töten lassen? – *Ja.*
Hast du Ehebruch begangen? – *Ja.*
Hast du Pornos geschaut? – *Ja.*
Hast du gelästert? – *Ja.*
Ja.
Ja.
Ja.

Es war schrecklich – alle Sünden lagen auf Jesus! ALLE!
*„**Meine** Sünden haben mich erreicht, dass ich nicht aufzublicken vermag; zahlreicher sind sie als die Haare meines Hauptes, und mein Herz hat mich verlassen."* (Psalm 40,13)[16]
Es waren nicht mehr die Sünden Adams, Davids, Barabbas', der Ehebrecherin oder deine und meine Sünden. Jesus trug sie vor Gott als *seine eigenen* Sünden. So wie der Sündenbock am großen Versöhnungstag (3. Mose 16) mit den Sünden des Volkes beladen in die dürre Wüste geschickt wurde, wurde Jesus mit all deinen und meinen Sünden in die brennende Glut von Gottes Heiligkeit geschickt. Die Steine, die eigentlich für die Ehebrecherin gedacht waren, trafen ihn: Die Steine der Heiligkeit Gottes flogen und flogen und flogen ... Jesus schrie, aber niemand hörte ihn! Niemand.

Hagar wurde gehört. Jesus nicht – er hat *für* Hagar bezahlt.

Israel wurde erhört. Jesus nicht – er hat *für* Israel bezahlt.

„Auf dich vertrauten unsere Väter; sie vertrauten, und du rettetest sie." (Psalm 22,5)

Sie wurden gerettet. Jesus nicht.

Gott schlug zu und schlug zu und schlug zu! Jesus trank den Kelch des Zornes Gottes.

Bis auf den letzten Tropfen.

Doch hört! Ein Schrei!

Ein Siegesschrei erschallt von Golgatha nach Jerusalem, nach Samaria und in die ganze Welt. Jesus ruft in die Vergangenheit, Gegenwart und Zukunft: ES IST BEZAHLT! Nach den drei Stunden der Finsternis war die Sühne vollbracht und der Weg der Versöhnung geöffnet. In Jesus ist nun jeder eingeladen, den alten Menschen aufzugeben und mit Christus zu sterben, um mit Gott versöhnt zu werden. Gott hat den höchsten Preis bezahlt, um das zu ermöglichen. Stell dir also die Frage noch einmal:

Liebt Gott mich?

Jesus neigt sein Haupt und beantwortet diese Frage ein für alle Mal. (Johannes 13,1)

Für immer!

Wenn die Geschichte der Menschheit zu Ende ist, werden unsere Tränen abgewischt werden, aber seine Narben werden für immer bleiben – für immer, um dir zu sagen:

Ich liebe dich bis in den Tod!

TAKEAWAYS

1. **Du kannst dir nicht SELBST helfen. Gott tut es für *dich*. (Stellvertretung)**
   - Gott will *dich* retten – nicht töten.
   - Der Tod – der Lohn für deine Sünden – wurde von Jesus *stellvertretend für dich* bezahlt.

2. **Als ob *du* nie gesündigt hättest … (Rechtfertigung)**
   - Durch das Blut Christi bist *du* von deinen Sünden reingewaschen, als hättest *du* nie welche begangen.

3. **Der Weg für Gottes Liebe zu *dir* ist offen. (Sühne und Versöhnung)**
   - Durch den Tod Christi sind Sühne und Versöhnung möglich.
   - Sühne bedeutet, dass der Weg zu Gott offen ist – jeder kann kommen.
   - Versöhnung bedeutet, dass Gott dich mit offenen Armen erwartet.

GEBET

Instead of me,
He took the blame, the misery
Instead of me,
He suffered silent agony
And in that final breath,
He died alone the sinners' death
Instead of me[17]

– Walter S. Harrah

KAPITEL 9

DAS ALTE UND DAS NEUE SELBST

WIE WEIT DIE LIEBE REICHT

Befreit, um Sklave zu bleiben?

Gongo ist mit anderen Sklaven angekettet. Missmutig blickt er auf die Menschenmenge, die sich in der amerikanischen Kleinstadt versammelt hat. Er weiß, dass er für diese Menschen nur eine weitere Ware ist, die bald auf einer Auktion verkauft werden wird. Er weiß auch, dass er für alle, die ihn und seine Gefährten begutachten, nur wegen der Arbeit interessant ist, die er leisten würde, und wegen des Preises, den er wert ist.

Trotzdem kann Gongo nicht umhin, von Zeit zu Zeit einen nervösen Blick auf den Mann mit dem grauen Hut zu werfen, der im hinteren Teil des Raumes sitzt. Dieser Mann ist ein Fremder; er wurde noch nie in dieser Gegend gesehen und seine Kleidung verrät, dass er nicht von hier ist.

„Ist er vielleicht auch gekommen, um einen Sklaven zu kaufen?“, grübelt Gongo über den Lärm der Unterhaltung hinweg.

Von einem Fremden gekauft zu werden – was für eine Katastrophe für einen Sklaven! Das ist schlimmer, als einem harten und anspruchsvollen Herrn dienen zu müssen. Von einem Fremden gekauft zu werden, bedeutet, dass du dein Land, deine Familie, sogar deine Frau und deine Kinder verlassen musst, um deinem Herrn in sein fernes Land zu folgen.

„Ich hoffe, er kauft mich nicht ...“, denkt Gongo besorgt.

Der Mann mit dem grauen Hut ist allein und wirkt nicht gerade redselig.

Bald wird es still im Raum; die Versteigerung beginnt.

Der erste Sklave wird präsentiert und die Gebote gehen in die Höhe: 100 Dollar! 120! 145! ... Der Hammer fällt und ein Sklave nach dem anderen wird verkauft.

Dann ist Gongo an der Reihe … Ein Mann erhebt sich: „120 Dollar!“

Gongo wird blass, als er mit Schreck feststellt, dass der Mann, der gerade den Preis geboten hat … der Mann mit dem grauen Hut ist!

„Kauf mich nicht! Ich will dich nicht als meinen Herrn!“

Andere Käufer versuchen, mehr zu bieten … Aber der Fremde erhöht den Preis immer weiter.

150 Dollar!

Gongo schüttelt seine Ketten und schreit wütend: *„Kauf mich nicht, ich werde dir nicht dienen!“*

Aber der Fremde macht weiter, ohne mit der Wimper zu zucken.

180 Dollar!

Gongo, der seine Wut jetzt nicht mehr kontrollieren kann, erhebt seine angekettete Faust gegen dem Fremden: *„Wenn du mich kaufst, werde ich dich töten!“*

Doch der Fremde kümmert sich weder um die Wut des Sklaven noch um dessen Drohungen und nennt einen neuen Preis als Reaktion auf einen anderen Interessenten:

195 Dollar!

Die anderen Käufer verstummen …

Der Hammer fällt: „Verkauft!“

Gongo ist gerade von dem Mann mit dem grauen Hut gekauft worden. Dieser steht auf, um seine neue Anschaffung zu bezahlen. Als er auf seinen Sklaven zugeht, könnte man eine Stecknadel fallen hören.

Was wird passieren? Wird sich der wütende Sklave auf ihn stürzen? Alle halten den Atem an … Gongo, der vor Wut zittert, sieht den Mann mit dem grauen Hut auf sich zukommen. Dieser bleibt ein paar Schritte entfernt vor Gongo stehen und spricht ihn mit einem starken ausländischen Akzent an: „Dachtest du, ich kaufe dich, um dich von zu Hause wegzubringen? Nein. Ich habe dich gekauft, um dich zu einem freien Mann zu machen. Verstehst du? Du bist frei!“

Die Ketten werden eine nach der anderen entfernt. Gongo schweigt.

Dann dreht sich der Fremde um und verlässt den Raum.

Das ist eine faszinierende Geschichte, die wir einmal in einem Kids-Camp gespielt haben.

Sie ist eine wunderbare Illustration für den Widerwillen des Menschen, zu Gott zu kommen. Mehr noch, sie zeigt die Angst des Menschen, wenn Gott zu ihm kommt.

Es bricht mir das Herz zu sehen, wie die Mehrheit der Menschheit keine Ahnung hat, wie sehr sie geliebt wird. Gott hat die Lösung für ihre Probleme, aber die Menschen misstrauen dem Anbieter der Lösung. Stell dir vor, jemand entdeckt ein Heilmittel gegen Krebs, aber die Erkrankten wenden sich ab und rennen in die andere Richtung. Was für eine Katastrophe!

Aber ist es ein Wunder, dass die Welt so reagiert, wenn sogar Christen so denken? Viele Christen empfinden unbewusst ein tiefes Misstrauen gegenüber Gott. Du glaubst mir nicht? Dann lies mal, wie sich viele Christen das Ende der Gongo-Geschichte vorstellen:

Dann sagt der Mann mit dem grauen Hut: „Du bist frei! Schnapp dir deine Jacke und komm mit. Nein – nicht deine alte Jacke, du Nudel! Die andere. Die neue! Die Jacke der Freiheit. Komm schon, beeil dich. Da drüben steht mein Gepäck. Geh aufrecht. Alle schauen zu. Ich will nicht in Verlegenheit gebracht werden. Übrigens, morgen wirst du ab fünf Uhr auf meinem Feld arbeiten!“

Vielleicht schmunzelst du jetzt, weil dir das irgendwie bekannt vorkommt ...

Gnade ist nur für den ersten Bissen kostenlos. Danach musst

du dir die Gnade „verdienen". Bei der evangelistischen Veranstaltung sagt der Prediger: „Jesus liebt dich bedingungslos!", aber als du dann in die Kirche kamst, hieß es: „Jesus liebt dich bedingungslos, wenn ...!"

... du alle unsere Regeln einhältst.
... du die Bibel liest.
... du immer die Gemeinde besuchst.
... du dich an diese Lehrtradition hältst.
... du dich besonders altmodisch kleidest.
... du dich besonders schick anziehst.
... du nicht zu diesen Leuten gehst.
... du einen Thermomix hast.

Das ist wirklich kein Scherz – auch wenn ich schmunzeln musste, als ich zum ersten Mal hörte, dass eine Frau, die sich bekehrt hatte, dachte, dass ein Thermomix Teil der „Gemeinschaftsregeln" sei. Wenn dir das seltsam vorkommt, lass uns überlegen, was eine Bekehrung ist: eine Wiedergeburt. Eine Geburt. Ein Mensch, der wiedergeboren wird, ist ein Baby. Ein Säugling lernt alles von seinen Eltern. Alles. Deshalb lachen wir oft herzhaft über die komischen Situationen, die dieses Copy-and-Paste-Verhalten schafft.

Wenn ein neugeborener Mensch in eine christliche Gemeinschaft kommt, wird er oder sie zunächst alles nachahmen, was die „fortgeschritteneren" Mitglieder tun: beten, die Gebote Christi halten, den Ältesten gehorchen, in der Bibel lesen. All das ist völlig in Ordnung, wenn es aus Liebe geschieht. Aber wenn wir annehmen, es wäre die *Voraussetzung,* um geliebt zu werden, dann wird es toxisch. Wir binden die Liebe Gottes an unseren Verhaltenskodex. Dann reagieren wir auf eine Abweichung von diesen Erwartungen mit Liebesentzug oder direkter Feindseligkeit. Das bringt Neubekehrte oder Kinder dazu, zu denken: „Wenn ich nicht (genug) in der Bibel lese, dann liebt Gott mich weniger. Wenn ich weniger sündige, dann liebt Gott mich mehr. Wenn ich einen bestimmten Glauben verteidige, dann schätzt Gott mich mehr. Und wenn ich Andersdenkende so richtig fertigmache, dann bin ich der Erste!“

Der Erste der Sünder.

Willkommen im Klub, Saulus.

Das ist das pure Gesetz. Das ist Pharisäertum.

Das Ergebnis werden kleine, adrett gekleidete Mädchen wie Ina sein, die meinen, dass sie „gut sein müssen, um geliebt zu werden“, aber insgeheim dafür sterben würden, um „um ihrer selbst willen geliebt zu werden“.

Viele Christen denken, dass sie von Gott bedingungslos geliebt werden, wenn sie zu Christus kommen, aber *danach* nicht mehr. Du kannst kommen, wie du bist, aber danach musst du dich bitte schnellstmöglich ändern.

In dem Fall wird diese falsche Wahrnehmung nach der Bekehrung noch verstärkt, und zwar aus folgendem Grund: Neubekehrte erfahren durch das Evangelium, dass *Gott die Sünde hasst*. Nach ihrer Bekehrung merken sie bald: *Ich sündige immer noch*. Also stellen sie folgende Querverbindung her: „Gott hasst die Sünde, ich sündige immer noch, also muss Gott mich hassen.“ Eigentlich ist es jetzt sogar noch schlimmer. Denn vor ihrer Bekehrung hatten sie eine vage Angst vor Gott, aber jetzt ist es eine „informierte“ Angst vor Gott.

Lass mich das noch weiter mit den Israeliten in Ägypten veranschaulichen:

Als die Israeliten in Ägypten waren, erlebten sie, wie Gott seine Ankündigung, die Erstgeborenen zu töten, tatsächlich wahr gemacht hatte. Als sie Ägypten verließen, wussten sie: Er hat es getan. Sie waren frei, aber die Angst steckte ihnen noch in den Knochen. Das war ein gefährliches Halbwissen. Sie kannten Gott nur halb. Wenn wir nur Ägypten kennen (Stellvertretung, Vergebung, Sühne und Versöhnung), dann kennen wir nur die Hälfte. Dann kennen wir nur einen Gott, der unseren alten Menschen vernichtet, ohne einen neuen zu schaffen. Wir wissen, wie wir sterben können, aber nicht, wie wir leben können. Wir sind frei von Ägypten, aber der Pharao ist uns auf den Fersen, während wir Gott folgen, der uns angeblich in der Wüste zurücklässt und uns auffordert, im Meer zu ertrinken.

Das ist Verzweiflung in Reinkultur! Die gute Nachricht ist: Du musst nicht so weiterleben. Du musst überhaupt nicht so leben. Denn so war es nie gedacht.

Gottes rettende Botschaft handelt nicht nur vom Sterben, sondern auch vom Leben. Beim Kreuz geht es nicht nur um den Tod, sondern auch um die Auferstehung. Eigentlich ist der Tod nur ein Mittel zum Zweck. Das Ziel ist das Leben. Gott will deinem alten Selbst ein Ende setzen, um ein neues Selbst zu schaffen, welches das Leben in Fülle in einem Meer von bedingungsloser Liebe genießen kann. Um zu verstehen, was das bedeutet, müssen wir in ein Meer eintauchen. In das Rote Meer ... auch wenn es anfangs gefährlich aussieht.

Gott ist ein Retter – kein Sklavenhalter

Es gibt eine eindrucksvolle Szene in dem Animationsfilm *Der König der Löwen,* die treffend zeigt, was jetzt kommt. Nämlich als Prinz Simba und sein Begleiter durch die Worte des bösen Scar in das „Land des Stolzes" gelockt werden. Dort merkt der kleine Simba plötzlich, dass er in eine Falle geraten ist. Er wird von den Hyänen in die Enge getrieben, die von Scar den Auftrag erhalten haben, den Thronfolger zu töten. Gerade als der Tod unausweichlich scheint, hörst du ein furchterregendes Brüllen!

Der König der Löwen ist da.

Simbas Vater, der majestätische Mufasa, erscheint, erteilt den Hyänen eine Lektion und befreit seinen Sohn Simba und seinen Gefährten.

Diese Geschichte beschreibt im Grunde einen kleinen Teil dessen, was mit Israel am Roten Meer geschah. Israel tappt in eine

Falle und Gott benutzt diese Situation, um sich Israel als Retter zu zeigen.

Was war der Hintergrund?

Wirf einen Blick auf die Abbildung unten.

Gott befahl Israel, ihn am Berg Sinai zu treffen. Also machten sie sich auf den Weg. Aber an einem bestimmten Meilenstein (Punkt 1) sagte Gott ihnen, sie sollten nach Süden gehen. Was wie ein unnötiger Umweg aussah, entpuppte sich als tödliche Falle, denn der Pharao hörte davon und eilte hinterher, um seine entlaufenen Sklaven zurückzuholen. Israel wurde in die Enge getrieben. Die Ägypten hinter ihnen, das Rote Meer vor ihnen (Punkt 2). Was nun?

Warum machte Gott alles so kompliziert?

Sie befanden sich in einer ausweglosen Situation, die scheinbar von Gott verursacht worden war.

Was war also Gottes Absicht?

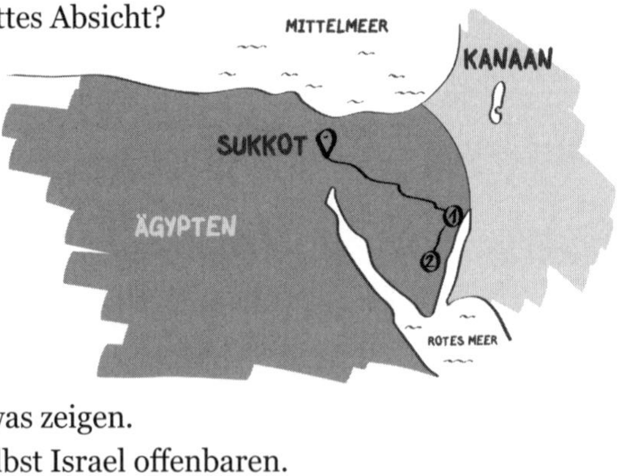

Er wollte Israel etwas zeigen.

Er wollte Sich selbst Israel offenbaren.

Warum?

Israel hatte gerade die Nacht des Passahfestes erlebt. In fast jedem ägyptischen Haus war der Schrei des Todes zu hören gewesen. Der Zerstörer war durch das Land gezogen und hatte überall getötet, außer dort, wo das Blut am Türpfosten aufgetragen war. Aber das Blut zeigte nicht, dass Gott *für* sie war, sondern nur, dass sie Schutz *vor* ihm brauchten. Wie kann man sich mit einem solchen Gott wohlfühlen? Das ist so, als ob du im Zoo eine rettende Barriere zwischen dir und einem wilden Löwen hättest. Der Löwe mag dich beeindrucken, aber du bist froh, dass der Zaun da ist. Du willst ihm bloß nicht zu nahe kommen.

Aber Gott *will* dir nahekommen. Er will Nähe und er will, dass sein Volk weiß, dass er für es da ist. Nachdem Christen zu Christus gekommen sind, befinden sie sich oft in „tieferen Gewässern", als sie es vorher waren. Auf der einen Seite sehen sie ihre täglichen Sünden und auf der anderen Seite haben sie Angst, dass sie die Gunst Gottes verlieren könnten. Das ist der Grund, warum die Israeliten anfingen zu murren. Auf der einen Seite hatten sie die ägyptische Armee und auf der anderen Seite Gott. Beide waren Zerstörer.

Tod im Kampf oder Tod durch Ertrinken? Beides nicht gerade verlockend ...

Aber Gott wollte ihnen zeigen, dass es *nicht* zwei Feinde gab, sondern nur einen. Er war nicht ihr Feind und er war ganz anders als die Ägypter.

Er war nicht gegen sie, sondern für sie.

Er würde für sie kämpfen. Er würde ihnen nicht nur *helfen,* zu kämpfen.

Er würde es ganz allein tun.

Der Löwe ist da!

... und die Ägypter können es spüren. *„Da sagten die Ägypter: Lasst uns vor Israel fliehen, denn der HERR kämpft für sie gegen die Ägypter!"* (2. Mose 14,25) Gott kämpft *für* die Israeliten und er kämpft *gegen* die Ägypter. Der Richter von gestern wird zum Retter von heute. *„Aus dem Starken kam Süßes."* (Richter 14,14)

Diesen Gedanken würde ich dir am liebsten in dein Gehirn tätowieren. *Gott ist für dich da!* Geh zurück und lies ihn noch einmal. Schreibe ihn auf. Unterstreiche ihn. Schreibe ihn auf einen Post-it-Zettel und klebe ihn an deinen Badezimmerspiegel.

Gott. Ist. Für. Dich.

In Römer 8,31 heißt es: *„Wenn Gott für uns ist, wer ist gegen uns?"* Das Wort „wenn" (griechisch: ei) leitet hier eine reale

Annahme ein.

Falsch: „Vielleicht ist Gott für uns und wenn ja – wer kann gegen uns sein?“ Richtig: „Angesichts der Tatsache, dass Gott für uns ist – wer kann da gegen uns sein?“ Das ist keine Frage, sondern eine unveränderliche Aussage, auf der wir unser Leben aufbauen!

Mach also diese kleine Denkaufgabe für mich und fülle die folgende Lücke mit deinem Namen aus:

Gott ist für ______________________________.

Umwerfend, oder? Danke Gott dafür. Das ist übrigens der Vers, der in meinem Ehering eingraviert ist. Erinnere dich an diese Worte, wenn du in der Schule schikaniert, an der Universität ausgelacht, am Arbeitsplatz geächtet und sogar aus der Gemeinde ausgestoßen wirst. Gott auf deiner Seite zu haben, bedeutet, in der Mehrheit zu sein. In 2. Mose 5,2 stellt der Pharao spöttisch die Frage: *„Wer ist der HERR, dass ich auf seine Stimme hören sollte, Israel ziehen zu lassen?“*

Er fand es am Roten Meer heraus.

Dieser Gott ist für *dich!*

Das Evangelium ist mehr

Falsche Vorstellungen vom Evangelium

Gott kämpfte *für* Israel und *gegen* den Pharao.

Genial!

Aber eine Frage ist noch offen: Warum das Rote Meer?

Gott hätte seine Macht auch in einem „Wüstenkampf“ gegen den Pharao zeigen können. Warum musste sein Volk erst in eine Falle geraten und *dann* durch das gewaltige Wasser ziehen?

Weil das Durchqueren des Roten Meeres die Israeliten *veränderte*. Erinnerst du dich daran, dass die Israeliten in Ägypten auch Götzendiener waren? Das musste sich ändern. Und es würde sich nicht ändern, wenn Gott nur äußerlich *für* sie kämpfte. Er musste auch *innerlich* an ihnen arbeiten. Es brauchte eine innere Veränderung. Ein neues Selbst.

Und diese Veränderung fand *im Roten Meer* statt.

Das Evangelium ist nicht nur eine Veränderung des Verhaltens, sondern auch eine Veränderung des Seins.

Es geht nicht nur darum, was du *tust,* sondern auch darum, was du bist.

Das Evangelium ist nicht nur eine Lösung für deine Sünden (deine Handlungen), sondern auch für dich persönlich als Sünder (deine Identität). Gott hat nicht nur etwas *für* dich getan, sondern auch *in* und *mit* dir. Um das zu verstehen, müssen wir uns an das Problem der Sünde erinnern. Die Sünde hatte drei verheerende Auswirkungen auf unser Wesen. Wir waren:

1. **verunreinigt** wegen unserer Sünden. (Taten)
2. **getrennt** als Sünder von einem heiligen Gott. (Wesen)
3. **funktionsgestört** wegen der Sünde in uns. (Funktion)

Auf den dritten Punkt werde ich später noch genauer eingehen, deswegen werden wir uns an dieser Stelle nur auf die ersten beiden Punkte fokussieren: Taten und Wesen.

Das erste Problem, die Verunreinigung durch Taten, bedeutet, dass wir gereinigt werden müssen. Das Blut des Passahlammes ist das Einzige, was uns reinwäscht. Es rechtfertigt und sühnt. Das bedeutet, dass der Weg zur Versöhnung offen ist.

Zur Illustration: Wenn jemand im Supermarkt beim Diebstahl erwischt wird, muss er zurückzahlen, was er gestohlen hat (Passah). Aber die Rückzahlung allein reicht nicht. Durch seine Tat hat er gezeigt, dass er ein Dieb ist. Seine *Tat* hat sein *Wesen* offenbart. Deshalb wird er keinen Zutritt mehr zum Supermarkt bekommen.

In ähnlicher Weise geht es bei der Sünde gegen Gott nicht nur um unsere Taten. Es geht um unser Wesen. Das ist der zweite Punkt.

Wesensveränderung ist das, was das wahre Christentum von jeder anderen Religion unterscheidet. Leider ist das aber auch genau der Punkt, an dem das Evangelium oft nur „halb" gepredigt wird. Meist wird es lediglich als Mittel zur Vergebung der Sünden präsentiert. Aber die Vergebung der Sünden ist nicht „typisch christlich". Lass mich erklären, was ich damit meine. Manche denken, das Evangelium bedeutet:

1. Gott ist der gute Schöpfer.
2. Der Mensch hat gesündigt.
3. Jesus ist für meine Sünden am Kreuz gestorben und auferstanden.
4. Der Mensch muss die Sünden bekennen.
5. Gott vergibt.

Das ist nicht die *Frohe Botschaft.* Tatsächlich ist das eigentlich eine schlechte Botschaft und ich werde dir sagen, warum. Auch wenn diese Punkte *Teil* der Kernbotschaft des Evangeliums sind, spiegeln sie nicht den Kern der Botschaft wider.

Wenn die Beichte und die Vergebung der Sünden alles wären, was das Christentum zu bieten hat, wäre es überflüssig. Denn das kannst du in allen Religionen finden.

Der *Islam* lehrt die Vergebung als Voraussetzung für wahren oder echten Frieden. *„Wünscht ihr nicht, dass Allah euch vergebe? Und Allah ist allvergebend, barmherzig."* (Koran 24,22) Allah ist „der Allvergebende" und die „ursprüngliche Quelle aller

Vergebung". Um Vergebung von Allah zu erhalten, sind drei Voraussetzungen nötig: 1) das entsprechende Vergehen anerkennen und es vor Allah eingestehen; 2) die Verpflichtung, dieses Vergehen nicht zu wiederholen; 3) Allah um Vergebung bitten.

Der *Hinduismus* lehrt, dass es einen Herrn gibt, der alle Sünden vollständig vergeben kann. Das ist zum Beispiel Lord Shiva, einer der wichtigsten Götter im hinduistischen Pantheon und zusammen mit Brahma und Vishnu ein Mitglied der Heiligen Dreifaltigkeit (Trimurti) des Hinduismus. Shiva ist Bholenath, der Vater des gesamten Universums. Er wird als guter Vater dargestellt, der wegen der schlechten Taten der Menschen jedoch streng sein kann. Aber wenn der Mensch bereut und sich bemüht, die Fehler nicht zu wiederholen, dann vergibt Shiva sofort und nimmt ihn wie ein Vater in seine Arme. So könnte ein typischer Hindu beten: „Oh, du Bewohner der Berge! Da du der Ozean der Barmherzigkeit bist, wirst du mir vollständig vergeben und mich aus dem weltlichen Leben erheben."

Ich spüre, dass sich jetzt einige Fragen stellen.

Vielleicht hat dich der letzte Teil tief beunruhigt, zum Beispiel die Tatsache, dass das, was du für „zutiefst christlich" gehalten hast, auch in anderen Weltreligionen zu finden ist. Aber glaub mir, das ist auch eine gute Nachricht, denn es bedeutet, dass du bald ein viel tieferes und vollständigeres Verständnis davon haben wirst, was das Evangelium *eigentlich* ist. Denn das, was du für das Evangelium hältst, ist gar keine gute Nachricht.

Es ist unvollständig. Wenn diese fünf Punkte das vollständige Evangelium wären, dann wäre das Leben als Christ ziemlich frustrierend. Es wäre wie eine Heroinspritze. Du bekommst einen guten ersten Kick, aber kurze Zeit später fühlst du dich miserabel. Warum? Weil diese Botschaft dir zeigt, wie du deine Sünden *bekennen* kannst, dir aber keine *Kraft* gibt, sie nicht mehr zu tun. Das ist der Grund, warum so viele Christen mit Gewohnheitssünden und Abhängigkeiten zu kämpfen haben.

Sie haben nur das halbe Evangelium gehört. Sie gehen zu einer Veranstaltung oder in die Kirche, hören die Hälfte des Evangeliums und treffen eine Entscheidung. Ein oder zwei Wochen lang sind sie total begeistert, bis die Realität sie einholt. Wenn dann auch noch ihre Willenskraft nachlässt, merken sie: Es hat sich nichts *grundlegend* geändert. Meine Sündenmuster sind immer noch da. Ich habe immer noch schlechte Gedanken, ich verleumde, bin nur auf mein Aussehen bedacht und will das Beste aus dem Leben herausholen. Gott ist offensichtlich nicht die Priorität Nr. 1.

Also gehen sie zu einer anderen Veranstaltung und zu noch einer und noch einer ... immer auf der Suche nach tieferem Wissen und besseren Erfahrungen. Tiefgründiges Bibelstudium, tiefgreifende Worship-Erfahrungen, Mystik, Wunder, Askese, Dekonstruktion, Liberalismus, Konservatismus. Wie Schafe, die keinen Hirten haben, sind sie *„immer am Lernen und können niemals zur Erkenntnis der Wahrheit kommen“.* (2. Timotheus 3,7)

Warum?

Das Ganze ist ein Identitätsproblem, das auf einem falschen Verständnis des Evangeliums basiert. Viele Christen glauben, dass sie nur eine „veränderte Raupe“ sind, obwohl sie in Wirklichkeit Schmetterlinge sind. Vielleicht denkst du jetzt: „Nun, eine veränderte Raupe oder ein Schmetterling, ist das nicht einfach nur eine andere Art, das Gleiche zu sagen?“ Nein, das ist es nicht.

Was machen Raupen? Sie krabbeln auf dem Boden.

Was machen Schmetterlinge? Sie fliegen durch die Luft.

Was machen „veränderte Raupen“? Sie krabbeln auf dem Boden wie Raupen, sind aber *eigentlich* Schmetterlinge. Ein kriechender Schmetterling sieht erbärmlich aus. Er ist wie ein Flugzeug ohne Flügel, das über die Straßen der Stadt fährt. Ein Flugzeug ist nicht dafür gemacht, durch eine Stadt mit schmalen Straßen, Ampeln und engen Kurven zu fahren.

Die gute Nachricht ist, dass es im Evangelium nicht nur darum geht, den Schaden am Flugzeug zu beheben, sondern das Flugzeug flugtauglich zu machen. Das Evangelium ist keine Selbsthilfebotschaft, sondern Gottes Kraft, einen entkoppelten Menschen in einen neuen Menschen zu verwandeln.

Aber – da das Selbst letztlich das Problem ist, kann das nicht durch Selbsthilfe geschehen. Das Selbst lehnt es nicht nur ab, zu Gott zu kommen, sondern es ist unfähig dazu. Du kannst dir selbst nicht helfen, genauso wenig wie man sich selbst aus dem Treibsand herausziehen kann. Du bist schlichtweg nicht fähig dazu.

Ich zeige dir, warum, damit du die Lösung an der richtigen Stelle suchen kannst.

Entkoppeltes SELBST

Wir haben schon gesehen, dass es eine geistliche und eine materielle Sphäre gibt. In Johannes 3,6 nennt Jesus diese beiden Sphären „Geist“ und „Fleisch“: *„Was aus dem Fleisch geboren ist, ist Fleisch, und was aus dem Geist geboren ist, ist Geist.“* Damit sagt Jesus, dass materielle Dinge materielle Dinge und geistige Dinge geistige Dinge hervorbringen. Gleiches erzeugt Gleiches. Auch wenn der Vergleich hinkt, will ich es mit diesem Beispiel versuchen: Fleisch und Geist sind so verschieden wie eine Katze und der Wind. Der Wind wird niemals Kätzchen hervorbringen und Katzen werden keine Stürme verursachen. Sie sind *grundverschieden*. So ist es auch mit dem Geist und dem Fleisch. Sie haben zwei völlig unterschiedliche Funktionsweisen. Das eine ist geistig und das andere materiell.

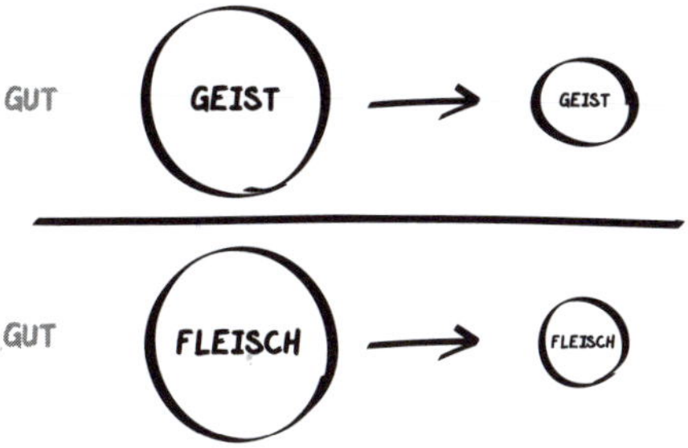

Im Garten Eden arbeiteten die beiden Sphären perfekt zusammen, weil das Fleisch dem Geist untergeordnet war. Sie waren komplementär. Doch dann trennte sich das Fleisch von Gott, dem Geist.

Wie das? Adam aß eine Frucht. Was taten die Nachkommen Adams? *„Sie aßen, sie tranken, sie heirateten."* (Lukas 17,27)

Wo liegt das Problem? Ist das nicht alles völlig legitim?

Das ist es, aber nicht, wenn es losgelöst von Gott getan wird. Und genau das ist das Problem. Alles, was wir tun, ist schlecht, wenn wir es nicht in Verbindung mit demjenigen tun, der absolut gut ist. Dann ist unsere gesamte Existenz als Mensch absolut böse. Das Fleisch, das unabhängig von Gott agiert, wird immer das tun, was dem Fleisch gefällt. Es ist im Grunde ein *horizontal* ausgerichtetes Leben. Es blickt nach vorne, niemals nach oben. Iss, trink, sei fröhlich. Sex haben, Kinder bekommen, Häuser bauen.

Was das Fleisch aber nicht kann, ist geistliche Früchte bringen (Galater 5,22), Lebensdurst stillen (Johannes 7,37), geistliche Kinder zeugen (3. Johannes 4) und das Haus Gottes, die Gemeinde, bauen (Epheser 2,22). Das liegt, wie gesagt, daran, dass das, was aus dem Fleisch geboren ist, Fleisch ist, und das, was aus dem Geist geboren ist, Geist ist.

Das Fleisch, das von Gott geschaffen wurde, ist gut, aber getrennt von Gott ist es *nicht in der Lage* zu tun, was Gott will.

Lies das noch einmal.

Das ist der springende Punkt.

Das Fleisch steht *grundsätzlich* in Widerspruch zum Geist. Es kann nicht tun, was der Geist tut. So heißt es in Römer 8,7: *„Weil die Gesinnung des Fleisches Feindschaft gegen Gott ist, denn sie ist dem Gesetz Gottes nicht untertan, denn sie* ***kann das auch nicht."***

WICHTIG

Es geht um *Fähigkeit*. Das Fleisch ist nicht *per definition* böse – es ist schwach!

„Denn das dem Gesetz ***Unmögliche,*** *weil es durch das Fleisch kraftlos war, tat Gott."* (Römer 8,3) Deshalb sagt Jesus: „Ihr *müsst* von Neuem geboren werden." (Johannes 3,7) *„Dies aber sage ich, Brüder, dass Fleisch und Blut das Reich Gottes nicht erben* ***können,*** *auch die Vergänglichkeit nicht die Unvergänglichkeit erbt."* (1. Korinther 15,50)

Seit der Trennung des Menschen von Gott laufen die beiden Sphären parallel wie zwei Züge, die nebeneinander herfahren. Wenn du in dem einen Zug sitzt, kommst du nicht in den anderen.

Dieser scharfe Kontrast zwischen den beiden Sphären wird durch Ägypten und Kanaan veranschaulicht. Ägypten ist ein Bild für das irdische Denken und Kanaan für das himmlische Denken. Das kannst du in 5. Mose 11,10 sehen.

Ägypten erhält sein Leben vom Wasser und von der Erde: *„Denn das Land, in das du kommst, um es in Besitz zu nehmen, ist nicht wie das Land Ägypten, von wo ihr ausgezogen seid, wo du deine Saat sätest und* ***mit deinem Fuß wässertest*** *wie einen Gemüsegarten."* Durch geniale Bewässerungssysteme bringt Ägypten, das nicht vom Regen des Himmels gesegnet ist, trotzdem Früchte hervor.

Ägypten steht für werkbasierte Gerechtigkeit.

Aber Kanaan *„ist nicht wie das Land Ägypten".* (5. Mose 11,10)

Kanaan erhält sein Wasser vom Himmel: *„Sondern das Land, in das ihr hinüberzieht, um es in Besitz zu nehmen, ist ein Land mit Bergen und Tälern – vom* ***Regen des Himmels*** *trinkt es* ***Wasser*** *–, ein Land, auf das der HERR, dein Gott, achthat."* (5. Mose 11,11-12) Kanaan ist ein Land, das vom Regen des Himmels abhängig ist.

Es ist ein Bild für die Abhängigkeit von der Gnade.

Ägypten und Kanaan sind also vom *Wesen* her gegensätzlich. Kanaan symbolisiert das vertikale Leben, das auf Gott ausgerichtet ist, während Ägypten den horizontalen Lebensstil darstellt, der nicht zur Anbetung Gottes führen kann.

Der Pharao schlägt Mose vor, Gott in Ägypten anzubeten, aber Mose sagt im Grunde: „Das können wir nicht." (2. Mose 8,21-26) Es ist nicht nur ein Problem des *Willens,* sondern es funktioniert einfach nicht. Himmlische Menschen können Gott nicht in Ägypten anbeten.

Ich hoffe, die obigen Ausführungen helfen dir, die Trennung zwischen den beiden Sphären zu erkennen. Deshalb sagte Jesus: „Ihr *müsst* von Neuem geboren werden." Du musst die Sphäre wechseln. Du *musst* „aus dem Geist geboren" werden, um in Gemeinschaft mit Gott, dem Geist, zu sein. Du musst aus Ägypten heraus und nach Kanaan kommen. Du musst dich aus der unteren Sphäre in die obere Sphäre bewegen.

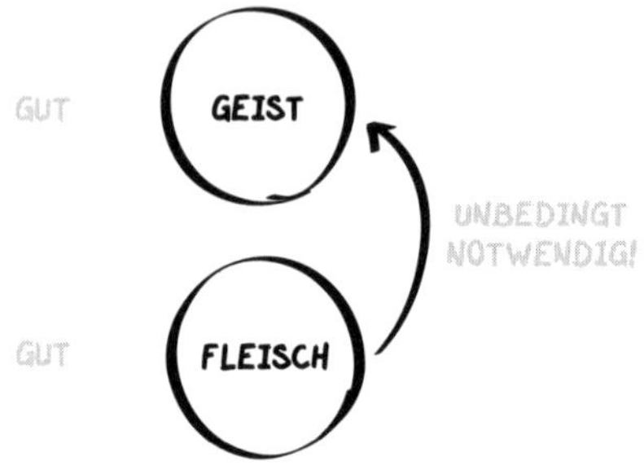

Aber wie kommst du von der unteren in die obere Sphäre?

Das alte Selbst muss sterben

Okay, lasst uns noch einmal zusammenfassen. Bis jetzt haben wir Folgendes gesehen:

1. Es gibt zwei Sphären.
2. Diese beiden Sphären sind durch die Sünde voneinander getrennt.

Jetzt möchte ich dir zeigen, warum der Tod die einzige Möglichkeit ist, die Sphären zu wechseln. Ich weiß, dass viele Christen nicht gerne über den Tod sprechen, aber er ist notwendig. Das Endziel ist das Leben, aber der Tod ist der einzige Weg dorthin. Der Tod ist nur ein Mittel zum Zweck, besser gesagt: das *einzige* Mittel zu diesem Zweck.

Warum führt am Tod kein Weg vorbei, um von der unteren in die obere Sphäre zu gelangen?

Dazu müssen wir Römer 5,12-21 lesen, wo wir die zwei verschiedenen Sphären sehr deutlich sehen: die Sphäre von Adam und die Sphäre von Christus.

Der Römerbrief verwendet den Begriff „kathistemi", um zu beschreiben, dass ein Mensch in einer Sphäre ist. Dieser Begriff ist eine Zusammensetzung aus zwei Wörtern: katha, *unter* + istēmi, *platzieren*. Er bedeutet also „unterstellen".

Du stehst entweder unter „Adam" oder unter „Christus". Das bedeutet, dass entweder Adam oder Christus das Haupt ist, das den Bereich regiert, in dem du dich befindest.

Vor dem Sündenfall, als Adams Welt noch in Verbindung mit Gott stand, war es völlig in Ordnung, „unter Adam" zu stehen, denn das bedeutete, dass man automatisch in Verbindung mit Gott stand. Wir waren nach Gottes Ebenbild geschaffen: *„An dem Tag, als Gott Adam schuf, machte er ihn Gott ähnlich."* (1. Mose 5,1)

Aber nach dem Sündenfall zeugte Adam Kinder nach seinem eigenen gefallenen Bild: *„Und Adam […] zeugte einen Sohn ihm ähnlich, nach seinem Bild."* (1. Mose 5,3) Katzen machen Katzen, Fleisch macht Fleisch … und Sünder zeugen Sünder. Gleiches zeugt Gleiches. „Unter Adam" zu sein, bedeutet jetzt, dass wir automatisch von Gott getrennt sind. Alle Nachkommen Adams sind automatisch von Gott abgekoppelt. Das bedeutet, dass die Menschen nicht nur Sünder sind, weil sie sündigen (Handlung), sondern weil sie von Sündern geboren werden (Sein). Wir sind von Geburt an Sünder, das ist unsere Kernidentität. David sagt in Psalm 51,7: *„Siehe, in Schuld bin ich geboren, und in Sünde hat* *mich meine Mutter empfangen.*“ Ein Baby, das geboren wird, ist nicht verunreinigt, aber es ist von Gott getrennt und moralisch funktionsgestört. Beobachte einfach mal Kinder. Ihnen ist es egal, was Gott sagt, und selbst wenn sie unterscheiden können, was gut und böse ist, entscheiden sie sich bewusst für das Böse. Sündigen ist für sie ganz *natürlich*. Wie der Vater, so der Sohn – es gibt keine Möglichkeit, zu entkommen.

Du *kannst* das Gleis nicht wechseln. Was aus dem Fleisch geboren ist, ist Fleisch.

Bevor wir jetzt die falschen Schlüsse ziehen, möchte ich dich daran erinnern: Fleisch ist nicht schlecht.

Wo liegt also das Problem?

Der Zustand des Fleisches, das von der Sünde beherrscht wird, ist das Problem. Die Bibel nennt das „Fleisch der Sünde“. (Römer 8,3) Es bedient sich aller äußeren und inneren menschlichen Fähigkeiten unabhängig von Gott. Das führt dazu, dass wir Menschen horizontal leben und ausschließlich *„Verkehr in den Begierden unseres Fleisches hatten, indem wir den Willen des Fleisches und der Gedanken taten und von Natur Kinder des Zorns waren wie auch die anderen“*. (Epheser 2,3) Losgelöst von Gott, leben wir in offenem (Zorn) zur Heiligkeit Gottes. Es sind nicht nur unsere Sünden, die Menschen zu Sündern machen, sondern Menschen sündigen, weil sie *von Natur aus* Sünder sind.

Siehst du, wie grundlegend das Problem ist?

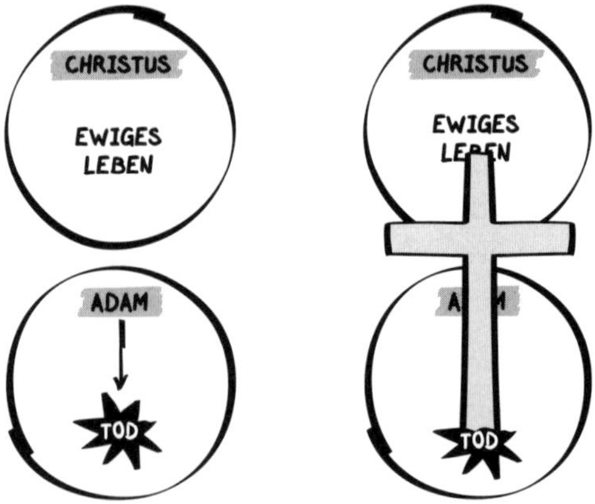

Wie kann dieses Problem gelöst werden?

Was ist das herrschende Prinzip in der unteren Sphäre, wenn die Verbindung zu Gott unterbrochen ist? Der Tod. In der unteren Sphäre herrscht *„die Sünde im Tod“*. (Römer 5,21) Also hat Gott etwas Erstaunliches getan.

Ja, Sünder müssen sterben. Aber Gott hat keinen Gefallen am Tod des Sünders (Hesekiel 18,23). Also benutzte er den Tod, um Leben zu bringen. Er bekämpfte den Feind mit seiner eigenen Waffe! Er war bereit, in den Tod zu gehen. Da Gott nicht sterben kann, musste er dafür Mensch werden. Jesus wurde Mensch und starb, damit wir uns durch den Glauben mit seinem Tod identifizieren können und unser alter Mensch ein Ende findet. In 2. Korinther 5,14 heißt es: *„Denn die Liebe Christi drängt uns, da wir zu diesem Urteil gekommen sind, dass einer für alle gestorben ist und somit alle gestorben sind.“*

Ist das nicht erstaunlich?

Gott benutzt das böse Prinzip der unteren Sphäre, um ihr zu entkommen. Er benutzt den Tod, er benutzt etwas so Schreckliches wie das Kreuz, um jedem Menschen die Chance zu geben, zu sterben und der Versklavung seines alten Menschen zu entkommen. *„Da wir dies erkennen, dass unser alter Mensch mitgekreuzigt worden ist, damit der Leib der Sünde abgetan sein soll, dass wir der Sünde nicht mehr dienen.“* (Römer 6,6)

Aber der Tod war nur ein Mittel zum Zweck. Gott wollte nicht nur, dass wir der unteren Sphäre entkommen, sondern auch, dass wir die obere Sphäre betreten und für immer mit ihm in Verbindung stehen. Wir identifizierten uns mit Jesus, der gestorben war, also musste Gott Christus nur noch von den Toten auferstehen lassen und wir würden alle mit ihm kommen. Genau so geht es in 2. Korinther 5 in Vers 15 weiter: *„Und für alle ist er gestorben, damit die, welche leben, nicht mehr sich selbst leben, sondern dem, der für sie gestorben und auferweckt worden ist.“* Jesus wurde auferweckt, damit du, der du dich im Glauben mit ihm identifiziert hast und gestorben bist, ebenfalls auferweckt wirst und nicht mehr für deinen alten Menschen lebst, sondern für deinen neuen Menschen in Christus.

Dein altes Selbst braucht keine Selbsthilfe oder Selbstliebe, es muss erneuert werden.

Dafür muss das alte Selbst zuerst sterben, damit wir zu einem neuen Selbst auferweckt werden können. Der Römerbrief nennt das „Neuheit des Lebens". *„Damit, wie Christus aus den Toten auferweckt worden ist durch die Herrlichkeit des Vaters, so auch wir in Neuheit des Lebens wandeln."* (Römer 6,4)

Ich möchte dir zeigen, dass sich diese Veränderung symbolisch im Wasser des Roten Meeres abgespielt hat.

Das Ende des alten Selbst

Als die Israeliten durch das Rote Meer zogen, vollzog sich ein erstaunlicher Identitätswechsel.

Am Ufer des Schilfmeers kämpfte Gott für Israel. Im Schilfmeer veränderte er sie. Vor dem Schilfmeer tat er etwas für sie. Im Roten Meer tat er etwas an und mit ihnen. Das Rote Meer war der Ort, an dem die Verwandlung stattfand.

In 1. Korinther 10,2 erfahren wir, wie das geschah: Alle Israeliten *„wurden in der Wolke und im Meer auf Mose getauft"*. Wir müssen uns jeden Begriff genauer anschauen, um zu verstehen, was das bedeutet.

Die Taufe ist ein Akt der Identifikation mit einer Person bzw. mit einem Bereich.

Diejenigen, die sich von *Johannes* dem Täufer taufen ließen, wollten zum Ausdruck bringen, dass sie sich mit seiner Botschaft von Gerechtigkeit und Umkehr identifizieren. Die Taufe mit dem *Geist* schuf aus Juden und Christen eine neue Identität: einen neuen Leib. (1. Korinther 12,13) Es ist die Identifikation mit dem Leib Christi, die beide Gruppen in diese neue Sphäre brachte.

Die *christliche* Taufe ist eine Identifikation mit Christus – sowohl mit seinem Tod (Untertauchen) als auch mit seinem Leben (Auftauchen). Sie ist das Begräbnis des alten Menschen und die Auferstehung in Neuheit des Lebens (Römer 6,1-10) – in eine neue Sphäre.

Die Taufe auf *Mose* bedeutete ebenfalls Identifikation. Als die Israeliten durch das Rote Meer zogen, identifizierten sie sich mit seiner Führung während des Auszugs aus Ägypten. (1. Korinther 10,2) Der Ausdruck „*auf* Mose getauft" mag seltsam klingen. Wir würden eher sagen: „Sie wurden von oder durch Mose getauft", aber nicht „auf" ihn. Aber das griechische Wort hier ist noch seltsamer. Eigentlich steht dort, dass sie „in" Mose hinein getauft wurden. „In" ist die genaue Übersetzung des griechischen „eis" und bedeutet „Eintritt in einen neuen Bereich". Die Israeliten wurden in diese neue Sphäre getauft, in die Mose sie führte.

Aber was zeichnete diese Sphäre aus?

Die Wolke symbolisiert die verhüllte Gegenwart Gottes. Der treue Gott, der in einem für Menschen unzugänglichen Licht wohnt, offenbart seine Gegenwart, durch Wolken verhüllt.

Gottes Regenbogen, das Versprechen seiner treuen Thronpräsenz (Offenbarung 4,3, 10,1), schwebt in den Wolken (1. Mose 9,13). Die Wolke war ein Zeichen dafür, dass Gott als Führer (2. Mose 40,34-38), als Objekt der Anbetung (3. Mose 16,2) und als Ansprechpartner für Mose anwesend war (4. Mose 11,25). Gott selbst war in der Wolke, wie wir auf dem Berg der Verklärung sehen können (Lukas 9,34-35), und eine Wolke nahm Jesus in den Himmel auf. (Apostelgeschichte 1,9)

Die Wolken sprechen also von der oberen Sphäre. Als die Israeliten durch das Rote Meer zogen, betraten sie also diese neue, höhere Sphäre, in der Gott gegenwärtig ist.

Aber wie kamen sie dorthin?

Das Rote Meer symbolisiert den Tod. Seit der Sintflut weiß die Menschheit um den Schrecken von großen Wassermassen. (Psalm 42,8) Als Jona ins Meer geworfen wurde, wollte man ihn töten. Er sagt: *„Du hattest mich in die Tiefe geworfen, in das Herz der Meere, und Strömung umgab mich. Alle deine Wogen und deine Wellen gingen über mich dahin.“* (Jona 2,4)

Heute lernt in der westlichen Welt jeder schwimmen. Aber sei dir sicher, dass die Sklaven in Ägypten keine Zeit damit verbrachten, Schwimmunterricht zu nehmen. Eine Million Menschen, die noch nie das Meer gesehen hatten – darunter Frauen und Kinder – in tiefe Gewässer zu führen, war der sichere Tod.

Das bedeutet, dass die Israeliten „im Tod getauft wurden“. Sie gingen in das tiefe Wasser, was den sicheren Tod bedeutete. Diese Wasser waren der Weg für sie, um in die obere Sphäre zu gelangen. Um die Sphäre zu wechseln, folgten sie Mose ins Wasser und gelangten so in die Sphäre der Wolke. (2. Mose 14,19)

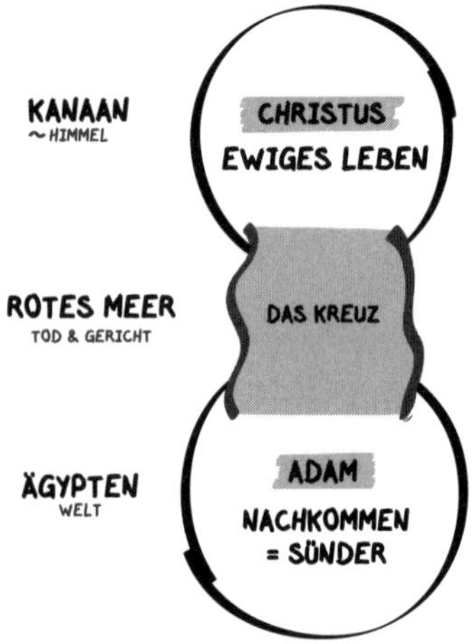

Was bedeutet das geistlich?

Die Frage ist: Wie komme ich von der Sphäre „unter Adam“ in die Sphäre „unter Christus“? Oder anders ausgedrückt: von der Sphäre unten in die Sphäre oben?

Die Antwort lautet: Das kannst du nicht. Christus hat alles für dich getan. Das Einzige, was du tun musst, ist, mit Christus zu sterben.

Das Rote Meer steht für den Tod und Mose ist ein Bild für Christus. Mose im Roten Meer zu „folgen“, bedeutet, sich voll und ganz mit dem stellvertretenden Tod Christi zu identifizieren und darauf zu vertrauen, was der Retter *für* uns und *mit* uns getan hat. Es bedeutet, dass du deinen alten Menschen aufgibst. Du musst anerkennen, dass du ein geistlich verlorenes Wesen bist. Dass du nicht mehr verdienst als das, was du freiwillig gewählt hast: die geistliche Trennung von Gott. Die Bibel hat ein anderes Wort für den ewigen Zustand der Seele in der geistigen Trennung von Gott: Hölle. Wir haben die Hölle zu Recht verdient. Den ewigen geistlichen Tod.

Aber Gott liebt dich und mich und deshalb hat sein Sohn das Gericht für uns durchlitten.

Christus gab sein LEBEN für uns

Bis jetzt haben wir im Roten Meer eine Illustration dessen gesehen, was *in* uns passiert ist.

Eine wunderbare Veränderung.

Das Rote Meer spricht aber auch von Jesus.

Für Jesus war das Rote Meer ein Meer des Leidens.

Als Mose das Wasser teilte, geschah das nicht mit einem Fingerschnippen: Es wurde mit Moses Stab geschlagen. Für uns bedeutet das „Rote Meer“ trockenes Land mit schützenden Mauern zur Linken und zur Rechten. (2. Mose 14; Hebräer 11,29) Für den Herrn Jesus bedeutete das „Rote Meer“ tiefe Wasser. (Psalm 42; Psalm 69) Es war Nacht am Roten Meer und es war Nacht am Kreuz.

Das Kreuz war nicht nur eine zufällige Hinrichtung. Es war Gottes absolute Absicht. *„Und wie Mose in der Wüste die Schlange* ***erhöhte,*** *so muss der Sohn des Menschen erhöht werden."* (Johannes 3,14) Vom Boden erhöht zu werden, bedeutete, *„zwischen Himmel und Erde"* zu hängen. (2. Samuel 18,9) Zwischen den beiden Sphären. Von der Erde abgelehnt, vom Himmel verlassen. Wie schrecklich!

Als Jesus Pilatus gegenüberstand, wurde er auf seinen Körper und ins Gesicht geschlagen. Jesaja 50,6 prophezeite: *„Ich bot meinen Rücken den Schlagenden und meine Wangen den Raufenden, mein Angesicht verbarg ich nicht vor Schmähungen und Speichel."*

Das sind grausame Details über das Leiden unseres geliebten Christus. Jesus trachtete nicht danach, ein tolles Leben zu haben. Ganz im Gegenteil: Er wollte sein Leben *geben,* damit andere leben können. Dafür gab er sein Leben am Kreuz. Dieser Schritt war nötig, damit der „Mensch Christus" Jesus, *„der Mittler zwischen Gott und den Menschen",* werden konnte. (1. Timotheus 2,5)

Aber Jesus Christus musste nicht nur die körperlichen Schmerzen der Menschen erleiden – auch Gottes Zorn traf ihn. Stell dir das einmal vor – er war der einzige Mensch, der völlig abhängig von Gott lebte – jeden einzelnen Tag! Das können wir sehen, wenn er im Garten sagt: „Nicht mein, sondern dein Wille geschehe." Was für ein Unterschied zum unabhängigen Fleisch, das sagt: „Mein Wille geschehe! Das volle Leben jetzt!" Im Gegensatz dazu sagt unser Herr: „Nicht, was ich hier unten in der unteren Sphäre will, sondern was du mir von oben sagst, das soll geschehen – auch wenn das bedeutet, dass ich hier unten die schlimmsten Leiden durchmachen muss." Er war der einzige Mensch, der sagte: „Der Himmel regiert", und das dann auch tatsächlich in seinem Leben Wirklichkeit werden ließ.

Jetzt aber war der Himmel im Gericht gegen ihn!

Am Kreuz begegnete Jesus der Heiligkeit Gottes, symbolisiert durch den Stab in Moses' Hand. – Übrigens handelt es sich dabei wörtlich nicht um den Stab des Mose, sondern um den Stab Gottes. *„Und Mose nahm den Stab Gottes in seine Hand."* (2. Mose 4,20) So war er nach Ägypten gegangen. Dieser Stab hatte Ägypten gerichtet. Er schlug mit dem Stab auf das Wasser Ägyptens, um über das Böse zu richten, und zeigte damit, dass er die Macht über die Schlange (Sünde/Teufel) hatte. (2. Mose 4,3)

Der Stab war also die Machtdemonstration Gottes im Gericht über das Böse. Und so wie Mose das Rote Meer geschlagen hatte, wandte Gott am Kreuz seinen Stab des Gerichts gegen den, der zwischen Himmel und Erde hing. Gott musste *„den Hirten schlagen"* (Markus 14,27), damit Jesus am Kreuz *„den Tod für alle schmecken"* konnte. (Hebräer 2,9)

Stell dir vor, wie Jesus an diesem Kreuz hängt.

Eine schreckliche Szene für das natürliche Auge.

Aber erkennen deine geistlichen Augen, wie schön er ist?

Schau, wie er dort hängt.

Sein Haupt gesenkt.

Tot.

Gott in Fleisch und Blut – bereitwillig für dich gegeben. Der Urheber des Lebens – tot. Tot für dich, damit du glaubst, dich mit ihm identifizierst und mit ihm stirbst.

Auf zum Kreuz und in den Tod mit ihm. Heute wirst du mit ihm im Paradies sein. Er ist die Fluchttür. Was wie ein Sieg des Hasses der Menschen aussah, war ein Sieg der Liebe Gottes. Jesus ging in das Haus des starken Mannes, fesselte ihn und plünderte seine Habe. (Markus 3,27)

Ein neues SELBST

Mose und die Israeliten gingen ins Rote Meer. Ca. zwei Millionen Menschen ertranken. Kein Fleisch mehr, keine Sünde mehr. Ende der Geschichte.

Oder etwa nicht? Ja, sie zogen in den sicheren Tod, ins Rote Meer.

Aber was wie der sichere Tod schien, war in Wirklichkeit der Weg des Lebens. Das Rote Meer ist nicht nur ein Bild für den Tod, sondern auch der Weg vom alten zum neuen Menschen. Gott benutzte den Tod, um neues Leben zu schaffen. Einen neuen Menschen.

Er teilte das Meer und auf beiden Seiten erhob sich das Wasser wie eine Mauer. So dienten die Wasser, die wie der Tod ausgesehen hatten, nun als ihre Leibwächter auf der linken und rechten Seite. Die Kinder Israels gingen durch die schützenden Wasserwände und traten in eine neue Sphäre ein.

Schau mal, wie deutlich plötzlich Römer 6 wird: *„Oder wisst ihr nicht, dass wir alle, die wir* ***in*** *Jesus Christus hinein getauft worden sind,* ***in*** *seinen Tod hinein versenkt sind?“* (Vers 3; Anmerkung Menge-Bibel) Das „in“ ist entscheidend. Wir haben nicht nur eine Beziehung *zu* Jesus, wir haben unser *Sein* in ihm.

Lies den letzten Satz noch einmal.

Wir sind *in* ihn hinein getauft, als ob Jesus Christus auch eine Sphäre ist. Welche Sphäre?

Es ist der auferstandene Jesus! Es ist die Sphäre der Auferstehung.

Jesus ist nicht im Grab geblieben. Auch die Israeliten blieben nicht im Roten Meer stehen.

Jesus hat den Tod besiegt, und das hat er bewiesen, als er aus dem Grab herauskam!

Er ging in die unteren Sphären ein (Epheser 4,9), aber er ist auch *„hinaufgestiegen in die Höhe und hat Gefangene gefangen geführt und den Menschen Gaben gegeben“.* (Epheser 4,8)

Das ist wichtig, denn die Erlösung ist erst durch die Auferstehung vollständig. Erst am Roten Meer spricht Gott von „Rettung“ (יְשׁוּעָה – j’schu`ah). (2. Mose 14,13) Nicht beim Passahfest, sondern erst nachdem sie das Rote Meer durchquert haben, sehen wir, dass den Menschen „Rettung“ zugesprochen wird. (2. Mose 15,2)

Denn: „gerettet werden“ ist mehr als „keinen Schaden erleiden“.

Lass mich den Unterschied erklären:

Stell dir vor, du befindest dich in einer Entführungssituation in einem Gebäude. Durch glückliche Umstände gelingt es dir, dich in einen Raum einzuschließen, in den deine Entführer nicht eindringen können.

Bist du in Sicherheit?

Nein, du wärst erst dann sicher, wenn die Situation geklärt ist, dein Feind verhaftet ist und du aus dem Gebäude deiner Gefangenschaft befreit wirst. *Dann* bist du ein geretteter Mensch. Christen, die wissen, dass Christus für sie gestorben ist, sich aber täglich vor dem Teufel fürchten und nicht in Beziehung zu einem auferstandenen Retter leben, fühlen sich wie diese eingesperrte Geisel. Gerettet, aber nicht wirklich.

Sie denken, sie seien immer noch in Ägypten. Aber das sind sie nicht. Das Kreuz Christi hat jeden wiedergeborenen Christen ans rettende Ufer gebracht.

Deshalb sang das Volk, als es auf der anderen Seite war: *„In deiner Gnade hast du geleitet das Volk, das du erlöst, hast es durch deine Stärke geführt zu deiner heiligen Wohnung [obere Sphäre].“* (2. Mose 15,13)

Diese Sphäre ist Jesus selbst. Wir sind nicht mit Jesus in dieser Sphäre. Er *ist* diese Sphäre.

Mit der Gabe des ewigen Lebens schenkt er uns sich selbst.

1. Johannes 5,11: *„Gott hat uns ewiges Leben gegeben, und dieses Leben ist in seinem Sohn.“* Das Leben ist *in* seinem Sohn. Wir haben nicht nur Leben *durch* Jesus, sondern wir haben Leben *in* Jesus!

Wie kommen wir dahin, „in Jesus“ zu sein?

Du musst nichts dafür tun – es wurde bereits getan.

Es geschah am Kreuz durch Identifikation. Römer 6,4 beschreibt den genauen Vorgang: *„So sind wir nun mit ihm begraben worden durch die Taufe in den Tod, damit, wie Christus aus den Toten auferweckt worden ist durch die Herrlichkeit des Vaters, so auch wir in Neuheit des Lebens wandeln.“*

Das ist schlichtweg erstaunlich! Lass mich dir zeigen, was es bedeutet, dass du mit ihm begraben wurdest:

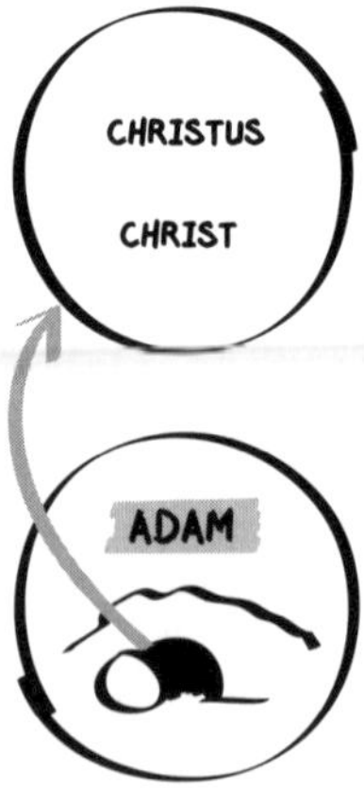

Hast du schon von der Terrakotta-Armee gehört? Das sind lebensgroße Tonfiguren, die im Grab des ersten Qin-Kaisers, Qin Shi Huangdi, in China gefunden wurden. Forscher fanden diese Armee, als sie das Grab öffneten. Abgesehen davon, was er mit ihr vorhatte, Tatsache ist: Er nahm die Armee mit ins Grab, und was fanden sie, als sie sein Grab öffneten? – Die komplette Terrakotta-Armee.

Was man ins Grab mitnimmt, kommt auch wieder heraus.

Das bedeutet, dass jeder, der an Jesus Christus glaubt, von Gott als mit Jesus begraben betrachtet wird. Als Gott, der Vater, ihn an jenem Sonntagmorgen von den Toten auferweckte, kam also eine riesige Armee von Gläubigen mit ihm aus dem Grab – auch du!

Was für ein Triumph!

Aber die Beziehung, die du seit diesem Sonntagmorgen hast, ist viel intimer als die eines Soldaten. Der nächste Vers macht es noch deutlicher: *„Denn wenn wir verwachsen sind mit der Gleichheit seines Todes …“* (Römer 6,5) Wie zwei Pflanzen, die zusammenwachsen, sind wir mit Christus gepflanzt worden und werden zu einer Pflanze – zu einem Wesen. Aus diesem Grab kam Christus und mit ihm der Christ, der diese Welt ein für alle Mal verlassen kann. Wir erlangen die Befreiung von der Welt, von der niederen Sphäre, in der die Sünde regiert, indem Gott uns in den Tod Christi hineinnimmt. An ihn gebunden, sterben wir der Sünde und werden aus der alten Sphäre Adams in die neue Sphäre Christi versetzt.

Unsere neue Identität ist „in Christus Jesus", deshalb befinden wir uns geistig bereits im oberen Kreis, in der Auferstehungswelt, in der neuen Schöpfung. Christus ist mit seinem Auferstehungsleib bereits im Himmel („Erstgeborener aus den Toten"; Kolosser 1,18), wir hingegen sind in unserem Fleisch (Körper) noch auf der Erde. Nach Römer 8,23 warten wir auf die leibliche Auferstehung.

Worauf ein Christ hier unten auf der Erde zurückblicken kann, ist ein Grab; worauf er sich dort oben im Himmel freuen kann, ist die Gegenwart des auferstandenen Christus. Die Beziehung, die wir jetzt mit der unteren Sphäre haben, ist der Tod (Rotes Meer). Die Beziehung, die wir jetzt mit der oberen Sphäre haben, ist das Leben in der Gegenwart Gottes (Wolke). Wir wurden verwandelt und sind eine neue Schöpfung. Und Gott liebt alles an diesem neuen Wesen.

Wenn du es nicht glaubst, lass es mich dir ganz deutlich sagen!

Du bist geliebt.

Als ich ein Kind war, lebte ich in einem Dorf. In einem Dorf gibt es fast immer einen Brunnen. Und normalerweise ist dieser Brunnen das Zentrum für die Jugend. Zu unserer Dorfbrunnenjugend gehörte ein Typ, dem ein Bein fehlte. „Taktvoll" wie junge Leute sind, gaben sie ihm den Spitznamen „Humpel".

Das Traurige daran war: Er nannte sich selbst auch so.

Humpel war natürlich viel mehr als nur ein Mensch mit einem Bein, aber sie reduzierten ihn auf seine größte Schwäche.

Viele Christen tappen in die gleiche Falle. Sie lassen sich

dadurch definieren, was andere Menschen über sie sagen. Das ist sehr trügerisch. Als Kind merkst du das manchmal sehr schnell.

„Mama, schau mal, was ich in dieses Holz geschnitzt habe!"

„Wie schön, Fred! Ein Haus! Du bist ein echter Picasso!"

15 Minuten später: „Mama, guck mal, was ich an Papas Auto geschnitzt habe ..."

Plötzlich wird „der Picasso" wieder Fred genannt und sitzt in seinem Zimmer. Der „Moment des Ruhms" währte nicht lange. Sich auf die Meinung anderer zu verlassen, ist eine sehr ungewisse Sache. Aber noch gefährlicher ist, wie wir uns selbst definieren:

„Boah – ich habe versagt, also bin ich ein Versager!" oder: „Ich habe wieder gesündigt, also bin ich ein Sünder."

Aber dann kommt die vermeintliche Lösung: „Ich bin ein Sünder, gerettet aus Gnade."

Klingt gut. Einprägsam.

Aber das ist nur die eine Seite der Medaille. Lass es mich dir demonstrieren. Stell dir vor, ein Journalist führt ein Interview mit König Salomo:

Journalist: „Wow, Salomo, krasser Tempel! Großartiges Königreich. Ich danke dir übrigens für das Interview. Vielleicht stellst du dich kurz vor für die 1 % auf der Erde, die dich nicht kennen."

Salomo: „Mein Name ist Salomo und ich bin ein schmutziger Sklave aus Ägypten, der königliche Kleider bekommen hat."

Journalist: „Mhm ..."

Dieses „Mhm" hört man auch im Himmel, wenn ein Mensch auf der Erde sagt: „Ich bin ein Sünder, der aus Gnade gerettet wurde." Es stimmt, dass wir Sünder *waren,* aber es ist nicht deine jetzige Identität.

Wie nennt der Heilige Geist die Gläubigen?

„Heilige". (1. Korinther 1,2)

Christen, die sich für gerettete Sünder und nicht für *„Heilige"* halten, sehen sich lediglich als „veränderte Raupe" und nicht als

Schmetterling. Sie geben sich damit zufrieden, durch das Leben zu kriechen, anstatt Leben in Fülle zu erfahren. Sie warten auf das ewige Leben im Himmel und erkennen nicht, dass es schon hier und jetzt beginnt. (Johannes 17,3) Sie sind wie das Flugzeug, das durch die engen Straßen der Stadt fährt.

Das sind die Gedanken, die sie ständig begleiten:

Gott ist treu, aber Mann – bin ich ein Versager!

Ich bin froh, dass Jesus für mich gestorben ist, aber ich bin so ein dreckiger Sünder.

Wenn Gott nicht die vollkommene Liebe wäre, würde er sich vor mir ekeln!

Gestern habe ich Gott wirklich enttäuscht!

Das ist Elend in einem geistlichen Mantel. Das ist *nicht* das Leben, von dem Jesus sprach, als er sagte: „Ich bin gekommen, damit sie das Leben in Fülle haben."

Was ist die übliche Lösung für dieses Problem?

Wir legen einen anderen geistlichen Mantel darüber.

Wir sagen zu einer solchen Person: „Du musst dich so sehen, wie Gott dich sieht. Deine Identität hängt nicht von deinem Verhalten ab, sondern davon, wie Gott dich sieht." Das mag zwar geistlich klingen, kann aber zu zwei falschen Handlungen führen:

1) Entweder versucht der Mensch, so zu leben, *wie Gott ihn sieht,* scheitert dabei aber kläglich und driftet immer mehr in die Askese ab.

2) Er koppelt sein Verhalten von seinem Wesen ab, denn „es geht nur um Gottes Sicht". Wenn wir denken: „Es geht nicht darum, perfekt zu *handeln,* sondern darum, dass Gott mich als perfekt *sieht*", sind wir nur einen Schritt vom Gnostizismus entfernt.

Die Lösung ist nicht, vor dem wegzulaufen, was du bist, und auch nicht, dich auf eine abstrakte Art und Weise zu betrachten (Gottes Sicht), sondern zu glauben, was Gott *mit* und *in* dir getan hat. Es geht um dein Wesen. Um auf das Beispiel mit dem Flugzeug in der Stadt zurückzukommen: Gottes Lösung bestand nicht darin, zu sagen: „Du bist ein riesiges Monsterauto, aber ich sehe dich als Flugzeug.“ Das wäre nicht hilfreich. Es gibt dem Flugzeug den Wunsch zu fliegen, aber nicht die Fähigkeit, es zu tun. Nein, seine Lösung war, dieses Monsterauto zu nehmen, die Flügel zu reparieren und es zu einem Flugzeug zu machen!

Gott hat etwas völlig Neues in dir erschaffen. In 2. Korinther 5,17 heißt es: „Daher, wenn jemand in Christus ist, so ist er eine neue Schöpfung; das Alte ist vergangen, siehe, *Neues ist geworden.*“[18]

Lies die letzten drei Worte noch einmal.

Neu – nicht nur ein Update.

Neu – nicht nur der Anstrich.

Neu – nicht in Gottes Augen neu, aber in Wirklichkeit alt.

Lass mich dir in 1. Johannes 3,1 den Unterschied zeigen: *„Seht, welch eine Liebe uns der Vater gegeben hat, dass wir Kinder Gottes heißen sollen!* ***Und wir sind es.“*** Du siehst, es geht nicht nur darum, wie Gott dich nennt und wie er dich sieht, sondern darum, was du bist.

Worin besteht der Unterschied?

Erinnere dich an Fred. Seine Mutter nannte ihn „Picasso“, und das machte ihn stolz. Er dachte, das sei seine Identität. Aber er *war* nicht Picasso. Dieses Etikett war nur das, was seine Mutter in dem Moment in ihm sah. Aber Etiketten können entfernt werden.

„Kind Gottes“ ist kein Etikett. Es ist unser Wesen. Wir *sind* Kinder Gottes. Denn im Gegensatz zu uns ruft Gott, wenn er spricht, Dinge ins Leben. Wenn er sagt: *„Es werde Licht“* – dann *wird* es Licht. Als er uns Kinder nannte, *wurden* wir Kinder Gottes. Johannes 1,12: *„So viele ihn aber aufnahmen, denen gab er das* ***Recht,*** *Kinder Gottes zu* ***werden,*** *denen, die an seinen Namen glauben.“*

Er hat uns das *Recht* gegeben. Das ist nicht nur Gottes Standpunkt, es ist wie eine Geburtsurkunde, die uns niemand wegnehmen kann – nicht einmal Gott. Selbst wenn Gott uns verlassen könnte (das wird er nie!), würde das nichts an der Tatsache ändern, dass wir seine Kinder sind – weil wir Kinder Gottes sind. Nicht nur, weil Gott uns in dieser Position sieht, sondern weil wir Kinder Gottes sind. Im Christentum geht es in erster Linie um das *Sein.* Wir können alles Mögliche tun und versuchen, uns dies und das einzureden, aber das alles ist nichts wert, wenn das Sein nicht stimmt. In 1. Korinther 13,2 heißt es: *„Und wenn ich Weissagung habe und alle Geheimnisse und alle Erkenntnis weiß, und wenn ich allen Glauben habe, sodass ich Berge versetze, aber keine Liebe habe, so **bin** ich nichts."*

Beachte, was hier steht. Nicht: Ich *tue* nichts. Sondern: Ich *bin* nichts.

Aber wenn du in Christus bist, in der himmlischen Sphäre, dann hat Gott etwas Neues aus dir gemacht. Du bist mit Christus eins geworden. Gott sieht dich nicht nur als vollkommen an – du bist vollkommen! In Hebräer 10,14 heißt es, dass Christen *„mit einem Opfer vollkommen **gemacht** [worden sind]"*.

Kannst du diese erstaunliche Wahrheit begreifen? Sind wir Christen nicht oft wie der verlorene Sohn, der sich schon freuen würde, Diener sein zu dürfen? Wie lautet die Antwort des Vaters? *„Bringt schnell das beste Gewand heraus und zieht es ihm an und tut einen Ring an seine Hand und Sandalen an seine Füße!"*

Sohn ist Sohn.

Kind ist Kind.

Gott liebt Vollkommenheit. Du bist vollkommen und deshalb liebt er dich vollkommen.

„Seht, welch eine Liebe uns der Vater gegeben hat, dass wir Kinder Gottes heißen sollen!" (1. Johannes 3,1)

TAKEAWAYS

(1) **Gott ist ein Retter – kein Sklavenhalter.**
- Gott kämpft nicht *gegen* dich, sondern *für* dich.

(2) **Das Ende des alten Menschen**
- Das Evangelium ist nicht nur eine Veränderung des Handelns, sondern eine Veränderung des Seins.
- Das Rote Meer zu durchqueren, bedeutet, das alte Selbst als gestorben zu betrachten. (Taufe)

(3) **Ein neuer Mensch!**
- Auferstehung ist nicht Religion – es ist Neuheit des Lebens! Als völlig neuer Mensch.
- Dieses neue Selbst ist eng mit dem auferstandenen Christus verbunden.

GEBET

Ich danke dir, Herr, dass du eine neue Schöpfung aus mir gemacht hast. Du bist gestorben und auferstanden, damit ich mit dir sterben und auferstehen kann. Dein Leben ist mein Leben. Ich danke dir, dass du meinem alten Ich am Kreuz ein Ende gesetzt hast und dass ich ein neuer Mensch sein kann, der vollkommen ist. Ich genieße jetzt deine Gegenwart. Ich liebe es, deine Augen zu sehen, deine Worte zu hören und mich von deiner liebenden Hand führen zu lassen.

KAPITEL 10

DAS FALSCHE SELBST

Helmut Kohl, der ehemalige deutsche Bundeskanzler, war für zwei Dinge bekannt: Erstens sprach er nicht gut Englisch und zweitens aß er gerne und viel – am liebsten Butter.

Die Geschichte geht wie folgt. Er und seine Frau Hannelore wurden nach London eingeladen. Plötzlich überkam ihn Heißhunger auf Butterkuchen. Helmut schnappte sich das nächstgelegene Wörterbuch und schlug das Wort nach. „Buttercake". Wunderbar.

Mit diesem wichtigen Wort im Kopf stürmte er in die nächstgelegene Bäckerei, wo die Bedienung freundlich fragte: „How can I help you?" Kohl antwortete kurz und bündig: „Buttercake." Gesagt, getan. Helmut verließ den Laden mit seinem Butterkuchen wie ein Olympiastar mit seiner Goldmedaille.

Nach ein paar Tagen hatten Hannelore und Helmut genug vom Butterkuchen und wollten mal normales Brot essen. Helmut schaute wieder im Wörterbuch nach und fand das Wort: „bread". Er ging zurück in die Bäckerei und fragte diesmal nach „bread".

Die Bedienung antwortete freundlich: „White bread or black bread?"

Kohl: „Buttercake."

Diese Geschichte veranschaulicht, was viele Christen nach ihrer Bekehrung erleben. Sie fallen in ihre alten Muster zurück. Relativ schnell erkennen sie, dass die Sünde nicht verschwunden ist. Was also tun, wenn du auf ein altes Problem triffst? Du behandelst es mit einer alten Lösung. Nämlich: nicht das neue Selbst, sondern Selbsthilfe.

Die Bibel nennt das: Gesetz.

Ein miserables Leben, denn dein neuer Mensch ist nicht für das Gesetz gemacht. Das Flugzeug kurvt wieder durch die Straßen, anstatt zu fliegen. Die Raupe, die eigentlich weiß, dass sie ein Schmetterling ist, kriecht immer noch auf dem Boden herum.

Deshalb müssen wir noch tiefer graben und verstehen, was sich in uns verändert hat und was nicht. Es wird dich vielleicht überraschen, aber Gott benutzt ausgerechnet das Gesetz, damit wir das herausfinden können. Durch den Tod brachte er am Roten Meer Leben und durch das Gesetz deckt er das wahre Problem in der Wüste auf.

Spoiler: Das Problem bist nicht *du*, nicht dein neuer Mensch.

Lass uns in die Wüste zum Berg Sinai gehen, wo das Gesetz gegeben wurde.

Das Gesetz: Sündendetektor

Ist dir schon mal aufgefallen, dass du weniger Probleme mit der Sünde hattest, wenn du nicht konsequent in der Bibel gelesen oder gebetet hast, als wenn du angefangen hast, in „Gottes Dinge" zu investieren?

Vielleicht hast du versucht, die verbleibende Sünde mit ein paar frommen Regeln in Schach zu halten, aber genau das Gegenteil passiert. Die Sünde wird noch viel aktiver! Das scheint seltsam, ist aber völlig normal, wenn du das Gesetz verstehst und weißt, wie es mit deinem Körper zusammenhängt.

Warum das Gesetz?

Das Gesetz wurde der Menschheit nie als Lebensregel gegeben. Eigentlich wurde es der Menschheit gar nicht gegeben. Es wurde Israel gegeben und deshalb werden die Menschen in Römer 1 und 2 auch nicht nach dem Gesetz gerichtet, sondern aufgrund ihres Gewissen.

Das Gesetz hatte einen ganz bestimmten Zweck. Es sollte den Menschen geistliche Prinzipien verdeutlichen. Es kam aus der oberen Sphäre, aber es war für das Leben in der unteren Sphäre bestimmt. Das Gesetz spricht also den *natürlichen* Menschen an. Du brauchst den Heiligen Geist nicht, um das Gesetz zu verstehen. Das abgetrennte Fleisch versteht sehr genau: „Du sollst nicht stehlen." Es spricht zu seinem Gewissen. Das Gewissen ist ein Zeugnis für Gottes Gedanken in einem Menschen. (Römer 2,15) Es ist der beste Freund des Gesetzes in einem Ungläubigen, denn es bezeugt dem nicht wiedergeborenen Menschen, dass seine Handlungen böse sind und dass das Gesetz gerecht ist, wenn es sie verurteilt.

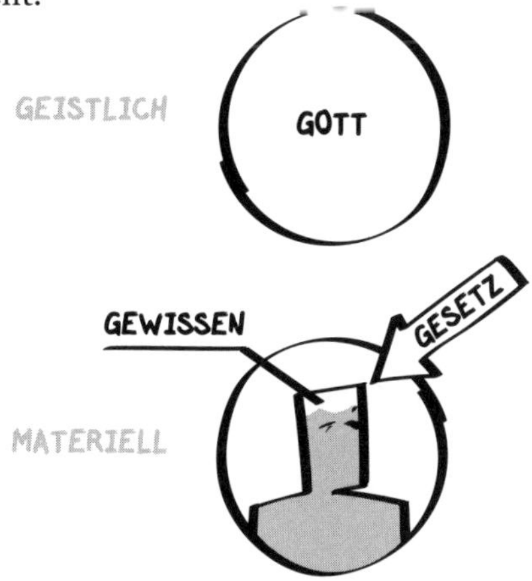

Das Gesetz repräsentiert also etwas von der oberen Sphäre, aber niemals ihre Gesamtheit. Das konnte nur Christus. In Johannes 1,17-18 heißt es: *„Denn das Gesetz wurde durch Mose gegeben; die Gnade und die Wahrheit ist durch Jesus Christus geworden. Niemand hat Gott jemals gesehen; der einziggeborene Sohn, der in des Vaters Schoß ist, der hat ihn bekannt gemacht."* Das Gesetz zeigte also nur eine Seite dessen, wer Gott ist, mit dem Ziel, dem Menschen bewusst zu machen, wer er ist: ein verunreinigtes, abgetrenntes und funktionsgestörtes Wesen.

Das ist sehr hart! Der Zweck des Gesetzes war nie, den Menschen mit Gott in Einklang zu bringen. Vielmehr zeigt es Gottes Gerechtigkeit und die Ungerechtigkeit des Menschen auf. Es wirkt wie ein Spiegel, der dir deine Unreinheit zeigt, dich aber nicht reinigt. Und es geht sogar noch weiter:

Das Gesetz verurteilt nicht nur, es tötet!

Das Gesetz wird in 2. Korinther 3,6 als der Buchstabe, der tötet, der Dienst des Todes und der Dienst der Verdammnis bezeichnet. Das ist die Aufgabe des Gesetzes. Ist das grausam? Ja und nein. Ja, weil es uns in den Tod führt; nein, weil wir gesehen haben, dass der Tod die Lösung ist.

Das Gesetz ist also nicht die Lösung, *führt* mich aber zur Lösung: Christus. (Galater 3,23-24) Wenn ich erst bei Christus bin, brauche ich das Gesetz nicht mehr. (Galater 3,25) Das Gesetz hilft mir – wenn ich aus der oberen Sphäre komme –, meine wahre Identität in der oberen Sphäre zu finden. Es funktioniert wie ein Lehrer, der seinen Schüler (Galater 3,19) an die Schwelle eines Hauses führt und sagt: „Lebe wohl. Jetzt übernimmt dein neuer Lehrer, der Heilige Geist." (Römer 8,15)

Dieser Schritt des Zurücklassens ist so wichtig.

Du kannst nicht durch den Heiligen Geist leben, ohne das *Gesetz hinter dir zu lassen.*

Denn beide wirken in völlig unterschiedlichen Bereichen. Ich möchte das anhand der Geschichte vom verlorenen Sohn in Lukas 15 veranschaulichen. Die Rede ist oft von „dem verlorenen Sohn", aber eigentlich waren es zwei. Es gab einen älteren Bruder, der ebenfalls verloren war, aber seine Sünde war weniger offensichtlich. Er hatte sich keine groben Eskapaden geleistet wie sein Bruder, der sich betrank und mit Prostituierten schlief, aber er war ein Sklave des Gesetzes. Er benutzte das Gesetz zur Selbsthilfe. So wie vielen Christen die Bibel und das Evangelium zur Selbstverbesserung dienen. Da stand also dieser selbstgerechte Sohn draußen vor dem Haus und machte seinem Unmut Luft. Er hatte nach dem Gesetz alles richtig gemacht. (Lukas 15,29) Aber er würde ganz bestimmt nicht mit dem Vater und seinem Bruder feiern, der „tot war und lebendig wurde" (Rotes Meer). In seinem Herzen saß der Pharao noch immer auf dem Thron. Er wollte nicht durch „das Rote Meer“ gehen und damit bekennen, dass er Befreiung brauchte! Deshalb ging er nicht mit in das Haus des Vaters. Er war nicht in der Lage, in die Intimität mit seinem Vater einzutreten, denn Gott offenbart seine Gedanken nicht in der unteren Sphäre. Er öffnet seine Gedanken nicht den Menschen, die sich für perfekt *halten,* sondern denen, die es *sind!* Und diejenigen, die vollkommen sind, haben den Heiligen Geist, der die Liebe zu Gott in ihre Herzen ausgießt. (Römer 5,5) Und durch diese Liebe – nicht durch das Gesetz – sehen wir Gott. *„Was kein Auge gesehen und kein Ohr gehört hat und in keines Menschen Herz gekommen ist, was Gott denen bereitet hat,* ***die ihn lieben.“*** (1. Korinther 2,9)

Jetzt denkst du vielleicht: „Gibt es nicht auch im Neuen Testament Gebote?“ Das schon, aber es gibt einen Unterschied zwischen dem Gesetz Moses und den Geboten Christi.

1. Das Gesetz ist nicht nur ein Gebot. Das Gesetz ist ein Gebot, *das mit einer Strafe verbunden ist.* Das „Richtige“ aus dem Alten Testament ist auch im Neuen Testament „richtig“ und das „Falsche“ bleibt „falsch“, weil es den Charakter Gottes widerspiegelt. Aber Gesetz und Gebote funktionieren unterschiedlich. Wenn du das Gesetz brichst, ist der Lohn dafür der Tod. (Römer 6,23) Wenn du eines der Gebote Christi brichst, stirbst du nicht, denn ein Christ kann nicht sterben. Du kannst nur in der unteren Sphäre sterben, du bist aber in der oberen Sphäre.
2. Das Gesetz gibt dir keine Kraft, es zu halten. Das Gebot Christi dagegen steht immer in Verbindung mit Christus, der es tatsächlich in dir wirken lässt und dir die Kraft geben wird.

Das Gesetz war ein Mittel auf dem Weg zum ewigen Leben, aber die Gebote werden in der Kraft des ewigen Lebens ausgeübt. Das Gesetz wirkt, um zu werden; die Gebote wirken, weil du bist.

Wenn du beides vermischst, ist es so, als würdest du neuen Wein in alte Schläuche füllen (Matthäus 9,17) oder heißes und kaltes Wasser zusammenbringen: es wird lauwarm. Das Gesetz wird seines Schreckens und seiner Urteilskraft beraubt, während die Gnade ihre Freiheit und Freude verliert. Die beiden sind aus zwei verschiedenen Sphären, also verwechsle sie nicht, sonst endest du wie die Galater.

Galaterismus

Zuerst muss ich erklären, was ich mit Galaterismus meine. Wenn wir über Gesetz und Gnade reden, sprechen wir über zwei Wege, um vor Gott annehmbar zu werden. Das Gesetz besagt, dass man sich hocharbeiten muss, um vor Gott annehmbar zu sein (untere Sphäre), während die Gnade den Menschen in einen vollkommenen Zustand der totalen Annahme in Jesus Christus versetzt (obere Sphäre). Der Galaterismus vermischt diese beiden Sphären, indem er sagt, dass Gottes Gnade es den Menschen ermöglicht hat, für ihre Annahme zu arbeiten.

Siehst du, wie falsch das ist?

„Gott liebt uns bedingungslos, *wenn* wir alle Regeln einhalten." Jetzt wirst du vielleicht denken: „Ach, das ist ein Problem der Vergangenheit oder vielleicht das Problem einiger konservativer Gemeinden mit vielen Regeln." Weit gefehlt!

Lass mich dir das Beispiel von Jessica geben. Sie geht in diese neue hippe Kirche, in der sich das ganze „Who is Who" tummelt. Das Motto lautet: „Gottes erstaunliche Liebe ausstrahlen". Jedes Mal, wenn sie in die Kirche geht, hört sie erstaunliche Botschaften und triumphierende Lieder. „Du und Jesus könnt alles besiegen!" Und das glaubt sie wirklich.

Das Problem ist, dass sie völlig deprimiert ist, wenn sie nach Hause kommt, weil es da nicht funktioniert.

Bei all den strahlenden Menschen in der Kirche scheint es zu funktionieren, nur bei ihr nicht. Sie erlebt Hochs, aber sehr oft auch Niederlagen. Außerdem ist ihr Mann sehr krank und hat aufgehört zu arbeiten. Sie hat so sehr um Heilung gebetet und sogar Bücher über den Heiligen Geist gelesen. Sie hatte große Hoffnung, dass die letzte Heilungskonferenz, die sie besucht haben, Befreiung und *endlich* den Durchbruch bringen würde. Eine Zeit lang lief es auch gut und ihrem Mann ging es danach etwas besser, aber jetzt haben sie wieder einen neuen Tiefpunkt erreicht.

Ihr Pastor sagte ihr, dass die Dinge mit ihr und Gott vielleicht nicht in Ordnung seien.

Das ist Galaterismus. Wir glauben, dass wir erlöst sind, aber wir versuchen, unsere Heiligung zu erarbeiten, um unsere Annahme durch Gott zu beweisen. Das ist so, als ob man ein „kostenloses" Smartphone mit einem kostspieligen monatlichen Vertrag bekommt. Auf evangelistischen Veranstaltungen wird diesen Menschen versprochen, dass sie von Gott geliebt und angenommen werden, aber sobald sie in der Kirche sind, werden sie aufgefordert, etwas zu leisten und sich anzupassen, um angenommen zu werden. Sei es für den ersten oder zweiten Schritt, für die Rechtfertigung oder die Heiligung: Es geht entweder um Gnade oder Werke, Gesetz oder Liebe. Es ist ein Entweder-oder. *„Wenn aber durch Gnade, so nicht mehr aus Werken; sonst ist die Gnade nicht mehr Gnade."* (Römer 11,6)

Warum ist das Gesetz so gefährlich?

Als ich jung war, dachte ich, dass Menschen, die nur ein bisschen strenger sind (mit ein paar Gesetzen) oder ein bisschen liberaler sind (die Freiheit ausnutzen, um in den Menschen Bedürfnisse zu wecken), nicht der Rede wert sind. Aber dann begann ich Gottes Gnade und das menschliche Wesen besser zu verstehen. Ich stellte fest: Zum Gesetz zurückzukehren, ist ein geistliches Selbstmordkommando. Es ist schlichtweg gefährlich.

Warum?

Weil Dinge, die an sich gut sind, in der falschen Anwendung tödlich sind. Zum Beispiel Feuer. Ein Lagerfeuer an einem See ist toll, aber ein Feuer in einem Gasbehälter ist tödlich.

Worin liegt der Unterschied?

Die Sphäre, in der es sich befindet. Feuer ist nicht dafür gedacht, unmittelbar in der Nähe von Gasen angezündet zu werden. Desgleichen soll auch das Gesetz nicht auf Christen angewendet werden. „*... dass für einen Gerechten das Gesetz nicht bestimmt ist.*" (1. Timotheus 1,9) Es wurde nicht für Menschen in der oberen Sphäre gemacht. Wenn Christen es also anwenden, wird es eine ähnlich verheerende Wirkung haben wie Feuer in einem Gasbehälter.

Und zwar aus den folgenden Gründen:

1. **Das Halten von Gesetzen nimmt das Problem in den Fokus.**

Das Gesetz wirkt wie ein Spiegel. Wenn du also das Gesetz auf dich anwendest, starrst du in den Spiegel. Dadurch konzentrierst du dich auf das Problem, und je mehr du das tust, desto größer wird es. Wir wissen aber, dass das Gesetz das Problem nicht lösen kann. Deshalb werden Christen, die unter dem Gesetz leben, immer mit Angst, Schuldgefühlen, Frustration und Verurteilung zu kämpfen haben. Sie werden entweder zu Heuchlern oder zu Rebellen.

Wieso?

„Heuchler" bedeutet auf Griechisch „Schauspieler". Menschen, die unter dem Gesetz stehen, tun so, als wären sie gottesfürchtig, sind es aber nicht. Sie tanzen, als ob sie die Musik hören würden, ahmen in Wirklichkeit aber nur den Dirigenten nach.

Auf der anderen Seite wird die Gesetzestreue Rebellen hervorbringen, weil das Gesetz ein Bild von einem „strengen" Gott erzeugt, der aber gar nicht existiert. Gott ist Liebe. Kein Christ würde gegen einen Gott rebellieren, der sich selbst gab und voller

Liebe und Gnade ist. Niemand würde sich gegen jemanden auflehnen, der wirklich annimmt und liebevoll ist.

Aber Menschen *werden* sich von einer Kirche (und damit von Gott) abwenden, weil sie sich den oft selbst auferlegten menschlichen Standards einer Institution nicht anpassen können. Es ist ein ungeschriebenes Gesetz: Sprich mit Dekonstrukteuren und du wirst die verheerende Wirkung sehen!

Viele Kirchen sagen: „Wir akzeptieren dich, wenn du so aussiehst, so gehst, so redest und dich so verhältst wie wir", und die Implikation ist immer: „Und Gott wird das auch tun."

Nein! Das Joch Christi ist leicht und seine Last ist leicht. (Matthäus 11,28-30) Das neue Leben in der oberen Sphäre ist kein Krampf. Das ist genau das, was die Apostel in Apostelgeschichte 15 meinten. *„Nun denn, was versucht ihr Gott, ein Joch auf den Hals der Jünger zu legen, das weder unsere Väter noch wir zu tragen vermochten?"* (Apostelgeschichte 15,10)

Sie wussten: Gesetzlichkeit ist für Christen selbst auferlegte Sklaverei.

Es hat im Leben eines Christen keinen Platz mehr. (Römer 8,15)

Du kannst nicht gleichzeitig in der unteren Sphäre (Gesetz) und in der oberen Sphäre (Gnade) sein.

„Vielmehr glauben wir, durch die Gnade des Herrn Jesus gerettet zu werden." (Apostelgeschichte 15,11)

2. Gesetzlichkeit verleitet zur Sünde.

Das Gesetz ist wie ein Eindringling, der auf einen Ameisenhaufen trifft. Solange es keinen Eindringling gibt, ist alles ruhig. Aber in dem Moment, in dem man einen Fremdkörper in einen Ameisenhaufen steckt, drehen diese Tierchen durch. Sobald das Gesetz von einem Menschen als Lebensregel akzeptiert wird, *erwacht die Sünde.* Paulus sagt in Römer 7,9: *„Ich aber lebte einst ohne Gesetz; als aber das Gebot kam, lebte die Sünde auf."* Als

Mensch war Paulus immer Teil der unteren Sphäre. Er befand sich also von Geburt an im Bereich des Gesetzes, genau wie der Herr Jesus. (Galater 4,4) Aber solange Paulus ein Kind war, war er sich der einzelnen Gebote nicht bewusst. Er war lebendig, aber er war sich des Gesetzes nicht bewusst. Sobald er jedoch bewusst mit dem Gebot in Berührung kam, wurde die Sünde lebendig und drängte ihn, das Gesetz zu übertreten. (Römer 7,8) Als seine Eltern eine Grenze zogen, stachelte ihn die Sünde dazu an, die Grenze zu überschreiten, weil es eine Grenze gab.

Das Problem ist nicht das Gesetz, sondern die Sünde, die in der unteren Sphäre das Sagen hat. Das Gesetz ist ein geistiger Eindringling und deshalb ist der König (die Sünde) aktiv, um es zu missbrauchen. Die Sünde hebt das Gesetz nicht nur auf, sondern verkehrt das, was zum Leben gegeben wurde, ins Gegenteil um. So, als würde jemand ein Küchenmesser nehmen und damit Menschen attackieren. Ein Messer ist etwas Gutes, aber in der Hand eines Mörders wird es zu einer tödlichen Waffe. So ist es auch mit dem Gesetz in den Händen der Sünde. *„Die Kraft der Sünde aber ist das Gesetz."* (1. Korinther 15,56)

Wenn wir also auf das Gesetz zurückgreifen, ist das so, als würden wir dem Mörder das Messer zurückgeben. Wir geben ihm nicht nur seine stärkste Waffe, sondern ermutigen ihn auch, sie zu benutzen. So tödlich ist der Versuch, das Gesetz zu halten. Sehr oft passiert das den aufrichtigsten Christen, die Gott sehr ernst nehmen und ihm genau folgen wollen. Das Gesetz macht sie völlig kaputt. Der Versuch, das Gesetz zu halten, bringt genau das hervor, was sie zu verhindern versuchen: Sünde. Und diese Erfahrung werden sie immer wieder machen: *„Das Gebot, das zum Leben gegeben, gerade das erwies sich mir zum Tod."* (Römer 7,10)

Geh nicht zum Gesetz zurück.

3. **Christus und Gesetzlichkeit sind unvereinbar.**

Entweder ist Christus das Ende des Gesetzes oder das Gesetz ist das Ende von Christus. (Römer 10,4)

Paulus ist in diesem Punkt absolut klar: *„Siehe, ich, Paulus, sage euch, dass Christus euch nichts nützen wird, wenn ihr euch beschneiden lasst."* (Galater 5,2) Du kannst nicht in zwei Sphären gleichzeitig sein. Entweder lebst du unter Christus oder unter Adam. Entweder unter der Gnade oder unter dem Gesetz. Es gibt keinen Mittelweg. Wenn du anfängst, das Gesetz zu benutzen, um Leben zu bekommen, lehnst du das Leben ab, das dir durch den Tod Christi aus Gnade geschenkt wurde.

Es ist eine Frage von Leben und Tod. Und die Gesetzestreue schleicht sich oft durch die Hintertür ein. Selbst Petrus war nicht frei davon und Paulus reagierte heftig darauf. Lass mich dir eine Illustration geben. Manche benutzen Galater 5,9: Ein wenig Sauerteig durchsäuert den ganzen Teig – für alles, was sie in den ersten zehn Jahren ihres Lebens nicht kennengelernt haben. Das ist die „Wenn es neu ist, ist es böse"-Mentalität. Also stellen sie ihre eigenen Regeln auf, die nicht von der Heiligen Schrift gestützt werden. Diese Art des Denkens ist in Wirklichkeit „Sauerteig"! Das ist genau das, wogegen Paulus kämpfte: anderen außerbiblische Regeln aufzuerlegen und die Gemeinde zur Konformität zu zwingen. Das Ergebnis wird Streit, Konkurrenz, Heuchelei und Rebellion sein, denn das Gesetz wird von der Sünde benutzt, um genau das hervorzubringen: Sünde.

Halte die Herde nicht „mit einem kleinen bisschen Gesetz" zusammen.

Lasst uns „in Christus" bleiben.

Das Gesetz ist also *nicht* das richtige Werkzeug, um das Problem zu lösen, perfekt zu sein und trotzdem unvollkommene Dinge zu tun. Es ist nur ein Sündendetektor und kann auf diese Weise sehr hilfreich sein. Aber – und das ist noch schlimmer – es ist auch ein Sündenanreiz.

Jetzt möchte ich dir allerdings zeigen, wie der Heilige Geist die Sünde durch das Gesetz austrickst, um dein Problem der unvollkommenen Vollkommenheit zu lösen. Und am Ende verspreche ich dir, dass du mithilfe des Heiligen Geistes eine wunderbare Sache entdecken und erkennen wirst: dass du von Gott zutiefst geliebt bist.

Sünde – nicht SELBST

Damit du diesen Teil wirklich richtig nachvollziehen kannst, nehme ich dich mit in ein fiktives Gespräch. Ein Gespräch, das ich so oder so ähnlich schon sehr oft geführt habe. Es geht um einen altbekannten Freund, der ein Problem hat, das dir bekannt vorkommen wird. Sein Name ist Tobi.

Tobi betrat das Büro seines Jugendpastors Daniel, der ihm sofort ansah, dass er nicht glücklich war.

„Gott hasst mich!“, platzte es aus ihm heraus.

„Was ist passiert?“, fragte er verwundert.

„Ich kann nicht aufhören zu sündigen! Ich weiß, dass Jesus mich gerettet hat; ich weiß, dass ich immer Buße tun kann; ich weiß, ich weiß ... aber ich versage immer wieder. Ich hasse dieses Leben!“

Daniel machte Kaffee, nahm ein Blatt Papier, schnappte sich seinen Stift und seine Bibel.

Nach einem kurzen Gebet begannen sie zu reden:

Daniel: Okay Tobi, erzähl mir: Was ist los?

Tobi: Also, die Sache ist die: Ich möchte Gott wirklich dienen. Morgens bete ich: „Herr, bitte hilf mir, dir heute zu folgen.“ Dann gehe ich durch die Stadt und sehe eine schöne Frau ... und schon fangen die Gedanken an zu kreisen. Ich möchte wirklich dagegen ankämpfen. Ein Teil von mir will aufhören und ein Teil will weitermachen. Aber am Ende verliere ich den Kampf jedes Mal. Ich denke, ich habe wohl den Heiligen Geist nicht in mir, denn der Heilige Geist sollte doch stärker sein, oder? Warum hält er die Sünde nicht zurück? Ich bete jeden Morgen und lese in der Bibel, aber manchmal kommen mir selbst dabei diese lästigen Gedanken!

Daniel: Weißt du, Tobi, dass es eine Bibelstelle gibt, die über solche Situationen spricht?

Tobi: Ja, ich weiß. Römer 7, wo Paulus über die neue und alte Natur eines Gläubigen spricht.

Daniel: Wo findest du die alte und neue Natur in Römer 7?

Tobi: Steht das da nicht? Warte mal …

Er holt seine Bibel heraus und sucht nach dem Vers.

Tobi: Ah, Entschuldigung, es war Römer 6,6: *„Wir wissen, dass unser alter Mensch mit ihm gekreuzigt ist …“*

Daniel: Warte, hast du nicht vorhin von der alten „Natur“ gesprochen?

Tobi: Ist das nicht das Gleiche?

Daniel: Nein, der „alte Mensch“ ist ein Ausdruck, der im Neuen Testament verwendet wird, um den alten Zustand des Menschen zu beschreiben. Deinen alten Menschen. Lass mich dir das in einer Zeichnung zeigen:

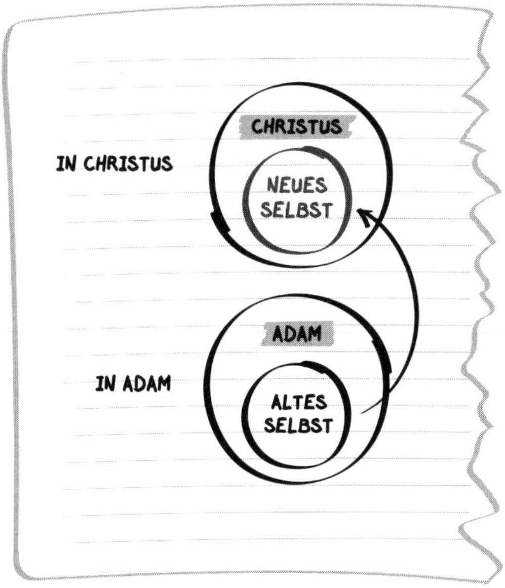

„In Adam“ zu sein bedeutet, ein leiblicher Nachkomme Adams zu sein. Durch den Glauben an den Herrn Jesus identifiziert Gott den Gläubigen mit dem Tod und der Auferstehung Christi und er wechselt die Sphäre. Von „in Adam“ zu „in Christus“.

Tobi: Das ist interessant, aber was bedeutet das praktisch für mich?

Daniel: Guter Punkt. Lass mich dir das in einer anderen Zeichnung zeigen. „In Adam“ zu sein bedeutet, ein Nachkomme Adams zu sein und ihm geistig und körperlich ähnlich zu sein.

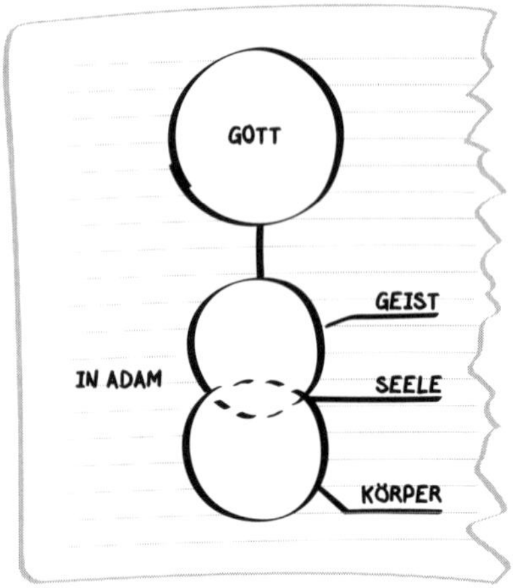

Tobi: Warte, der alte Mensch war also ursprünglich etwas Gutes?

Daniel: Ja, ganz sicher. Sonst würde in Epheser 4,22 nicht stehen, dass er *„sich zugrunde gerichtet“* hat. Man kann nur etwas zugrunde richten, was vorher nicht zugrunde gerichtet war.

Tobi: Ja, das ist klar.

Daniel: Stell dir ein Flugzeug vor, das völlig intakt und gut ist. Der Pilot, der für das Fliegen verantwortlich ist, bist du. Das Flugzeug bist auch du, aber einschließlich deines ganzen Körpers. Der Kontrollturm ist Gott. Der Himmel ist die geistliche Sphäre, die Erde die materielle.

Tobi: Okay, verstanden.

Daniel: Der Kontrollturm steht in bester Beziehung zu dem

Flugzeug. Stell dir vor, das Flugzeug koppelt sich jetzt aber vom Tower ab, und statt die Landebahn zu nehmen und zu fliegen, verlässt es den Flughafen und fährt in die Stadt. Genau das tat Adam. Adam trennte sich bewusst von Gott und wurde verunreinigt.

Tobi: Wow, ein Flugzeug auf der Straße, nicht gerade ein Happy End.

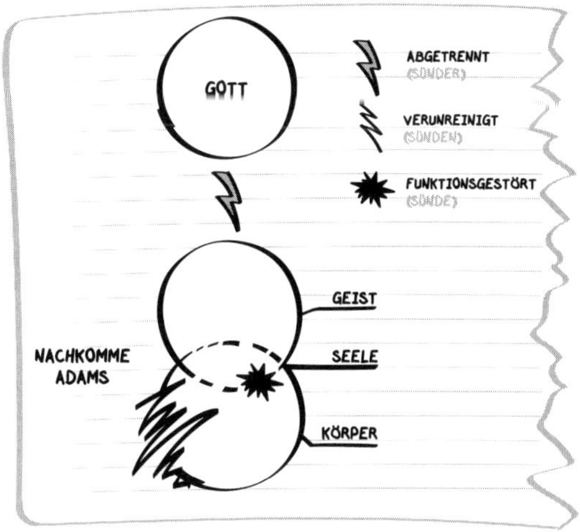

Daniel: Genau, wir alle haben eine Menge Schaden angerichtet. Die Bibel nennt das „Sünde“ oder „Befleckung“. Aber durch den Glauben schenkt Gott uns Zugang zur Rechtfertigung aus Gnade durch die Erlösung, die in Christus Jesus ist. Jesus hat unsere Befleckung weggewaschen.

Tobi: Er hat also für den Schaden bezahlt, den das Flugzeug angerichtet hat. Aber was ist mit der unterbrochenen Verbindung? Bedeutet sie, dass nicht erneuerte Menschen keinen Geist mehr haben?

Daniel: Nein, der Mensch besteht aus Geist und Körper und *ist* eine lebendige Seele. Wenn der Geist den Körper verlässt, ist der Körper tot. (Jakobus 2,26) Nach dem Sündenfall hatten die Menschen also einen Geist, aber der Geist war im Hinblick auf Gott tot, defekt. (Epheser 2,1)

Die Seele, das Leben des Menschen, ist wie ein Zwischenzustand zwischen Geist und Körper. So etwas findest du an vielen Stellen. Nimm zum Beispiel Fleisch und Blut. Die Seele ist im Blut. (3. Mose 17,11) Sie ist körperlich, aber von außen nicht sichtbar. Sie ist im Inneren, aber immer noch materiell. Blut ist materiell und gibt doch immaterielles Leben.

Tobi: Wow, das ist interessant. Gibt es noch mehr Beispiele dafür?

Daniel: Ja sicher. Du hast den Himmel als Verbindung zwischen der Erde (festes Material) und dem Himmel (immateriell). Der Himmel ist nicht fest, aber er ist auch nicht immateriell. Oder das Heiligtum. Es verbindet den Vorhof mit dem Allerheiligsten. Die Tiere sind das „Dazwischen" zwischen Pflanzen und Menschen. Seelische (natürliche) Menschen werden daher als Tiere bezeichnet. (Psalm 22,14; Psalm 49,12; 2 Petrus 2,12)[19]

Tobi: Es ist verrückt, wie alles in Gottes Wort und unserer Welt zusammenhängt.

Daniel: Ja, das ist genial! Aber um unseren Gedankengang fortzusetzen: Die Seele ist der immaterielle Teil unserer *physischen* Existenz. Wir betrachten die Seele als *natürliche Menschen* immer als unser Bewusstsein, als unser „Ich", als unser Ego. Ohne die Verbindung zu Gott hat der Mensch immer noch biologisches Leben, aber kein Lebenszeichen, was den geistlichen Bereich angeht.

Tobi: So wie das Flugzeug noch ein Cockpit hat, aber keine Verbindung mehr zum Tower.

Daniel: Ganz genau! Die Bibel nennt einen solchen Menschen einen seelischen oder natürlichen Menschen. In 1. Korinther 2,14 heißt es: *„Ein natürlicher Mensch aber nimmt nicht an, was des Geistes Gottes ist, denn es ist ihm eine Torheit, und er kann es nicht erkennen, weil es geistlich beurteilt wird."* Der natürliche Mensch isst, trinkt, denkt und arbeitet, ohne Gott einzubeziehen.

Tobi: Okay, das ist unser Zustand „unter Adam". Ist dieser „alte Mensch" das, was mich als Christ sündigen lässt?

Daniel: Nein, dieser alte Mensch wurde vor 2.000 Jahren gekreuzigt. Als Jesus gekreuzigt wurde, hingst du, Tobi, direkt neben ihm. Und als er begraben wurde, wurdest du mit ihm begraben. Und als er auferstanden ist, bist du mit ihm auferstanden. Du hast die Sphäre „unter Adam" verlassen und bist in eine neue Sphäre „unter Christus" eingetreten. So wie du auf *natürliche* Weise in die Sphäre Adams hineingeboren wurdest, wirst du auf übernatürliche Weise, durch den Geist, in die Sphäre Christi hineingeboren. (Römer 5,5)

Tobi: Das alles ist passiert, als ich getauft wurde, richtig?

Daniel: Nein, noch einmal, es geschah um 29–33 n. Chr., als Jesus gekreuzigt wurde und du mit ihm. Aber du bezeugst das *heute* durch die Taufe. Mit der Taufe lässt du es nicht geschehen, sondern du sagst: „Hey, es ist passiert!"

Tobi: Okay, meine Sünden sind also vergeben (Befleckung) und ich bin kein Sünder (Trennung), sondern ein Heiliger. Aber Daniel, ich habe vor ein paar Stunden nicht wie ein Heiliger gelebt! Das ist mein Problem. Meine alte Natur gewinnt immer.

Daniel: Wo findest du in der Bibel, dass du als Gläubiger eine alte Natur hast?

Tobi: Warte, in Epheser 2,3 steht: *„Wir waren von Natur Kinder des Zorns."* Das ist die alte Natur, oder?

Daniel: Hm, du glaubst also, dass du zu 50 % eine alte Natur und zu 50 % eine neue Natur hast?

Tobi: Ist das denn nicht so?

Daniel: Dann lass mich dir eine Frage stellen. Wenn laut Epheser 2,3 deine alte Natur Gottes Zorn auf sich gezogen hat, heißt das dann, dass du immer noch zu 50 % unter Gottes Zorn stehst? Erinnerst du dich an das Erste, was du gesagt hast, als du in mein Büro kamst? „Gott hasst mich!" Tobi, die Bibel sagt: *„Also gibt es jetzt keine Verdammnis für die, die in Christus Jesus sind"* (Römer 8,1), also für die, die in der oberen Sphäre sind. „Keine Verdammnis" bedeutet absolut nichts. Nicht einmal 0,0001 %!

Tobi: Was ist dann mit meiner alten Natur passiert?

Daniel: Ich würde dir raten, den Ausdruck „alte Natur“ nicht zu verwenden. Er steht nicht in der Bibel ...

Tobi: Auch das Wort „Dreieinigkeit“ finden wir nicht in der Bibel ...

Daniel: Ja, aber die Dreieinigkeit ist sehr klar definiert, während das bei der „alten Natur“ nicht der Fall ist. Manche verwenden den Begriff, um die Sünde zu beschreiben, andere, um das Fleisch zu beschreiben. Außerdem gibt es immer wieder Verwechslungen mit dem biblischen Begriff „alter Mensch“. Der problematischste Punkt ist jedoch, dass die alte und die neue Natur semantisch ähnlich sind. Das verleitet zu der Vorstellung, dass du als Christ zwei Dinge bist: etwas Gutes und etwas Schlechtes. Dass du eine gute und eine schlechte Natur hast. Das führt zu geistlicher Schizophrenie.

Tobi: Aber ist das nicht genau das, was in Römer 7 beschrieben wird? Paulus will das Gute tun, aber auch das Böse?

Daniel: Nein, ganz und gar nicht. Eigentlich ist genau das Gegenteil der Fall.

Tobi: Das musst du mir erklären.

Daniel: Okay, lass es uns Schritt für Schritt durchgehen.

Römer 7,13-25

Bevor es jetzt bei Daniel und Tobi richtig zur Sache geht, möchte ich dich bitten, deine Bibel mit aufzuschlagen, damit du ganz genau nachvollziehen kannst, worum es geht.

Daniel: Lass uns den Absatz lesen.

Tobi: *„Denn wir wissen, dass das Gesetz ...“*

Daniel: Warte, warum fängst du mit Vers 14 an?

Tobi: Das ist der Anfang des Absatzes ...

Daniel: Mhm, aber du weißt schon, dass die Absätze nicht inspiriert sind, oder? Sie wurden in den meisten westlichen Bibelausgaben erst im 13. Jahrhundert schrittweise eingeführt ... Aber zurück zum Text: Das Argument beginnt in Vers 13 – aus zwei Gründen:

Erstens benutzt Paulus immer Fragen als Einleitung für sein folgendes Argument. Die Frage, die dem Absatz vorausgeht, steht in Vers 13.

Zweitens deutet das „Denn“ in Vers 14 darauf hin, dass wir bereits mitten in der Argumentation sind. Das kann also nicht der Anfang sein.

Tobi: Okay, dann also ab Vers 13: *„Ist nun das Gute mir zum Tod geworden? Auf keinen Fall! Sondern die Sünde, damit sie als Sünde erschien, indem sie durch das Gute mir den Tod bewirkte, damit die Sünde überaus sündig wurde durch das Gebot.“*

Daniel: Paulus sagt in Vers 13, dass die Sünde durch das Gesetz angestachelt wird. Sobald ein Gebot da ist, will die Sünde es übertreten, denn Sünde ist Übertretung. Aber Paulus sagt: Diese Tatsache, dass die Sünde übertritt, wird für uns von Vorteil sein. Sie wird nicht unseren *„Tod bewirken“*.

Tobi: Warum soll die Aufstachelung zur Sünde etwas Nützliches sein?!

Daniel: Stell dir vor, du stehst vor einem Ameisenhaufen, aber aus irgendeinem Grund sind die Ameisen alle drinnen. Jetzt fragst du dich vielleicht: Wie kommt dieser Ameisenhaufen zustande? Du weißt es nicht. Du rufst, aber nichts passiert. Dann kommst du auf eine Idee. Du legst einen Fremdkörper, zum Beispiel ein Stück Plastik, auf den Ameisenhaufen. Plötzlich kommen sie aus ihren Löchern und kämpfen gegen den Fremdkörper. Jetzt weißt du Bescheid: Ha, da sind die Ameisen, die Baumeister! Das Gesetz lässt die Sünde aus ihrer Höhle hervorkommen, so wie ein Fremdkörper die Ameisen hervorlockt. In diesem Absatz *„erschien“* die Sünde durch die Einführung des Gesetzes als Sünde und wurde *„überaus sündig“*. Das Gesetz machte sie offensichtlich.

Tobi: Ja, das eröffnet eine ganz andere Perspektive auf den Absatz. Soll ich weiterlesen?

Daniel: Mach nur.

Tobi: Vers 14: *„Denn wir wissen, dass das Gesetz geistlich ist, ich aber bin fleischlich, unter die Sünde verkauft."*

Daniel: Wie würdest du diesen Vers normalerweise auslegen?

Tobi: Das Gesetz ist gut, aber ich bin schlecht und total sündig.

Daniel: Das ist bereits eine Auslegung. Halte dich genau an den Text. Er sagt nur, dass das Gesetz aus der geistlichen Sphäre kommt, während Paulus körperlich, fleischlich ist. Das Wort hier im Griechischen – σάρκινος – bedeutet „körperlich", „aus Fleisch". Und weil Paulus körperlich ist, kommt er aus der unteren Sphäre und befindet sich daher in dem Gebiet, in dem die Sünde herrscht.

Tobi: Paulus gibt also kein wertendes Urteil über das Gesetz und das Fleisch ab, sondern er stellt einfach die Fakten dar. Und wenn ich dich richtig verstehe, ist das Gesetz in der physischen Welt wie der Fremdkörper auf dem Ameisenhaufen.

Daniel: Genau.

Tobi: Dann lese ich mal weiter. Vers 15: *„denn was ich vollbringe, erkenne ich nicht;"*

Daniel: *„Ich erkenne nicht"* bedeutet: Ich verstehe mein eigenes Handeln nicht. Es ist ein Rätsel für Paulus. Aber denk daran, dass er hier lehrt. Er macht sich also selbst zu einem hypothetischen Fall. Er weiß sehr wohl, was er erklären möchte.

Tobi: Vers 15: *„denn nicht, was ich will, das tue ich, sondern* *was ich hasse, das übe ich aus.*" Das ist der Vers, den ich meinte: Hier können wir sehen, dass zwei Herzen in Paulus' Brust schlagen.

Daniel: Zwei Herzen hieße zwei Willen. Lies noch einmal und versuche, die zwei Willen zu finden.

Tobi: Oh, ich verstehe. Er will *einen* Willen. Nicht zwei. Es gibt nur einen Willen, der das Gute und nicht das Böse will.

Daniel: Ja, er *will* das eine, *tut* aber das andere. Es ist nicht Wille gegen Wille, sondern Wille gegen Handlung, und das hilft ihm, den nächsten Schritt in der Argumentation zu machen.

Tobi: Vers 16: *„Wenn ich aber das, was ich nicht will, ausübe, so stimme ich dem Gesetz bei, dass es gut ist."*

Daniel: Er erkennt, dass, wenn er die Dinge missbilligt, die das Gesetz missbilligt, sein Wille mit dem des Gesetzes übereinstimmt. Sein Wille und das Gesetz sind im Wesentlichen identisch. Sie stammen aus derselben Sphäre. Siehst du, worauf das hinausläuft? Schau dir das Bild an.

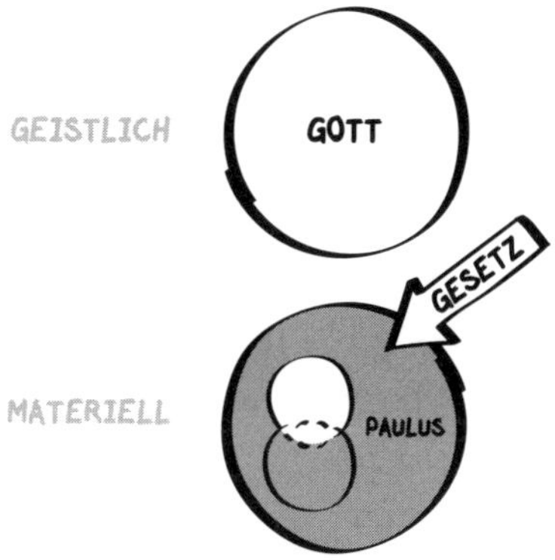

Tobi: Aber wer tut dann die schlechten Sachen?

Daniel: Lies den nächsten Vers.

Tobi: Vers 17: *„Nun aber vollbringe nicht mehr ich es, sondern die in mir wohnende Sünde."*

Daniel: Und? Wer verstößt gegen das Gesetz?

Tobi: Die Sünde! Oh, das sind die Ameisen, die herauskommen und das Plastik angreifen. Die Sünde kommt aus ihrem Loch heraus und übertritt das Gesetz. Die Sünde ist das Problem.

Daniel: Genau.

Tobi: Aber ich verstehe das nicht. Wenn ich etwas Falsches tue, bin immer noch „ich" derjenige, der es tut. Wenn ich ein Buch stehle, bin ich es, der es getan hat, nicht meine Hand ... Ich meine ... meine Hand ist ein Teil von mir, aber ... ich bin verwirrt.

Daniel: Du bist immer noch in Vers 15: *„Was ich vollbringe, erkenne ich nicht."* Es ist die Definition des Wortes „ich", die dich verwirrt. Das ist genau das, worauf Paulus gerade hinauswill.

Kommen wir noch mal auf das Beispiel mit dem Flugzeug zurück: Der Schaden ist behoben (die Sünden sind abgewaschen) und das Flugzeug ist kein „Monsterauto" mehr, sondern fliegt durch die Luft (Heiliger statt Sünder). Aber jetzt stellt sich die Frage: Warum stürzt das Flugzeug immer noch ab? Dazu müssen wir zwischen dem Flugzeug als Ganzes und dem Piloten im Cockpit unterscheiden. Das Flugzeug in Römer 7 ist dein Fleisch und der Pilot ist das, was Paulus „Ego" nennt.

Er führt in Römer 7 das griechische Wort für „Ich" ein: Ego. Normalerweise braucht man es im Griechischen nicht zu verwenden, aber wenn man es tut, bedeutet es, dass man die „Ich"-Identität betont. Im Deutschen würdest du so etwas über die Betonung ausdrücken, mit der du das „ich" aussprichst: „Das habe ich getan." Du willst damit sagen: „Es war wirklich ICH, der es getan hat! Niemand sonst."

Tobi: Ah ja. Ich habe gehört, dass Paulus zeigen will, dass die Person in Römer 7 immer von sich selbst spricht und dass die Befreiung dadurch kommt, dass man von sich selbst wegschaut.

Daniel: Nein, das sagt der Text nicht. Das ist menschliche Logik, die wir in den Text hineinlesen.

Tobi: Warum verwendet Paulus dann das Ego so intensiv?

Daniel: Er will zeigen, wo die Identität eines Christen wirklich liegt. Römer 7 und 8 sind eine Reise des Egos vom falschen zum richtigen Ort. Der Ort, an dem das Ego eines Gläubigen wirklich wohnt. Paulus nimmt sich selbst als Beispiel.

Tobi: Ich dachte, dass Paulus nicht von sich selbst spricht, denn die Rede ist von einem Mann, der einmal unabhängig vom Gesetz gelebt hat. In Römer 7,9-10 steht: *„Ich aber lebte einst ohne Gesetz; als aber das Gebot kam, lebte die Sünde auf; ich aber starb.“*

Daniel: Paulus sagt nicht: „Einst wurde ein Mensch außerhalb Israels geboren und stand somit nicht unter dem Gesetz.“ Er sagt: „Mein Ich lebte einst ohne Gesetz.“ Aus dem Vers davor sehen wir, dass er nicht meint, dass das Gesetz nicht existierte oder dass es keine Sünde gab. Er spricht von seinem Bewusstsein. Er meint: Es gab eine Zeit, in der das Ego, das Ich, sich des ganzen Systems des Gesetzes nicht bewusst war. Das Wort „Gesetz“ im Griechischen steht hier ohne Partizip und beschreibt das System des Gesetzes. Aber was es noch deutlicher macht, ist seine Beschreibung, wie das Bewusstsein erweckt wurde: Es heißt nicht: „als das Gesetz kam“. Nein, das Gesetz war schon da, als Paulus geboren wurde. Er schreibt: *„als das Gebot kam“*. Als Paulus' Ego sich bewusst wurde, dass es etwas gab, das er nicht tun durfte, wurde die Sünde aktiv.

Tobi: Ich hab's! Das Ego ist also Paulus' Ich-Bewusstsein. Zuerst schlummerte es noch – wahrscheinlich in der Kindheit – und dann wurde ihm bewusst, dass es Dinge gab, die er nicht tun durfte, und er begann, sie *erst recht* zu tun.

Daniel: Und deshalb starb sein Ego, wie wir in Vers 10 lesen können, als er sich bewusst wurde, dass er vom Leben getrennt ist, also tot. Vielleicht schauen wir uns doch mal an, was das Ego in Römer 7 macht.

Tobi: Gute Idee!

1. Das Ego ist das Ich-Bewusstsein. (Vers 9)
2. Das Ego ist in einem Menschen aus der unteren Sphäre tot (*„Ich starb“* – Vergangenheitsform). (Römer 7,10)
3. Das Ego ist zum Teil eine physische Existenz, auch in einem Gläubigen. (Römer 7,14)

4. Das Ego unterscheidet sich in seinem Wesen von der Sünde. (Römer 7,17)
5. Das Ego übt die Sünde nicht aus. (Römer 7,17)
6. Das Ego will nicht sündigen. (Römer 7,20)
7. Das Ego dient mit seinem Verstand dem Gesetz Gottes. (Römer 7,25)

Tobi: Ich fange an zu verstehen, was das Ego bedeutet. Es ist der Pilot im Flugzeug, oder?

Daniel: Genau.

Tobi: Warum stürzt das Flugzeug dann trotzdem ab?

Daniel: Was denkst du?

Tobi: Liegt es an dem Fleisch in mir?

Daniel: Warte mal. Was ist deine Definition von Fleisch?

Tobi: Das böse Prinzip in mir, das mich zur Sünde verleitet.

Daniel: Okay, das ist seltsam. Fleisch ist in der Bibel aber etwas Materielles und Gutes. Wie kommt es, dass es in Römer 7 plötzlich etwas *Immaterielles* und *Böses* wird?

Tobi: Mhm ...

Daniel: Die Bibel sagt in Vers 17 sehr klar, was dich sündigen lässt: *„Nun aber vollbringe nicht mehr ich [Ego] es, sondern die in mir wohnende Sünde."*

Tobi: Das Flugzeug stürzt also wegen der Sünde ab? Aber wie kann sich die Sünde vom Ego unterscheiden und trotzdem Teil meiner physischen Existenz sein? Sie wohnt in mir, aber sie ist *nicht „ich"*?

Daniel: Genau. Der Heilige Geist macht das im nächsten Satz sehr deutlich!

Tobi: Römer 7,18: *„Denn ich weiß, dass in mir,* ***das ist*** *in meinem Fleisch ..."*

Daniel: Halt hier an ... Siehst du die Worte *„das ist"*? Paulus hält inne, um zu erklären, was er mit *„in mir"* meint. Im Grunde sagt er damit: „Ich weiß, dass in mir ... Warte, wenn ich ‚in mir' sage, meine ich in meinem Fleisch, nicht in meinem Ego."

Tobi: Aber wie kann „ich“ nicht das Ego sein?

Daniel: Nehmen wir noch mal das Flugzeug. Das Flugzeug ist das Fleisch. Das Ego ist der Pilot und die Sünde der virusinfizierte Bordcomputer. Wenn Paulus „ich“ sagt, meint er das ganze Flugzeug mit dem Piloten, aber das Ego ist nur der Pilot. Wenn Paulus also sagt: „Es gibt ein riesiges Problem in mir … ähm, ich meine mein Fleisch“, macht er einen Unterschied zwischen dem Piloten und dem Flugzeug. Das wäre so, als würde ein Flugzeugpilot sagen: „Boeing 747 hier … ich habe ein riesiges Problem. Ich meine nicht mich, den Piloten, sondern es gibt ein Problem im Flugzeug.“

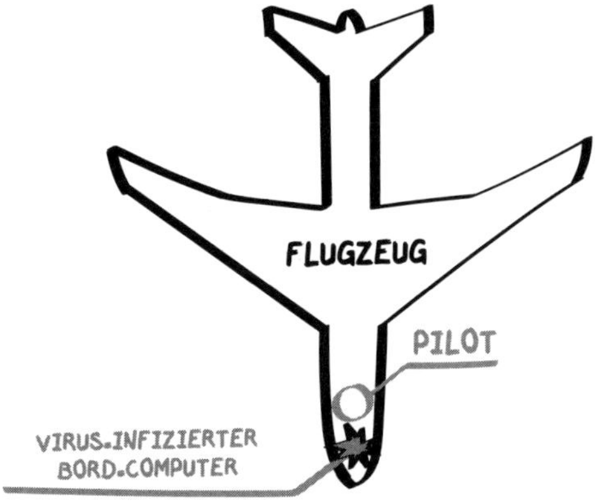

Tobi: Aha, also ist nicht der Pilot das Problem, sondern das Flugzeug! Nicht das Ego, sondern das Fleisch.

Daniel: Nicht einmal das Fleisch.

Tobi: Moment, ich dachte immer, der Vers *„in meinem Fleisch wohnt nichts Gutes“* bedeutet: „mein Fleisch ist völlig böse“.

Daniel: Das kann er nicht bedeuten, denn zwischen Fleisch und Sünde wird ganz klar differenziert. Die Sünde wohnt im Fleisch, also kann das Fleisch nicht die Sünde sein. Wenn dein Hund in deinem Haus wohnt, ist dein Hund nicht das Haus, richtig?

Tobi: Richtig.

Daniel: Also ist die Sünde nicht das Fleisch. Das Fleisch ist das Haus, in dem die Sünde wohnt. „Oikeo" bedeutet im Griechischen, dass man wie in einem Haus lebt.

Tobi: Okay, die Sünde wohnt also im Körper! Sie ist wie ein zweiter Pilot im Flugzeug?

Daniel: Nein. Denn das würde bedeuten, dass du zwei Piloten, zwei Egos, hast, was nicht der Fall ist. Wir haben gesehen, dass sich das Ego in seinem Wesen von der Sünde unterscheidet (Römer 7,17), nicht sündigen will (Römer 7,20) und die Sünde nicht ausübt (Römer 7,17). Die Sünde wird dem Ego in Römer 7 nicht als zweites Ich gegenübergestellt, sondern sie wird als ein funktionsstörendes *Prinzip* eingeführt. „Nomos" bedeutet Gesetz oder Prinzip. Die Sünde ist wie ein Virus im Bordcomputer. Stell dir einen Virus vor, der dich ständig falsch positioniert und deine Flügel auf Abwärtskurs bringt.

Tobi: Was ist der Unterschied zum Piloten? Am Ende stürzt man doch sowieso ab!

Daniel: Der Unterschied ist immens, Tobi, auch in Bezug auf dein persönliches Problem. Wenn das Flugzeug abstürzt, weil der infizierte Bordcomputer ihm die falsche Position angezeigt und die Tragflächen aktiv auf Abwärtskurs gebracht hat, hat der Pilot das Flugzeug dann aktiv zum Absturz gebracht?

Tobi: Nein, es war der Virus im Bordcomputer.

Daniel: Das ist es, was Paulus sagt: *„Nun aber vollbringe nicht mehr ich es, sondern die in mir wohnende Sünde."* Nicht ich, der Pilot, verursache den Absturz, sondern der Virus im Bordcomputer!

Tobi: Oh, jetzt verstehe ich! Paulus hat die Ameisen entdeckt! Es ist die Sünde, die diese bösen Dinge tut. Und diese Sünde ist nicht Teil von ihm, obwohl sie sich noch in seinem Fleisch befindet.

Daniel: Ja, er sagt: *„Denn ich [Ego] habe nach dem* ***inneren Menschen*** *Wohlgefallen am Gesetz Gottes."* (Vers 22) Im inneren Teil seines Menschseins ist also alles in Ordnung, aber das Problem liegt im äußeren Menschen. Deshalb sagt Paulus: *„Ich sehe ein anderes Gesetz in meinen* ***Gliedern.“*** (Vers 23)

Tobi: Aber wenn das Gesetz nur in den Gliedern ist, warum sündigen wir dann auch mit unseren Gedanken, also unserem Innenleben?

Daniel: Warte, vergiss nicht, dass die Seele, die im Blut ist, zum körperlichen Teil eines Menschen gezählt wird. Die Sünde als *„Gesetz in deinen Gliedern“* berührt absolut dein Seelenleben, zu dem Gedanken, Gefühle und Wille gehören. Es ist also von der Sünde befleckt.

Tobi: Das fühlt sich ziemlich hoffnungslos an.

Daniel: Genau das sagt Paulus in Römer 7,24: *„Ich elender Mensch!“* Was so viel bedeutet wie: „Mein Zustand als Mensch ist ziemlich hoffnungslos!“

Tobi: Wie ein Geist, der als Geisel im Körper gehalten wird.

Daniel: Ah ... Moment, der Körper ist nicht das Problem. Das Fleisch ist nicht das Problem, sonst würden wir behaupten, dass die Materie böse ist. Paulus sagt sehr genau, was das Problem ist: *„Wer wird mich retten von diesem Leibe des Todes?“* Es ist der Leib *des Todes*. Es ist der Körper mit der Sünde darin. Nicht das Flugzeug, sondern das Flugzeug mit einem virusinfizierten Bordsystem.

Tobi: Oh, ich verstehe. Am Ende von Römer 7 wird Paulus das Problem nicht los, aber er kennt die Wurzel des Problems. Es ist ein bisschen so, als ob du tödlich krank wärst, aber zumindest weißt, was du hast, und mit der Therapie beginnen kannst. Er hat die Ameisen gefunden, die Übeltäter.

Daniel: Ja, und er weiß, was *er* (Ego) ist und was er nicht ist (Sünde). Und das Gesetz hat ihm geholfen, das zu entdecken.

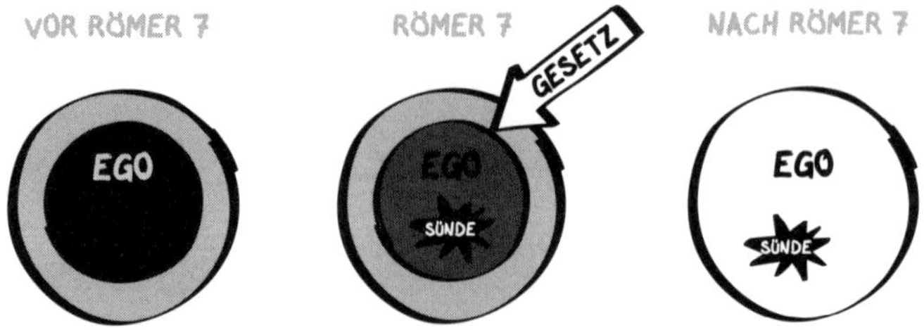

Tobi: Wow – das bedeutet, dass ich etwas völlig *Neues* bin. Ich habe ein hundertprozentiges neues Ego! Gott liebt ***mich*** *wirklich!* Wer ich wirklich bin, denn ich bin tatsächlich eine neue Schöpfung (2. Korinther 5,17) – alles an *mir* ist neu!

Daniel: Das ist einfach unglaublich!

Tobi: Jetzt habe ich noch eine Frage. Wie kann Gott mit mir Gemeinschaft haben, wenn ich Sünde in meinem Körper habe? Gott kann die Sünde nicht sehen.

Daniel: Hm ... lass uns eine kleine Pause machen und dann diese Frage in Angriff nehmen.

Was ist mit der Sünde in meinem Körper? (Schlange + Mara)

Tobi: Okay, was wir gerade besprochen haben, hat mich wirklich umgehauen. Ich verstehe jetzt, worauf du hinauswillst, Daniel. Du willst mir zeigen, dass *ich wirklich geliebt werde*. Dass Gott meinen Kern sieht und ihn liebt. Aber als wir beteten, kam mir ein Gedanke: Wie kann sich der Heilige Geist in einem Menschen aufhalten, der Sünde in sich trägt? Gottes Augen sind zu rein, um Sünde zu sehen. Wie kann er also in einem Körper wohnen (1. Korinther 6,19), in dem auch die Sünde wohnt? (Römer 7,18)

Daniel: Gott kann in einem Christen wohnen, weil die Sünde in dessen Körper verdammt ist. Sie ist immer noch da, wurde aber unwirksam gemacht. Sie ist abgetötet worden. Für Gott ist dieser „Defekt" eine Sache der Vergangenheit. Der Vers in Römer 8 macht das sehr deutlich: *„Gott hat die Sünde im Fleisch verurteilt."* (Römer 8,3) Wie hat er das getan? *„Indem er seinen eigenen Sohn in Gestalt des Fleisches der Sünde und für die Sünde sandte und die Sünde im Fleisch verurteilte."* (Vers 3)

Tobi: Oh, er hat das Fleisch verurteilt?

Daniel: Warte, nicht das Fleisch. Er verurteilte das „Fleisch der Sünde". Das bedeutet, die Sünde im Fleisch. Er hat also nicht das Flugzeug verurteilt, sondern den Virus im Inneren des Flugzeugs.

Er sandte seinen Sohn *„für die Sünde"*, nicht *„für das Fleisch"*. Das Fleisch war nicht das Problem. Jesus wurde Fleisch. Und er war perfekt. Aber am Kreuz wurde er für dich und mich zur Sünde. Kannst du dir das vorstellen?

Dass ein allmächtiger Gott an Materie und Zeit gebunden ist? Sich den Gesetzen zu unterwerfen, die du selbst in Kraft gesetzt hast, war ein Akt der Erniedrigung, aber Christus ging noch weiter. Christus wurde zu dem, was er am meisten hasste, um die zu retten, die er am meisten liebte.

Tobi: Ist das wirklich wahr?

Daniel: Ich würde es nicht wagen, das zu sagen, wenn nicht der Herr selbst es gesagt hätte: *„Und wie Mose in der Wüste die Schlange erhöhte, so muss der Sohn des Menschen erhöht werden, damit jeder, der an ihn glaubt, ewiges Leben hat."* (Johannes 3,14-15)

Tobi: Wow! Die Schlange. Das Bild der Sünde. Christus wurde für uns zur Sünde.

Daniel: So sehr hat Gott dich geliebt! Damit ist die Frage der Sünde geklärt! Es ist vorbei. Gott hat die Sünde verurteilt und über sie gerichtet. Deshalb kann er jetzt Gemeinschaft mit dir haben.

Tobi: Aber was kann ich tun, wenn ich an alte Sünden denken muss oder merke, dass die Sünde in meinem Leben aktiv ist?

Daniel: Bring sie ans Kreuz. Ein gutes Beispiel dafür ist die Wüstenwanderung, als das Volk Israel nach Mara kam. Lies 2. Mose 15,23.

Tobi: *„Da kamen sie nach Mara, aber sie konnten das Wasser von Mara nicht trinken, denn es war bitter. Darum gab man dem Ort den Namen Mara. Und das Volk murrte gegen Mose: Was sollen wir trinken?"*

Daniel: Das war kurz nachdem sie durch das Rote Meer gezogen waren. Kaum hatten sie das Lied der Befreiung gesungen, fanden sie kein Wasser mehr.

Tobi: So, wie wenn du bei deiner Bekehrung eine wunderbare Zeit mit Gott hattest und dann deine Beziehung plötzlich trübe wird?

Daniel: Ja. Die Lektion lautet: Wir gehen nicht nur für die Erlösung zum Kreuz, sondern auch für die Heiligung. Nicht nur für den ersten Schritt, sondern für jeden Schritt. Wir werden nicht nur am Fuße des Kreuzes erlöst, sondern wir sollen auch im Schatten des Kreuzes leben. Die Lösung ist das Kreuz, das Holzkreuz. *„Da schrie er zum HERRN, und der HERR zeigte ihm ein Stück Holz; das warf er ins Wasser, und das Wasser wurde süß."* (2. Mose 15,25)

Das Holz ermöglicht es uns, von dem Wasser zu trinken.

Wegen des Kreuzes können wir das ewige Leben genießen.

Gott kann unverfälschte Intimität mit dir haben, weil es nichts gibt, was noch im Weg steht.

Seine Liebe hat alles an dir neu gemacht.

Und Gott liebt alles an dir.

Gnade in der Wüste

Ich hoffe, dass du wie Tobi verstehen lernst, dass Gott dich *wirklich* liebt. Auch, wenn das schwer zu glauben ist, wenn du die Realität deines Lebens siehst. Zu glauben, dass du perfekt *bist,* wenn du immer noch imperfekte Dinge *tust.*

Wenn ich könnte, würde ich dich in den Arm nehmen und sagen: Gott liebt dich. Lass dich nicht durch deine Sünde definieren.

Du bist nicht deine Sünde. Dein Ego ist ohne Sünde. Du bist in Christus. Gott liebt nicht nur das, was du einmal sein wirst. Er liebt das, was du jetzt schon bist: perfekt.

Ich möchte dir eine Geschichte aus der Wüste erzählen, die diesen Punkt verdeutlicht. Bileam, ein Prophet Gottes, wird von einem ausländischen König (Balak) angeheuert, um Israel zu verfluchen. Gott, der das für eine schreckliche Idee hält, folgt ihm trotzdem dorthin, um ihm eine Lektion zu erteilen. Balak führt den Propheten Bileam auf einen Berg, von wo aus er das ganze Volk Israel sehen kann. Dann legt Gott dem Propheten seine Worte in den Mund. Was wird er sagen?

- „Israel – du hast dich gegen Mose aufgelehnt, als er kam, um dich aus Ägypten zu befreien!“
- „Ihr habt meine Befreiung verachtet und wolltet am Roten Meer zum Pharao zurückkehren!“
- „Gleich nach dem Schilfmeer habt ihr wegen des bitteren Wassers in Mara gemeckert!“
- „Ihr habt gegen Mose gemurrt, weil ihr Fleisch aus Ägypten wolltet!“
- „Ihr habt das Manna verachtet, das ich euch damals gab!“
- „Ihr habt das Gesetz gebrochen, noch bevor es euch gegeben wurde, und ein Götzenkalb gemacht!“
- „Korach rebellierte gegen Mose; Mirjam und Aaron waren auch nicht besser!“
- „Mose rebellierte gegen mich, als er den Felsen schlug, obwohl ich gesagt hatte: Sprich!“
- „Einmal wolltet ihr sogar Mose töten und nach Ägypten zurückkehren!“

Die Liste der Fehler und Enttäuschungen wäre sehr lang gewesen. Und das Fatale daran war: Es war alles *wahr!* Bileam freute sich darauf, *wahre* Worte von Gott, der die Wahrheit ist, zu bekommen, um Israel zu verfluchen.

Kurze Frage: Geht es uns nicht auch oft so? „Gott hat wahrscheinlich genug von mir. Kein Wunder, wenn er all den Dreck meines Lebens, des letzten Jahres, der letzten Woche, der letzten Nacht sehen kann!"

Ich kann buchstäblich sehen, wie Bileam regelrecht danach lechzt, das Volk zu verfluchen. Endlich kann er die ganze Wahrheit über Israels Versagen aussprechen!

Dort unten im Tal kann er das ganze Volk sehen.

Aber Gott legt ihm stattdessen diese Worte in den Mund:

> *„Wie soll ich verfluchen, wen Gott nicht verflucht, und wie verwünschen, wen der HERR nicht verwünscht hat?"* (4. Mose 23,8)

Was! Nein – das ist nicht wahr! Balak ist wütend! Wie kann das sein? Hat Israel nicht pausenlos gesündigt? Wie kann es sein, dass sie nicht verflucht werden können?

Balak hat eine Idee: Vielleicht ist ja nicht *ganz Israel* böse, sondern nur ein kleiner Teil. Er führt Bileam an einen Ort, an dem er nur einen kleinen Teil sieht.

Frage an dich: Denkst du nicht auch manchmal, dass es noch etwas in dir gibt, das Gott nicht liebt? Einen kleinen Rest Böses?

Bileam wartet wieder darauf, das Volk zu verfluchen.

Jetzt kann er nur noch einen kleinen Teil von Israel sehen. Dann sagt Gott durch ihn:

> *„Er erblickt kein Unrecht in Jakob und sieht kein Verderben in Israel; der HERR, sein Gott, ist mit ihm, und Königsjubel ist in ihm."* (4. Mose 23,21)

Keine Ungerechtigkeit! Was?! Gott meinte es genau so, wie er das sagte. Es war nicht übertrieben. Kannst du dir das vorstellen? Gott hat etwas hundertprozentig Neues aus dir gemacht und er liebt es zu hundert Prozent. Er sieht keine Ungerechtigkeit in dir. Nichts. Nada.

Ich bitte dich jetzt, das Buch beiseitezulegen und Gott anzubeten.

Gott ist bei dir, genau da, wo du jetzt bist, und möchte zu deiner Seele sprechen und sagen: Ich liebe dich. Wirklich. *„Alles an dir ist schön, meine Freundin, und kein Makel ist an dir.“* (Hohelied 4,7)

„Wie kann das sein?“, fragst du jetzt vielleicht, während du in seine liebevollen Augen schaust.

Er hebt seine Hände und zeigt dir die Narben.

Das Kreuz.

Wie kann es sein, dass ein Volk, das auf Schritt und Tritt versagte, keine Schuld auf sich lud? Israel wanderte durch die Wüste und hinterließ schmutzige Fußabdrücke im Sand. Aber wo immer man ihre Schritte sehen konnte, fand man auch einen großen roten Fleck in der Mitte: Das Blut vieler Lämmer, die für jeden Fehltritt geschlachtet wurden.

Genau dort konnte Gott seinen Wohnsitz haben. *„Der HERR, sein Gott, ist mit ihm, und Königsjubel ist in ihm.“* Gott sieht in dir nur Vollkommenheit. In Römer 8,30 sagt er: *„Die er aber gerechtfertigt hat, diese hat er auch verherrlicht.“* Deine Rechtfertigung liegt in der Vergangenheit und deine Verherrlichung liegt noch in der Zukunft, wenn du im Himmel sein wirst. Aber für Gott ist beides bereits erledigt. Die Diktion *„hat er auch verherrlicht“* ist grammatikalisch eine Vergangenheitsform. Für Gott ist es schon geschehen, denn er steht außerhalb der Zeit. Für Gott bist du kein unfertiges Werk. Er sieht bereits ein Meisterwerk. Und er liebt das, was er sich erkauft hat.

Gott liebt die Vollkommenheit und du bist *in ihm* vollkommen.

TAKEAWAYS

(1) **Christen das Gesetz zu lehren, ist tödlich.**
- Das Gesetz ist ein Sündendetektor und ein Sündenansporn.
- Das Gesetz bietet einen Anreiz zur Sünde und tötet dich, wenn du sie begehst.

(2) **Aber das Gesetz hilft, das Problem zu erkennen: nicht *du* bist das Problem, sondern die Sünde.**
- Dein Geist und dein Körper sind nicht das Problem – die Sünde in deinem Körper ist es.
- Die Sünde in deinem Körper wurde am Kreuz beseitigt.

(3) **Deshalb hat Gott kein Problem mehr mit *dir*.**
- Er sieht keine sündigen Taten und keine Sünde in *dir*.
- Gott liebt die Vollkommenheit und *du* bist *in ihm* vollkommen.

GEBET

Herr, wenn ich anfange, deine Wunder zu zählen, macht mich das einfach nur sprachlos. Deine große, erstaunliche Liebe ist schlichtweg unbeschreiblich.

KAPITEL 11

GELIEBT

Alles verändert

Ein Anruf veränderte sein ganzes Leben.

Es war ein Sonntagmorgen, als Saniniu Laizer, 52, von seinem Sohn angerufen wurde. Mit vor Freude zitternder Stimme rief er: „Papa, wir haben einen riesigen Edelstein auf unserem Grundstück gefunden! Du bist wahrscheinlich einer der reichsten Menschen in Tansania!" In diesem Moment änderte sich das Leben des ehemaligen Massai-Hirten für immer. Er war nun der Besitzer einer der größten Tansanit-Edelsteine, die je entdeckt wurden – im Wert von geschätzten 3,4 Millionen Dollar. Am nächsten Tag konnte man in den Zeitungen darüber lesen:

> „Tansania: Entdeckung von Edelsteinen macht einen ehemaligen Hirten über Nacht reich!"

Kurze Frage: Stimmt die Schlagzeile? Hat die Entdeckung Saniniu zu einem reichen Mann gemacht?

Nein. Er war schon reich, als er das Grundstück erwarb, aber er *realisierte* erst, wie reich er war, als der Edelstein gefunden wurde.

Vielen Christen geht es ähnlich. Paulus' Auftrag war es, *„den unausforschlichen Reichtum des Christus zu verkündigen"* (Epheser 3,8), aber viele Christen dümpeln vor sich hin und fühlen sich arm wie eine Kirchenmaus.

Warum?

Weil ihnen nicht bewusst ist, *wie reich sie wirklich sind.* Sie verdursten in der Wüste, obwohl sie im Gelobten Land Milch und Honig trinken könnten. Das ist ein Trauerspiel.

In der Wüste zu sein, bedeutet, „dazwischen" zu leben. Die Wüste befindet sich zwischen Ägypten und Kanaan. Nicht wirklich in der Welt, aber auch nicht wirklich im Paradies. Kommt dir das bekannt vor?

Wenn du sonntagabends keine Party machst, aber auch den Sonntagmorgen nicht genießt, dann bist du in der Wüste. Wenn du dir keine Pornofilme ansiehst, aber auch nicht in der Bibel liest, dann bist du in der Wüste. Wenn du das Wort Gottes predigst, es dir aber keinen Spaß macht, Zeit mit Gott zu verbringen, dann bist du in der Wüste.

Das ist eine ernste Gefahr. (Übrigens ertappe ich mich auch oft dabei.)

Es war nie Gottes Absicht, das Volk Israel unnötig lang in der Wüste zu lassen. Sein Ziel war es, sie direkt aus Ägypten in das Gelobte Land Kanaan zu führen. (2. Mose 3,8) Er wollte sie von der unteren in die obere Sphäre bringen. Wir haben in Kapitel 10 gesehen, wie sich das abgespielt hat.

Aber wie kann ich *wissen,* ob ich in der Wüste festhänge?

Das ist ganz einfach: Du bist in der Wüste, wenn du aus Ägypten heraus bist, aber nicht in Kanaan bist.

Wenn du durch Christus in der Vergangenheit gerettet wurdest, aber den verherrlichten Christus in der Gegenwart aus den Augen verloren hast.

Lass mich das veranschaulichen:

Frag Christen, wie der Tod Christi sie gerettet hat. Die Antwort wird nicht auf sich warten lassen.

Dann frag sie, was es bedeutet, dass *„wir* durch sein Leben *gerettet werden"*. (Römer 5,10)

Schweigen.

Das ist Wüstenstille. Das ist das Wüstenproblem. Als Christen scheinen wir viel über den Tod Jesu zu wissen, aber nur wenig über seine Auferstehungskraft. Wir neigen dazu, ständig *„den*

Lebenden unter den Toten zu suchen" (Lukas 24,5), obwohl er gar nicht mehr im Grab ist! Das *Leben,* nicht der Tod, ist das Endziel des Christentums, denn Jesus ist das Zentrum und Jesus ist das Leben! (Johannes 14,6) Jesus ist nicht gekommen und hat gesagt: „Ich bin gekommen, damit die Menschen sich immer auf die Sünde und den Tod konzentrieren."

Nein!

Er sagte: *„Ich bin gekommen, damit sie **Leben** haben und es in **Überfluss** haben."* (Johannes 10,10) Johannes sagt: *„Das Leben ist offenbar geworden!"* (1. Johannes 1,2) und Paulus bekräftigt diese Aussage: *„Denn das Leben ist für mich Christus."* (Philipper 1,21)

Was ist die Lösung?

Raus aus der Wüste.

Und wie?

Durch den Jordan.

Die Wüste ist im Grunde der Ort, an dem du stecken bleibst, wenn du zwar durch das Rote Meer gehst, aber nicht den Jordan durchquerst. Das Rote Meer spricht vom Tod und Gericht am Kreuz, während der Jordan von neuem Leben spricht.

Es ist der Jordan, der den Unterschied ausmacht. Den Jordan zu durchqueren, bedeutet, die Verbindung mit dem auferstandenen Christus zu verstehen. In Kanaan, dem Gelobten Land, einzuziehen und das wahre Leben als Christ zu beginnen. Das ist so, wie den Millionen-Dollar-Edelstein zu finden.

Es bedeutet, ein reiches, himmlisches Leben zu führen.

Versteh das jetzt bitte nicht falsch. Die Bedeutung des Jordan zu verstehen, bedeutet nicht, reich zu werden. Saniniu, der Hirte, wurde nicht reich, als er den Edelstein fand. Er war bereits reich, er wusste es nur noch nicht. Das *Wissen* über den Jordan wird dich nicht reich machen; du bist bereits reich in Christus. Was du über den Jordan *liest,* wird dich nicht mit Christus in seiner Auferstehung vereinen; als Gläubiger bist du eins mit ihm in Tod und Auferstehung. Aber in enger Gemeinschaft mit einem auferstandenen Erlöser zu leben, wird dich dein neues Leben *genießen* lassen. Es wird dir helfen, das zu leben, was du *bist*.

Stell dir ein kleines Kind vor, dem sich die erstaunliche Welt um es herum eröffnet. Die Tatsache, dass das Kind sich immer mehr des Lebens in all seiner Schönheit bewusst wird, macht es nicht lebendiger. Aber es wird jeden Moment so viel mehr genießen, wenn es all die Wunder des Lebens sieht.

Schauen wir uns also an, was im Jordan passiert ist, und entdecken wir den Edelstein!

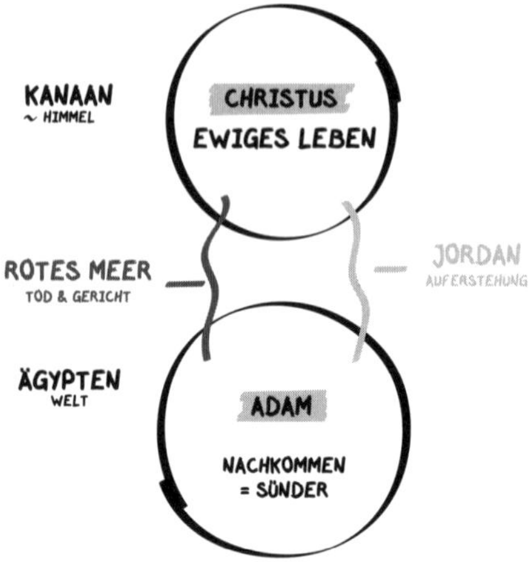

Der Jordan war im Frühling ein gefährlicher, reißender Fluss. (Tatsächlich bedeutet sein Name auf Hebräisch „der Rauschende".) In Josua 3,15 heißt es, er *„führt in der ganzen Erntezeit Hochwasser"*. Etwas so Mächtiges und Wildes spricht vom Tod (wie das Rote Meer), aber mit Blick auf die Auferstehung. Die Israeliten zogen ins Rote Meer (2. Mose 14,22), aber sie kamen aus dem Jordan heraus. (Josua 4,19)

Außerdem soll die Überquerung nach drei Tagen erfolgen. *„In noch drei Tagen werdet ihr über diesen Jordan ziehen."* (Josua 1,11) Das deutet auf die Auferstehung des Herrn Jesus am dritten Tag hin. Zwölf Steine sollten aus dem Fluss selbst am anderen

FÜR WEITERE ERKLÄRUNGEN, VERGLEICHE MIT „ÜBERRASCHT VON FURCHT"

Ufer in Kanaan aufgerichtet werden, um immer an dieses Ereignis des *„Heraufsteigens aus dem Jordan“* zu erinnern. (Josua 4,18)

Aber was bewirkt die Auferstehung eigentlich?

Sie bringt Menschen vom Tod zum Leben. Sie ist der letzte Schritt, der notwendig ist, um die toten Nachkommen Adams (aus der unteren Sphäre) in die lebendige Familie Gottes (die obere Sphäre) zu bringen. Die Bundeslade, die ein Bild für Christus in seinem Menschsein ist, sollte vor seinem Volk hergehen. Dann sollte das ganze Volk folgen. Sie mussten nicht durch Wände aus Wasser gehen. Nein! Das Wasser, der Tod, wurde nicht einmal gesehen. Es war viele Kilometer aufwärts abgeschnitten. Weißt du, wo? Bei Adam! Wörtlich wird die Stadt „Adam“ genannt. *„Da blieb das von oben herabfließende Wasser stehen. Es richtete sich auf wie ein Damm, sehr fern, bei der Stadt Adam.“* (Josua 3,16)

Siehst du, wie erstaunlich die Bibelstelle ist?

Gott will dich in jedem Detail zum Staunen bringen über das Werk, das sein wunderbarer Sohn, der Herr Jesus, am Kreuz vollbracht hat.

Das Wasser wurde bei Adam abgeschnitten! Das Leben als Christ ist keine verbesserte Version des Lebens von Adam. Es ist abgeschnitten! Du lebst in einer völlig neuen Sphäre: Auferstehungsleben! Wenn du das erkennst, wird sich dein Leben als Christ auf eine ganz andere Ebene begeben, das kann ich dir aus eigener Erfahrung sagen.

Du liest die Bibel anders. Du sprichst anders mit Jesus. Du lebst anders.

Lass mich das anhand des ersten Ereignisses verdeutlichen, das geschah, als das Volk Israel das Land betrat: Es gab kein Manna mehr. Manna war Wüstennahrung. Es entsprach Christus in seinem Menschsein. Es war gut und erfüllte seinen Zweck, aber Gott hatte etwas Besseres auf Lager: die Nahrung aus Kanaan. Christus in seiner Herrlichkeit. Der auferstandene Christus. Paulus sagt in 2. Korinther 5,16: *„Daher kennen wir von nun an niemand nach* *dem Fleisch; wenn wir Christus auch nach dem Fleisch gekannt haben (das Manna), so kennen wir ihn doch jetzt nicht mehr so (die Speise aus Kanaan).“* Damit sagt Paulus: Wir haben Jesus als Mensch hier unten in der unteren Sphäre gekannt, aber jetzt haben wir eine viel bessere Beziehung – wir kennen ihn in der Herrlichkeit.

Das ist es, was Paulus bei seiner Bekehrung verstehen musste. Er war auf der Suche nach einem Messias in der unteren Sphäre. Doch plötzlich kam die Stimme des Messias „vom Himmel“ – aus der oberen Sphäre. Er verstand: Jesus ist da oben und er lebt! Es geht um die Auferstehung!

In diesem Moment änderte sich alles für Paulus.

Dir wird es genauso gehen, wenn du anfängst, auf dem Boden der Auferstehung zu leben.

Aber wie können du und ich in der Kraft der Auferstehung leben?

Auferstehungskraft

In der Kraft der Auferstehung zu leben, bedeutet, ein völlig neues Leben zu führen. Die Bibel nennt es „die Neuheit des Lebens“. Es bedeutet, dass wir den Bereich des Todes verlassen haben und in den Bereich des Lebens eingetreten sind. So heißt es in Römer 6,4: *„So sind wir nun mit ihm begraben worden durch die Taufe in den Tod, damit, wie Christus aus den Toten auferweckt worden ist durch die Herrlichkeit des Vaters, so auch wir in* ***Neuheit des Lebens*** *wandeln.“*

Wie können wir diese „Neuheit“ ausleben?

In Römer 7,6 heißt es: *„Jetzt aber sind wir von dem Gesetz losgemacht, da wir dem gestorben sind, worin wir festgehalten wurden, sodass wir in dem Neuen des Geistes dienen und nicht in dem Alten des Buchstabens.“*

Wir verlassen nicht nur das Gebiet der Sünde, sondern auch das Gebiet des Gesetzes. Wir verlassen nicht nur Ägypten, sondern auch die Wüste Sinai, wo das Gesetz gegeben wurde. Wir verlassen die gesamte untere Sphäre und betreten die obere Sphäre.

Was aber ist die „Neuheit des Geistes“?

Jetzt wird es spannend! Ich kann es kaum erwarten, mit dir darüber zu sprechen. Damit du die erstaunliche Veränderung, die Gott in dir bewirkt hat, verstehst, möchte ich dir kurz erklären, was wir bis jetzt gesehen haben:

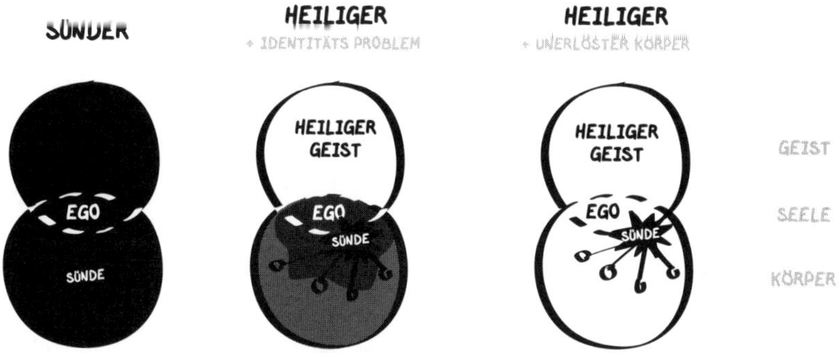

In Römer 1-6 haben wir gesehen, wie Gottes Gerechtigkeit verunreinigte, abgetrennte und funktionsgestörte Sünder in Heilige verwandelt. Aber in Römer 7 haben wir gelernt, dass sündigende Heilige in Identitätsprobleme geraten können: Heilige, die sündigen. Durch das Studium von Römer 7 haben wir erkannt, dass nicht das Ego sündigt, sondern die Sünde, die im Körper des Gläubigen wohnt.

Der Gläubige hat also ein völlig neues Leben und die Frage ist: Was ist das für ein Leben?

Es ist *„im Geist“*. Römer 8,9 ist glasklar: *„Ihr aber seid nicht im Fleisch, sondern* ***im Geist.“*** Das IHR im Griechischen wird betont, um die Identität auszudrücken. Unser Sein ist nicht mehr im Fleisch, sondern im Geist.

Denk einfach mal darüber nach: Wenn ein Christ seinen Körper verlässt, verliert er nicht seine Identität. Der Körper ist für den Christen nicht seine Identität, sondern sein Werkzeug. Petrus bezeichnet seinen Körper einfach als ein Zelt. (2. Petrus 1,13) Aber der „echte Petrus“ hat *„das Zelt“* bei seinem Tod verlassen. Paulus sagt: *„Was ich aber jetzt im Fleisch lebe, lebe ich im Glauben.“* (Galater 2,20) Paulus *lebte „im Fleisch“*, aber er *war* nicht *„im Fleisch“*. Er benutzte seinen Körper, aber sein Körper war nicht mehr Teil seiner Identität. Und das ist er immer noch nicht. Paulus ist nicht mehr in seinem alten Körper und er wird es auch nie wieder sein. Er wird einen neuen, geistlichen Körper erhalten, aber es wird immer noch derselbe Paulus sein, denn seine Identität ist im Geist, nicht im Fleisch.

Das Fleisch ist nicht böse, aber es ist schwach. (Matthäus 26,41) *„Der Geist ist es, der lebendig macht; das Fleisch nützt nichts.“* (Johannes 6,63) Wir brauchen also den Geist, und die erstaunliche Wahrheit ist, dass der Geist nicht nur unser Helfer ist, sondern dass er *eins mit uns* geworden ist. Ich würde es nicht wagen, das zu sagen, wenn die Bibel nicht sagen würde: *„Wer aber dem Herrn anhängt, ist* ***ein Geist mit ihm.“*** (1. Korinther 6,17) Aus dem Kontext geht hervor, wie tief das geht: Paulus sagt, dass man ein Fleisch wird, wenn man in der Ehe sexuelle Handlungen vollzieht. Und dann greift er dieses Bild direkt auf und sagt: Das Gleiche gilt für deine Beziehung zum Herrn.

Halte eine Sekunde inne.

Lies dir das mal selbst durch: *„Oder wisst ihr nicht, dass, wer der Hure anhängt, ein Leib mit ihr ist? ‚Denn es werden‘, heißt es, ‚die zwei ein Fleisch sein.‘ Wer aber dem Herrn anhängt, ist ein Geist mit ihm.“* (1. Korinther 6,16-17)

Das ist verblüffend. Wir sind mit Christus in seinem Tod und seiner Auferstehung eins geworden. Wir sind im Geist, und das bedeutet, dass wir buchstäblich *„ein Geist mit ihm“* sind. Petrus sagt: Ihr seid *„Teilhaber der göttlichen Natur“* geworden. (2. Petrus 1,4)

Halleluja!

Preist die Liebe Gottes! Gott nimmt Sünder und macht sie *wirklich* zu Heiligen. (Römer 1-8)

Er nimmt sich eine Prostituierte und macht sie zu seiner Braut. (Hosea 1,2)

Die Liebe hat uns nicht nur ins Licht gestellt – Gott hat uns zum Licht gemacht. (1. Thessalonicher 5,5)

Unser Ego ist nicht nur frei von Sünde, es ist *im* Geist.

Wir sind keine veränderten Raupen, wir sind Schmetterlinge.

Gott hat etwas völlig Neues aus *dir* gemacht und er liebt es vollkommen.

Gott liebt *dich*.
Wirklich.

Geliebt und akzeptiert

Dieses Kapitel hat das Potenzial, dein Leben zu verändern, zumindest war es bei mir so.

Epheser 1,6 sagt, dass Gott uns *„in dem Geliebten begnadigt“* hat. Das griechische Wort für „begnadigt“ kann man auch mit „angenehm gemacht“ übersetzen.

Die Essenz dessen, was ich dir sagen möchte, ist Folgendes:

Du bist in Christus angenommen.

Warum ist das so wichtig? Warum ist Annahme wichtig?

Annahme ist die Fähigkeit, zu sehen, dass andere ein Recht darauf haben, ihre eigene einzigartige Person zu sein, und mit ihnen Gemeinschaft zu haben. Du nimmst das Selbst einer anderen Person an und öffnest dich ihr. Ich möchte dir zeigen, wo du das in der Bibel findest:

In Römer 15,7 (Menge-Bibel) steht: *„Darum nehmet euch gegenseitig an, wie auch Christus euch zu Gottes Verherrlichung angenommen hat!“* Das Wort für „Annahme“ (proslambano) in

Römer 15,7 setzt sich aus zwei Wörtern zusammen: prós = „zu, hin" und lambáno = „nehmen". Wörtlich bedeutet es: „jemanden irgendwohin führen".

Wohin?

Das Wort verwendet eine griechische Form, die „Medium" genannt wird. Sie zeigt, dass die Handlung auf einen selbst ausgerichtet ist. Annehmen bedeutet also, Menschen zu sich selbst zu führen. Es wird oft damit übersetzt, eine Person in einen Bekanntenkreis aufzunehmen (Römer 14,1.3; 15,7; Apostelgeschichte 28,2; Philemon 17) und gemeinsam essen zu gehen. (Apostelgeschichte 27,33.36)

Die ersten Christen pflegten einen sehr integrativen Lebensstil. Sie aßen gemeinsam und überwanden kulturelle und sprachliche Hürden. Integration lag sozusagen in der DNA des Christentums. Das Wissen, von Christus angenommen zu sein, machte es ihnen leicht, auch andere anzunehmen.

Dieser Punkt ist von entscheidender Bedeutung. Die Art und Weise, wie wir uns von Christus angenommen fühlen, bestimmt darüber, wie wir andere annehmen. *„Darum nehmet euch gegenseitig an,* ***wie auch Christus euch zu Gottes Verherrlichung angenommen hat!"*** Aber auch das Gegenteil ist der Fall. Wenn wir uns von Christus nicht angenommen fühlen, werden wir auch andere nicht annehmen. Wir werden das Gegenteil tun. Wir werden sie schleichend isolieren ...

... weil sie einen anderen Akzent haben.

... weil sie einen anderen Lebensstil haben.

... weil sie eine andere Art zu beten haben.

... weil sie eine andere Meinung über eine nicht wesentliche Lehre haben.

Deine Nichtakzeptanz wird für alle Umstehenden und sogar für dich selbst unbemerkt bleiben. Aber die betroffene Person wird getroffen werden, als wäre sie von einem Lastwagen überrollt worden. Du wirst hören, dass „Jessica nicht mehr zur Jugendgruppe kommt", und andere werden sagen: „Oh, das ist aber schade, wir haben wirklich unser Bestes gegeben, obwohl sie wirklich anders war!" Und zwei Tage später wird niemand mehr nach Jessica fragen. Weil sie niemanden wirklich interessiert hat.

Nichtakzeptanz geschieht oft stillschweigend, und so verabschieden sich auch die Nichtakzeptierten.

Nichtakzeptanz führt zum geistigen und sogar zum körperlichen Tod. Denke nur an das Experiment von Kaiser Friedrich II.: Die Kinder bekamen zwar Nahrung für ihren Körper, erlebten aber keine Annahme ihrer inneren und emotionalen Persönlichkeit. Keine Kommunikation, keine Nähe.

Lass mich also in drei Schritten erklären, warum du in Christus angenommen bist. *Du – angenommen – Christus.* Alle diese drei Worte sind wichtig.

Vielleicht hilft dir das, zu heilen ... und dann andere besser anzunehmen und zu lieben.

DU

Christen denken oft ganz universell über Gottes Liebe nach: „Gott liebt alle Menschen, also liebt er auch mich." Das ist nicht verwunderlich, denn der berühmteste Bibelvers, Johannes 3,16, spricht von Gottes allumfassender Liebe: *„Denn so hat Gott* ***die Welt*** *geliebt."*

Ein wunderbarer Vers, aber sehr allgemein gehalten.

Er besagt nicht, dass Gott Jonas, Manuel und Emma besonders geliebt hat, sondern er hat die Welt allgemein geliebt. Und diese Verallgemeinerung hat ihren Preis.

Ich denke, eine kurze Illustration macht das sehr deutlich: Stell dir vor, deine Frau fragt dich: „Liebst du mich?" und du würdest zu deiner speziellen Liebe für sie eine Verallgemeinerung wie diese hinzufügen: „Sicher liebe ich dich. Ich liebe alle Menschen." Was wäre die zu erwartende Reaktion? Stirnrunzeln und wahrscheinlich ein 10-minütiger Vortrag über die „Kunst, eine Frau zu lieben".

Deine Frau will hören, dass deine Liebe zu ihr etwas *Besonderes* ist. Dass sie nicht Teil einer allgemeinen Liebe ist.

Dass sie schöner ist als alle Rosen der Welt.

Dass in deinen Augen kein Stern so hell leuchtet wie deine Liebste.

Dass allein ihre Anwesenheit das Gewöhnliche magisch macht.

Selbst „Ich liebe dich, weil ich alle in der Familie liebe“ wäre eine Beleidigung. Nein – wir alle wollen *individuell* geliebt werden. Wir wollen um unserer selbst willen geliebt werden.

Das ist es, was Jesus Petrus in seinem berühmten letzten Gespräch am Meeresufer fragt: *„Simon, Sohn des Johannes, liebst du mich mehr als diese?“* (Johannes 21,15) Petrus – liebst du mich mehr als die anderen? Bin ich etwas Besonderes für dich? Oder bin ich einer unter vielen?

Jesus wusste, dass Petrus den anderen Christen nur dienen konnte, wenn er diese exklusive Liebesbeziehung zu seinem Meister hatte. Jesus musste mehr sein als die anderen. Jesus wollte, dass er in seinen Augen etwas Besonderes ist.

Petrus würde derjenige sein, der als erster Jude Nichtjuden in den Kreis des Segens aufnimmt, und dafür musste er in Gottes Liebe und Akzeptanz schwimmen. Er musste in der Liebe verwurzelt sein, um anderen in Liebe zu dienen. Und diese Beziehung musste einzigartig sein.

Ich möchte, dass auch du in Gottes Liebe und Akzeptanz schwimmst. Gottes Absicht, dich zu retten, war nicht nur ein allgemeiner Plan, sondern geschah aus Liebe zu dir persönlich. Lass mich dir zeigen, was ich meine:

Ein alter Mann ging jeden Morgen am Meer spazieren. Eines Tages sah er einen Jungen, der vorsichtig etwas aufhob und ins Meer warf. Verwundert sprach er ihn an: „Guten Morgen, was machst du da?“

Der Junge richtete sich auf und antwortete: „Ich werfe Seesterne zurück ins Meer, damit sie nicht sterben. Es ist Ebbe und die Sonne brennt schon.“

Der alte Mann verzog das Gesicht: „Aber, junger Mann, ist dir klar, dass der Strand hier kilometerlang ist? Überall liegen Seesterne. Du kannst sie unmöglich alle retten, das macht keinen Unterschied.“

Der Junge hielt inne und dachte darüber nach, was der alte Mann gesagt hatte. Auf der einen Seite ergab das Sinn, er konnte sie nicht alle retten. Aber als er sich die Seesterne ansah, die sich in der heißen Sonne zu winden begannen, wurde ihm klar, dass das nicht wichtig war. Also bückte er sich wieder, hob einen anderen Seestern auf und sagte: „Es macht einen Unterschied für diesen hier.“ Dann drehte er sich um und warf ihn ins Meer.

Weißt du, dass Jesus *dich* persönlich liebt?

Nicht in einem erweiterten Sinn.

Nicht all die Millionen Seesterne – den einen Seestern.

Das macht einen Unterschied. Der Apostel Paulus wusste das.

Er schreibt nicht: „Der Sohn Gottes, der *die ganze Welt* geliebt hat“, sondern: *„Der Sohn Gottes, der* ***mich*** *geliebt und sich selbst für* ***mich*** *hingegeben hat.“* (Galater 2,20)

Er wusste: Ich werde individuell geliebt.

In Lukas 15 sagt Jesus nicht: „Nun – es gab eine Herde von hundert verlorenen Schafen und ich habe sie alle gerettet. Du warst zufällig in dieser Herde, du Glückspilz!“ Nein, es geht um *ein einzelnes* Schaf, das sich verlaufen hat. Es geht verloren und der Hirte lässt alles stehen und liegen, um dieses eine Schaf zu retten. Der Kern dieser Geschichte ist klar: Wenn du die einzige Person wärst, die gesündigt hat, hätte Jesus den Himmel verlassen und wäre für dich, und nur für dich gestorben.

Du bist *individuell* geliebt und angenommen.

Leg das Buch weg und schau aus dem Fenster.

Gott weiß genau, welche Seite du gerade in diesem Buch liest, warum du es in die Hand genommen hast, was deine Ängste und Schmerzen sind und wie schwach oder stark du bist. Er weiß das alles – und er liebt *dich*. Als er am Kreuz starb, sah er keine Weltkugel, sondern ein Gesicht. Dieses Gesicht war deines und er hat es geliebt und dafür gelitten. Wenn du im Himmel verherrlicht wirst, wirst du nicht nur einer von unzähligen Christen sein, sondern Jesus wird dir einen einzigartigen Namen geben, den nur du und Christus in Ewigkeit kennen werdet. (Offenbarung 2,17)

Du und Christus – ihr habt eine einzigartige Beziehung, denn *du* bist für sein Herz etwas unendlich Besonderes.

ANGENOMMEN

Liebe und Annahme sind nicht dasselbe.

Als ich zum ersten Mal den Unterschied verstand, veränderte das meine Beziehung zu Gott. Um das zu verdeutlichen, möchte ich eine kurze, amüsante Geschichte erzählen:

Es war einmal eine junge Frau, die sich mit einem Motorradfahrer verlobte. Er war ein richtig harter Kerl. Lange Haare, Lederjacke und Cowboystiefel. Sie fand es toll, dass er so ein tougher Typ war. Eines Tages allerdings fragte sie ihn, ob er nicht eine andere Frisur ausprobieren wolle. Einen kürzeren Haarschnitt.

Er gab nach.

In der nächsten Woche wurde seine Lederjacke durch eine Jeansjacke ersetzt.

Auch die Cowboystiefel mussten weg, und langsam, aber sicher begann er sich zu verändern.

Nach und nach willigte er ein, alles zu tun, was sie verlangte.

Ein paar Monate später kam plötzlich die Ernüchterung, als sie erklärte, dass sie mit ihm Schluss machen wolle. Irgendwie sei er so langweilig geworden.

Wieder stimmte er zu und sagte: „Ja, manchmal muss die Liebe eben auch loslassen."

Nur drei Wochen später hatte sie einen anderen Freund. Ihr Ex-Verlobter traf die beiden in der Stadt. Ihr neuer Typ war ein waschechter Motorradfahrer mit langen Haaren, schwarzer Lederjacke und Cowboystiefeln. Die junge Frau schien wirklich Hals über Kopf verliebt zu sein. Als ihr Ex-Verlobter sie fragte, wohin sie gehen würden, sagte sie aufgeregt: „Zum Friseur!“

Wenn dich die Geschichte zum Schmunzeln gebracht hat, hast du den entscheidenden Punkt verstanden. Das Mädchen „liebte“ den Motorradfahrer, aber sie nahm ihn nicht an.

Annahme ist die Fähigkeit zu erkennen, dass andere ein Recht darauf haben, ihre eigene einzigartige Person zu sein. Wenn wir Menschen so akzeptieren, wie sie sind, versuchen wir nicht, sie zu ändern. Leider sind es oft die Menschen, die uns am nächsten stehen, die wir am wenigsten annehmen. Unsere Freunde, unsere Arbeitskollegen, unsere Kinder, unsere Eltern und unsere Geschwister. Wir lieben sie, verspüren aber den selbstsüchtigen Drang, sie zu ändern. Wir lieben, aber nur zu unseren Bedingungen.

Das ist ein großes Problem, denn mangelnde Akzeptanz zerstört die Liebe. Liebe funktioniert nicht ohne Akzeptanz. „Ich liebe dich“ ergibt keinen Sinn, wenn das „Du“ nicht akzeptiert wird. Jetzt verstehst du wahrscheinlich, warum das für unser Leben als Christ so wichtig ist.

Wenn wir die Annahme Gottes und des Evangeliums falsch verstehen, werden wir andere – und sogar uns selbst – nicht annehmen. Und das Schlimmste ist: Wir werden eine biblische Ausrede vorschieben! Und zwar so: Wir werden die Menschen auffordern, so zu Jesus zu kommen, *„wie sie sind“*, und dann beginnen, alles an ihnen zu ändern. Dazu haben wir eine großartige Ausrede parat:

Heiligung.

Wenn wir Heiligung missverstehen, denken wir, dass an uns Menschen alles schlecht und an Gott alles gut ist. Wir könnten zu dem Schluss kommen, dass Gott nur seinen Sohn liebt, und weil wir „im Sohn“ sind, liebt er uns. Es stimmt, dass alles von unserem wunderbaren Herrn Jesus und dem, was er tat, abhängt. Aber was er „tat“, bist auch du. Er hat dich gemacht. Du bist eine wunderbare Schöpfung aus seinen Händen. Menschen, die Heiligung missverstehen, denken, dass Gott alles an dir bis zur Vernichtung verändern will, bis nichts mehr von dir übrig bleibt. Mein Freund, das nennt man Nirwana und das gehört zum Buddhismus. Die Bibel lehrt nicht, dass sich unsere Persönlichkeiten in der Person Christi auflösen werden, wie es der Buddhismus über das Nirwana lehrt. Nirwana beendet das Sein, aber der Himmel gewährt das Sein. Im Christentum feiern wir unser individuelles Sein als Person auch im Jenseits. Wir werden mit Christus vereint sein und doch verschieden bleiben. Als Mose und Elia auf dem Berg der Verklärung erschienen, waren sie erkennbar. Es waren nicht „drei Jesus“ auf dem Berg. Es gibt ein „Du“ im Himmel. Und dieses „Du“, obwohl es eins mit Christus ist, unterscheidet sich von Gott. Wenn Gott *dich* also liebt, ist das nicht nur eine abstrakte Liebe zu seinem Sohn, die dir „verstandesmäßig“ angerechnet wird; er liebt dich hier und jetzt mit deinem ganzen Wesen – so, wie du bist!

Deshalb ist Heiligung kein Prozess der Veränderung deiner Identität, denn deine Identität ist „im Geist“ und bereits vollkommen. Bei der Heiligung geht es nicht darum, deinen Körper und deine Seele zu verändern. Sie wurden von Gott geschaffen und sind perfekt. Die Art, wie du redest, wie du gehst, wie du isst, wie du lächelst und wie du weinst. Psalm 139 könnte nicht deutlicher sein:

> Denn **du bildetest** meine Nieren. Du wobst mich in meiner Mutter Leib. Ich preise dich darüber, **dass ich auf eine erstaunliche, ausgezeichnete Weise gemacht bin. Wunderbar sind deine Werke,** und meine Seele erkennt es sehr wohl. Nicht verborgen war **mein Gebein** vor dir, als **ich gemacht wurde** im Verborgenen, gewoben in den Tiefen der Erde. **Meine Urform** sahen deine Augen.
>
> – Psalm 139,13-16

Gott macht *nie* einen Fehler und du bist keine Ausnahme von dieser Regel. Nein, du bist erstaunlich und wunderbar gemacht und Gott liebt, was er gemacht hat.

Gott liebt deinen körperlichen Teil – dein Fleisch und Blut, weil er es geschaffen hat.

Gott liebt deinen geistlichen Teil, weil er *dich* neu erschaffen und zu seinem Tempel gemacht hat.

Das Einzige, was er *nicht* liebt, ist dieses fremde Ding in deinem Körper, die *Sünde*. Bei der Heiligung geht es darum, die Auswirkungen, welche die Sünde auf deinen Körper und deine Seele hat und hatte, zu minimieren. Die Sünde ist immer noch in unserem Körper und sie ist das Einzige, was wir *nicht* akzeptieren sollten. Sie ist das Einzige, was wir auslöschen sollten – und zwar täglich. Nicht durch das Gesetz, sondern kraft des Geistes.

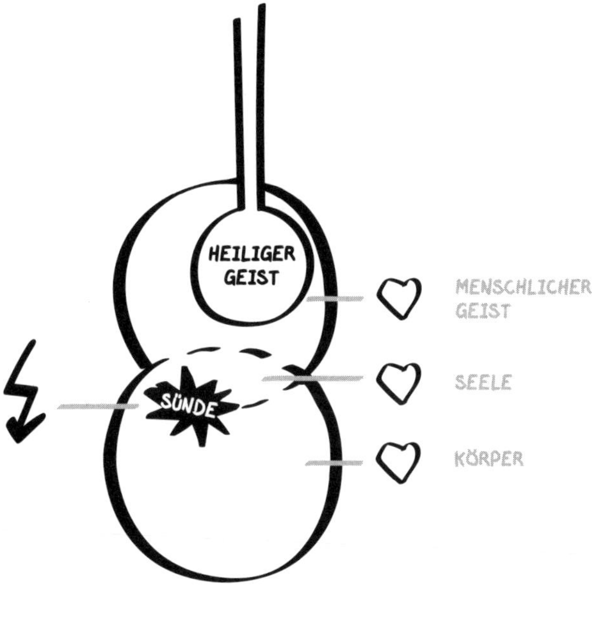

Darüber hinaus sind wir aufgefordert, uns von ganzem Herzen mit all unseren Unterschieden anzunehmen. Ja, sogar noch mehr: Wir sollen diese Unterschiede feiern, denn sie sind ein Zeugnis für Gottes erstaunliches Wesen. Wir sollen einander annehmen, wie Christus es getan hat. Er hasste die Sünde, aber er liebte die Menschen.

Das Einzige, was Gott an deiner Existenz nicht gefällt, ist, dass die Sünde noch in deinem Körper ist. Aber das bist nicht *du*. Sie ist vorübergehend und *du* stimmst Gott vollkommen zu, dass Sünde böse ist. Es gibt also keinen Zentimeter an *dir,* den Gott nicht liebt oder akzeptiert. Gott liebt dich, wie er seinen eigenen Sohn liebt. Denn ihr seid eins!

Das betete der Herr Jesus in seinem letzten öffentlichen Gebet, bevor er ans Kreuz ging: *„Die Liebe, womit du mich geliebt hast, sei in ihnen und* ***ich in ihnen.“*** (Johannes 17,26)

Gott liebt dich nicht nur, er nimmt dich an. Er liebt dich nicht nur, er *mag* dich.

Er nimmt dich so an, wie du bist.

IN CHRISTUS

Das mag sich wie eine Wiederholung anhören, aber das ist es nicht. Gott sehnt sich zutiefst nach dir. Das ist der Unterschied:

1. **Gott liebt dich individuell:** Gottes individuelle Liebe bedeutet, dass Gott dich nicht nur als Teil einer Masse geliebt hat, sondern persönlich. *Und alle Leute sagten: Amen.*

2. **Gott hat dich persönlich angenommen:** Gottes persönliche Annahme bedeutet, dass er dich in die Gemeinschaft mit sich selbst aufnimmt, so wie er dich geschaffen hat. *Und alle Leute sagten: Amen.*

3. **Gott sehnt sich ganz persönlich nach dir:** Gottes persönliches Verlangen nach dir bedeutet, dass er das, was er in dir sieht, um deiner selbst willen liebt. *Und alle Leute sagten: Moment mal! Ist das wahr? Ich dachte, Gott liebt mich, weil ER die Liebe ist, nicht weil ich begehrenswert bin. Und wenn er etwas an mir liebt, dann ist es Christus.*

Ich verstehe, warum wir so denken, und vielleicht kann ich dir eine plausible Erklärung geben. Dazu muss ich zwei Themen ansprechen: erstens die Unterschiede zwischen Christus und dir und zweitens die Tatsache, dass du begehrt bist.

Christus und „du“

Du hast wahrscheinlich schon das „Was Gott an mir liebt, ist Christus, nicht ich“-Argument gehört. Der erste Teil ist richtig. Gott hat Christus geliebt und er liebt Christus in mir. Aber der zweite Teil, dass die Liebe zu Christus im Gegensatz zu Gottes persönlicher Liebe zu mir als Person steht, ist falsch. Es tötet genau das, was Gott dir vermitteln möchte: dass du *persönlich* von deinem himmlischen Vater *geliebt, gemocht und begehrt* wirst. Kehren wir also zu dem zurück, was wir am Anfang besprochen haben.

Einheit: Der Mensch wurde von Gott geschaffen und kann nicht losgelöst von Gott betrachtet werden. In Apostelgeschichte 17,28 heißt es: *„In ihm leben wir und bewegen uns und sind wir.“ Vielfältigkeit:* Aber die Menschen wurden nach dem Bild Gottes geschaffen. Sie sind nicht Gott. Sie unterscheiden sich von Gott. Deshalb glauben wir Christen an die Persönlichkeit des Menschen.

Das gleiche Prinzip gilt für unsere Beziehung *„in Christus“*. Wir sind *„in Christus“*, was bedeutet, dass wir nicht Christus sind. Der menschliche Geist und der Geist Gottes sind eng miteinander verbunden, sodass wir sogar *„Teilhaber der göttlichen Natur“* genannt werden (2. Petrus 1,4), aber wir sind nicht Gott. Wir sind nicht das Göttliche. Wir sind *„in Christus“*, aber immer noch verschieden von Christus.

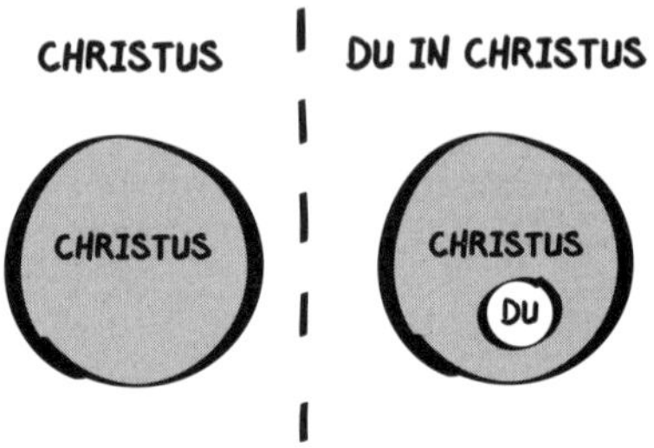

Du bist begehrt

In der christlichen Community legen wir sehr viel Wert auf die Liebe (sonst würdest du dieses Buch nicht in den Händen halten). Im Griechischen gibt es viele Wörter für Liebe.

- Eros – körperliche Zuneigung
- Storge – natürliche Zuneigung
- Phileo – starke Zuneigung
- Agape – eine höhere Liebe

Eros wird im Neuen Testament aus offensichtlichen Gründen nicht verwendet; das Gleiche gilt für Storge, während der letzte Begriff, Agape, hauptsächlich verwendet wird.

Agape ist eine Liebe, die sich selbst zum Wohl der geliebten Person aufopfert. Sie basiert nicht auf Gefühlen oder darauf, wie attraktiv diese Person ist. Sie basiert auf der Entscheidung der Person, die liebt. Jetzt kannst du dir vorstellen, warum diese Liebe so wichtig ist, um auszudrücken, wie Gott uns geliebt hat, als wir noch Sünder waren. Sie gibt uns Sicherheit. Sie zeigt, dass Gott uns geliebt hat, obwohl wir nicht liebenswert waren.

Aber wenn wir nur die Agape-Liebe (er-)leben, versäumen wir etwas, denn als Menschen brauchen wir mehr als Sicherheit. Wir wollen um unserer selbst willen geliebt werden. Das ist die Phileo-Liebe.

Ich möchte den Unterschied zwischen Agape und Phileo anhand einer Ehepaar-Beziehung verdeutlichen. Stell dir vor, ein Mann sagt zu seiner Frau: „Mach dir keine Sorgen, wenn du grau und alt wirst. Ich liebe dich, denn schließlich habe ich bei unserer Heirat beschlossen, dir treu zu bleiben, bis dass der Tod uns scheidet.“ Die Wirkung einer solchen Haltung wäre Sicherheit. Die Frau hätte die Gewissheit, dass der Mann an ihrer Seite bleibt, egal, was mit ihr passiert, denn seine Entscheidung ist nichts, was schwindende Schönheit oder Gesundheit ändern könnten.

Aber wenn diese uneigennützige Agape-Liebe alles wäre, was der Mann „aufzubieten“ hat, dann wäre das für die Frau auch nicht wirklich schmeichelhaft. Sie würde sich nie für das, was sie ausmacht, geliebt fühlen. Sie würde wissen, dass der Grund für die Liebe in ihm selbst liegt und nicht in ihr. Sie würde sich nicht um ihrer selbst willen geliebt fühlen, weil der Ehemann ihr ausdrücklich gesagt hat, dass seine Liebe außerhalb von ihr selbst liegt.

Aber wir alle wollen für das geliebt werden, was wir sind. Hier kommt die Phileo-Liebe ins Spiel. Phileo ist ein Begriff, der eine emotionale Verbindung und Nähe zwischen zwei Menschen ausdrückt. Sie entsteht, wenn man die bewundernswerten und attraktiven Eigenschaften des anderen schätzen lernt. Die Griechen schätzten Freundschaft sehr und benutzten das Wort „phileo", um die gegenseitige Anziehung zwischen Freunden zu beschreiben. Während Agape mit Verpflichtungen und Verantwortungen verbunden ist, bezeichnet Phileo eine eher bedingungslose Art der Zuneigung ohne moralische Erwartungen.

Phileo geht, entgegen der landläufigen Meinung, sehr tief. Sie drückt eine tiefe emotionale Verbundenheit aus, die über das hinausgeht, was man durch bloßes intellektuelles Verstehen erfährt. Sie spiegelt eine intime Verbindung des Herzens und der Seele zwischen zwei Menschen wider. Während Agape eine verstandesmäßige Entscheidung ist, drückt Phileo aus, was wir in unserem Herzen fühlen. Agape entsteht im Kopf, Phileo wird aus dem Herzen geboren.

Agape-Liebe ist großartig, aber Phileo ist notwendig. Vielleicht wird das klarer, wenn wir uns das letzte Gespräch ansehen, das Jesus mit seinem besten Freund und Jünger Petrus führte.

Die beiden gehen am Meeresufer vor den anderen Jüngern spazieren. Jesus stellt Petrus dreimal fast die gleiche Frage: „Liebst du mich?"

Als Erstes möchte er wissen, ob Petrus ihn mehr als alles andere liebte (Agape). Das war ein hoher Anspruch. Diese Frage impliziert, ob er die Entscheidung getroffen hat, ihn über alles andere zu stellen. Als Petrus zustimmt, tut Jesus etwas sehr Merkwürdiges. Er stellt Petrus immer bohrendere Fragen und versucht, sein Herz zu erreichen. Mit seiner letzten Frage betrübt er ihn. (Johannes 21,17) Warum? Jesus wechselt von der kopfgesteuerten Agape-Liebe zur herzgesteuerten Phileo-Liebe. Hier ist die Reihenfolge seiner Fragen:

1. „Simon, Sohn des Johannes, liebst du mich mehr als diese?“ (Agape)
2. „Simon, Sohn des Johannes, liebst du mich?“ (Agape)
3. „Simon, Sohn des Johannes, hast du mich lieb?“ (Phileo)

Ich stelle mir vor, wie sie während der ersten beiden Fragen entlang des Meeresufers gehen, aber als die dritte Frage kommt, bleibt Jesus plötzlich abrupt stehen. Petrus geht ein paar Schritte weiter und dreht sich dann um.

Zwei Augenpaare treffen sich.

„Petrus – magst du mich?“, fragt Jesus.

Was er damit sagen will, ist: Simon, *mein Freund*. Nicht Petrus, der große Apostel, sondern Simon als *Mensch*. Siehst du etwas *Begehrenswertes* in mir? Simon, vergiss die Zeichen und Wunder, vergiss mich als Messias-König und dich als Nachfolger. Sieh nur mich als Person – mich, wie ich hier vor dir am See Genezareth stehe. Sieh einfach nur mich, Jesus, deinen Freund – magst du mich?

Jesus wollte von Petrus um seiner selbst willen geliebt werden. Nicht für das, was Petrus von ihm bekommen würde. Nicht für das, was Jesus getan hatte oder tat – sondern für das, was er war.

Das brach Petrus das Herz.

Sie waren drei Jahre lang gemeinsam unterwegs gewesen. Jesus war sein Meister gewesen und jetzt schien er sich nicht sicher zu sein, ob Petrus ihn überhaupt *mochte?!* Jesus wollte nicht nur Petrus’ Willensentschluss. Er wollte Petrus’ Herz. Das zeigt, wie tief Phileo-Liebe gehen kann und wie wichtig diese ist. Und jetzt kommt’s:

Gott liebt dich mit einer Phileo-Liebe.

Kannst du dir das vorstellen? Gott findet etwas Begehrenswertes an dir. Der Vater liebt dich nicht nur mit einer Agape-Liebe, die stark genug war, seinen Sohn zu opfern, als du noch Sünder warst, sondern jetzt, wo du in eine Beziehung zu ihm gebracht wurdest, sagt die Bibel: *„Der Vater selbst hat euch lieb (phileo).“* (Johannes 16,27)

Das ist die Phileo-Liebe.

Wenn Gott, der Vater, dich sieht, entzündet sich ein Gefühl in seinem Herzen, weil er deine bewundernswerten und attraktiven Eigenschaften zu schätzen weiß. Der Vater hat nicht nur für sich beschlossen, dich zu lieben, er liebt dich, weil er in dir einen Grund zur Liebe findet.

Wenn Gott dich, sein Kind, anschaut, sieht er keinen Sünder – das gehört der Vergangenheit an.

Er sieht ein Kind, das er beschenken will, das er an seinen reich gedeckten Tisch bringen will und das er voller liebevoller Zuneigung begehrt.

Er liebt dich um deiner selbst willen.

Gott liebt dich.

TAKEAWAYS

(1) **Viele Christen wissen nicht, wie reich sie wirklich sind.**
- Lebe nicht in der Wüste, wenn du im Gelobten Land sein könntest.
- Lebe nicht nach dem Fleisch, wenn du im Geist mit Gott eins bist.

(2) **Gott liebt dich persönlich.**
- Gott liebt dich nicht nur als Teil einer Masse, sondern auch individuell.

(3) **Gott hat dich persönlich angenommen.**
- Gott nimmt dich in die Gemeinschaft mit sich selbst auf – so, wie er dich geschaffen hat.

(4) **Gott sehnt sich innig nach dir.**
- Gott liebt das, was er in dir sieht, um deiner selbst willen.

GEBET

Herr, du siehst mein Innerstes – und du liebst mich.

Ich bin überwältigt.

TEIL IV

DIE NEUORIENTIERUNG:
GOTT LIEBT UNS

KAPITEL 12

HASS IN DER KIRCHE

Alles zerfällt

Stell dir mal Folgendes vor: Jeder in der Gemeinde weiß, was wir gerade besprochen haben.

„Gott liebt mich und nimmt mich an."

Kannst du dir vorstellen, was für eine Kraftquelle die Kirche in dieser Welt sein würde? Wie das Evangelium ein Herz nach dem anderen, ein Haus nach dem anderen und eine Stadt nach der anderen erobern würde?

Leider geschieht aber nichts davon.

Am Ende meiner Teenagerjahre hat mich das total beunruhigt.

Ich vertiefte mich in das Wort Gottes; ich leitete zwei Musikgruppen; ich verkündete das Evangelium auf der Straße; ich ermutigte junge Menschen, Christus nachzufolgen.

Ja, Menschen fanden den Herrn und kamen in die Gemeinde. Aber dann entdeckte ich die andere Seite der Medaille. Wenn Menschen in die Gemeinde kamen, fanden sie nicht nur Christus. Sie fanden auch andere Christen – und flohen.

Das hat einen tiefen Eindruck bei mir hinterlassen. Denn als ich sah, wie junge Menschen, die das Beste für ihr Leben wollten, rausgeschmissen wurden, wurde mir klar, dass etwas *zutiefst* falschlief.

Mit der Gemeinde.

Und mit mir.

Und das hat mich erschüttert.

War das jetzt das Ende? War alles, was ich mit dem Herrn erlebt hatte, umsonst gewesen? Ich war zutiefst frustriert, und in dieser Frustration begannen Sündenmuster in meinem Leben zu wachsen. Traurigerweise stellte ich alle meine öffentlichen geistlichen Aktivitäten ein und machte einen Rückzieher.

Ich kann gut verstehen, wie sich der Apostel Petrus gefühlt haben muss, nachdem der Herr Jesus gekreuzigt worden war. All seine großen Hoffnungen waren zerstört worden. Der Messias, auf den er gewartet hatte, hatte sein Ziel nicht erreicht und keine Befreiung gebracht. Die Führer hatten ihn gekreuzigt. Es war eine einmalige Chance und sie hatten sie versäumt.

Was hat Petrus also getan? Er machte einen Rückzieher. Er kehrte zu den Dingen zurück, die er immer tat.

Zu den Dingen der Erde. Er hörte auf, nach Menschen zu fischen, und ging zurück zum ... Fischen – nach ... Fischen.

Das erscheint irgendwie logisch. Wahrscheinlich suchte er nach einem Trost, nachdem seine Welt aus den Fugen geraten war. Aber das Erstaunliche ist, dass er das tat, *nachdem* er den auferstandenen Jesus getroffen hatte! Wir wissen, dass Jesus ihm persönlich erschienen ist, bevor er ihn in der Gruppe getroffen hat. Das bedeutet, dass Petrus den auferstandenen Christus gehört und sogar gesehen hat und trotzdem enttäuscht war.

Doch wir machen genau den gleichen Fehler: Wir *kennen* die ganze Wahrheit und sind vielleicht trotzdem desillusioniert von dem, was wir um uns herum sehen.

Wenn du an diesem Punkt bist – ich bin bei dir.

Ich war auch dort.

Desillusioniert.

Du kennst das Glorreiche, aber es hat den Glanz verloren.

Diese Wüstenzeit in meinem Leben war zweifelsohne ein Versuch Satans, mich für immer aufzuhalten. Meinen Dienst zu stoppen. Mich auszuschalten, bevor ich überhaupt angefangen hatte. In dieser Zeit zerbrachen Freundschaften, Menschen gingen zurück in die Welt und ich ließ geistliche Aktivitäten hinter mir ... Der Teufel dachte sicher, er hätte gewonnen. Aber Gott hatte einen anderen Plan!

Manchmal ist es die Stille, in der er am lautesten spricht.

Folgendes hat Gott mir in dieser Zeit gesagt: „Geh zurück in deine Heimatstadt. Investiere in die Beziehung mit deinem Vater und deiner Mutter und deinem jüngsten Bruder." Das tat ich also. Es schien wie ein Rückschritt, aber ich zog wieder nach Hause und lebte ein weiteres Jahr bei meinen Eltern. Ich investierte in meine Familie. Ich baute ein Gartenhaus für meine Mutter und eine Bibliothek für meinen Vater. Ich investierte das ganze Jahr in meinen jüngsten Bruder und in seine Freunde. Und in meiner Freizeit frischte ich meine Griechischkenntnisse auf.

Mein Leben fühlte sich nicht mehr halb so spannend an wie früher, aber der Herr bereitete etwas Größeres vor.

In dieser Zeit hatte ich ein Gespräch mit einem guten Freund. Ich erinnere mich noch gut an das Bild, das er mit mir teilte: Er sagte, dass Bäume am Anfang sehr schnell vertikal wachsen und dann plötzlich ihr Wachstum einstellen. So scheint es zumindest, aber das ist falsch. Statt vertikal wachsen sie nämlich jetzt horizontal – unter der Erde: Sie schlagen Wurzeln und werden damit stärker! Und diese tiefe Stärke ist wichtig, um in Stürmen bestehen zu können.

In diesem einen Jahr, das für mich eine Art Zeit der Stille war, hatte ich viel Zeit zum Nachdenken. Ich betete, dachte über die Kirche nach und investierte meine Zeit in einige junge Leute.

Nach diesem Jahr startete ich voll durch, gründete eine super erfolgreiche Jugendarbeit und alles war toll ...!

Nein. Ganz und gar nicht!

Es folgten weitere *acht Jahre,* in denen ich unter der Oberfläche „Wurzeln schlug".

Als ich in die Schweiz zurückkehrte, nahm ich nicht sofort alle meine früheren Aktivitäten wieder auf. Gezeichnet von der Uneinigkeit und den Brüchen, die ich in der Kirche miterlebt hatte, setzte ich mich mit ein paar jungen Leuten aus meiner Gegend zusammen und sagte ihnen: „Ich habe keine Ahnung, wohin das führt, aber ich möchte mein Leben in euch investieren." Ich hatte keinen großen Plan. Ich war einfach da – ein Teil ihres Lebens –, machte Sport mit ihnen, hing mit ihnen ab, hörte ihren Gesprächen zu, studierte mit ihnen die Bibel und gab

Lebensprinzipien weiter.

Acht Jahre lang hatte ich keinen öffentlichen Dienst, nur diese Handvoll junger Menschen.

Ich hatte keine Ahnung, was ich da tat.

Ich war einfach da ... weinte über den Zustand der Kirche und investierte mein Leben in diesen kleinen Haufen junger Leute.

Das Problem

Ich möchte dir ein paar Gedanken mit auf den Weg geben, die mir während dieser Zeit kamen – vielleicht kannst du dich dann besser in meine Situation einfühlen.

Die Kirche sollte das Schönste sein, was die Welt je gesehen hat. Wenn man sie richtig auslebt, wird sichtbar, was sie wirklich ist: ein himmlischer Körper auf einem irdischen Planeten. Schließlich ist sie der Leib Christi – was könnte also herrlicher sein? Das Problem ist, dass die Kirche nicht *automatisch* schön ist. Sie kann ihren Glanz verlieren. Sie kann schmutzig werden. (Epheser 5,26) Sie kann ihr Licht verlieren (Offenbarung 2,5) und salzlos werden.

Das ist traurig, es sollte dich aber nicht überraschen. Und es sollte dich keinesfalls dazu bringen, die Hoffnung zu verlieren.

Doch wir müssen ehrlich mit den Herausforderungen umgehen, vor denen die Kirche steht, wenn wir Salz und Licht für die Welt sein wollen. In meinen Jahren des „Wurzeln-Schlagens" entdeckte ich drei Bereiche, die sich für mich kaputt anfühlten:

Erstens: Die Kirche hat ein **Input**-Problem.

Der Zufluss in der Gemeinde stimmt nicht – so wie bei einem See, der einen schmutzigen Zufluss hat. Wenn du feststellst, dass in einem See alle Fische sterben, stimmt wahrscheinlich etwas mit dem Wasser nicht. Wenn du dann einen Bach siehst, der durch das Gebiet eines radioaktiven Atomkraftwerks fließt, wird dir sofort klar: Der Zufluss ist verseucht.

In der Kirche sterben viele „Fische". Viele Kirchenbesucher zeigen keine Anzeichen von ewigem Leben. Wir müssen also nach dem Zufluss fragen: Wie kommen die Neubekehrten überhaupt in die Kirche? Nachdem ich viel über diese Frage nachgedacht und beobachtet habe, denke ich, dass wir ein fehlerhaftes Evangelium predigen – der Zufluss ist verunreinigt.

Wir predigen die Vergebung der Sünden, aber das ist bloß die Hälfte der Botschaft. Die andere Hälfte ist die lebensverändernde Erfahrung und die Kraft des Heiligen Geistes, die entsteht, wenn wir unser ganzes Wesen in Christus finden. Wie viele Christen gibt es, die nur das Kreuz kennen, aber nicht den auferstandenen Christus? Oder wie viele Menschen fangen an, Jesus nachzufolgen, ohne überhaupt zum Kreuz gekommen zu sein? Das Ergebnis sind viele falsche Bekehrungen. Viele werden Mitglieder einer örtlichen Kirche, sind aber nie Mitglieder der wahren Kirche.

Sie kommen durch die Kirchentür, ohne durch die Tür zu gehen, die Jesus heißt.

Sie sind wie die Philister in Kanaan, die nie durch den Jordan gegangen sind.

Das Ergebnis ist, dass die Kirche kompromittiert ist. Aber anstatt Buße zu tun, hat sich die Kirche einfach an die schlechte Situation angepasst. Sie passte sich den Christen an, die den Heiligen Geist nicht haben, und bediente das Fleisch, anstatt die Menschen mit Worten des Geistes zu nähren. Anstatt den Zustrom zu bereinigen, half sie toten Fischen beim Schwimmen.

Zweitens: Die Kirche hat ein **internes** Problem.

Unser Marketing ist so viel besser als unser Produkt. Wir gehen hinaus und verkaufen die Kirche, als wäre sie das Beste auf der Welt, aber in Wirklichkeit haben die meisten Kirchen Schwierigkeiten, quantitativ und qualitativ wirklich zu wachsen. Wir laden die Menschen ein, Gottes bedingungslose Liebe zu empfangen, aber wenn wir sie erst einmal aufgenommen haben, knüpfen wir die Liebe Gottes an Bedingungen. Wir verkaufen den Menschen den Traum von *einer einzigen Kirche,* aber sobald sie in eine bestimmte Denomination kommen, verstehen sie, dass es riesige und trennende Mauern zwischen den einzelnen Gemeinden gibt. Selbst innerhalb der Ortsgemeinden finden sie keine Familie, sondern Feinde. Die Leute sagen, dass es darauf ankommt, was drinnen ist, aber sobald sie drinnen sind, finden sie Leute, die sich darüber streiten, was draußen vor sich geht. Denke nur an Corona und wie die Gemeinde damit umgegangen ist. Hat die Gemeinde Einigkeit, Familie, Belastbarkeit und Mut gezeigt oder eher Streit, Uneinigkeit, Schwäche und Feigheit?

Drittens: Die Kirche hat ein **individualistisches** Problem.

Sie hat ihren kollektiven Charakter verloren, weil wir uns den Individualismus zu eigen gemacht haben.

Wie wir wissen, war die Kirche ursprünglich eine kollektive Institution. Die ersten Christen hatten alles gemeinsam – sogar ihren materiellen Besitz teilten sie miteinander. Sie teilten ihr Leben, ihr Geld und ihre Gaben miteinander. Aber die Zeiten haben sich geändert und mit ihnen die Kultur. Die erste Kirche lebte in gemeinschaftlichen Kulturen. Gruppen waren von primärer Bedeutung – der Einzelne war zweitrangig. Aber in der heutigen Welt ist der Einzelne in den Mittelpunkt der Aufmerksamkeit der Menschen gerückt. Das hat einen tiefgreifenden Einfluss darauf, wie wir die Kirche sehen. Beim Individualismus dreht sich alles um *dein* Leben mit Jesus. Von anderen abhängig zu sein, wird als etwas Negatives angesehen. Aber das widerspricht allem, was die Bibel über Beziehungen sagt, und sogar dem, wie wir als Menschen geschaffen wurden. Die Bibel legt einen großen Wert auf das Kollektiv. Wir wurden nämlich nach dem Bild Gottes geschaffen, der in sich selbst eine Beziehung ist: Vater, Sohn, Heiliger Geist. Es ist kein Wunder, dass wir unter Depressionen und psychischen Krankheiten leiden, wenn wir versuchen, in unserem individualistischen Lebensstil voranzukommen.

Ich denke, du kannst dir vorstellen, warum ich deprimiert war.

Vielleicht bist du es auch.

Ich treffe heutzutage so viele Menschen, die denselben Schmerz teilen – du bist also nicht allein.

Aber es gibt auch gute Nachrichten! Der Herr tut ein großes Werk in unserer Generation und ich bete dafür, dass er uns wieder zu einer lebendigen Kirche zurückbringt und uns daran erinnert, wie sie am Anfang gemeint war. Der Herr will eine große Erweckung bewirken. In der Vergangenheit hat Gott Einzelne benutzt, um das Gewissen und die Herzen anderer Gläubiger aufzuwecken.

Vielleicht ist eine Erweckung nur noch eine Person entfernt. Vielleicht bist du diese eine Person.

Hab keine Angst, in eine Zeit der Stille zu gehen. Hab keine Angst, vor deinem Gott zu weinen, und hab keine Angst, in deiner Bibel zu lesen.

Gott wartet dort auf dich!

In den nächsten beiden Kapiteln möchte ich daher einen Lösungsansatz für unser gemeinsames Problem vorschlagen. Wenn ein Projekt aus dem Ruder läuft, versucht die zuständige Person immer, wieder auf Kurs zu kommen. Sie nimmt sich Zeit zur Reflexion. Meistens beginnt es damit, dass man definiert oder sich daran erinnert, was die Kernidentität des Projekts war. Wenn wir also über die Gemeinde nachdenken, müssen wir zwei Punkte anpacken:

Sein und Handeln.

1. Sein: die himmlische Kirche (Kapitel 13)

Was ist Kirche und was ist sie nicht? Das wird uns helfen, die Kernidentität zu verstehen und eine korrigierte Sichtweise zu haben, um in einem zweiten Schritt zu analysieren, ob unser Handeln mit unserer Kernidentität übereinstimmt.

2. Handeln: die himmlische Kirche auf der Erde (Kapitel 14)

Was ist die richtige Interaktion zwischen einer himmlischen Kirche und einer irdischen Welt? Welche Beziehung hat ein Christ mit der Welt? Hier beginnen die meisten Probleme, denn die häufigsten Diskussionen drehen sich allein um triviale irdische Dinge.

Das sind also zwei Punkte, die wir uns in den nächsten beiden Kapiteln anschauen werden.

Mein Gebet ist, dass wir unser *Sein* richtig verstehen und dass daraufhin das *Handeln* folgen wird. Wenn beides korrigiert ist, werden wir wieder anfangen, Liebe auszustrahlen. Und ich bin fest davon überzeugt, dass dies der erste Schritt zu einem erfolgreichen Dienst am Evangelium ist, denn *„wenn ihr Liebe untereinander habt, werden alle erkennen, dass ihr meine Jünger seid“*. (Johannes 13,35)

TAKEAWAYS

1. **Die Kirche braucht eine neue Reformation.**
   - Die Kirche hat ein äußeres Problem (Evangelium) und ein inneres Problem (Gemeinschaft und Charakter).
   - Es gibt zwei wesentliche Schritte zur Reform der Kirche.

2. **Erstens: Die Kirche muss ihr wahres Wesen finden.**
   - Die Kirche muss sich ihrer himmlischen Berufung stellen.

3. **Zweitens: Die Kirche muss ihr Handeln darauf ausrichten.**
   - Die Kirche muss verstehen, wie sie diese himmlische Berufung auf der Erde leben kann.

GEBET

Herr – wir brauchen eine Erweckung in der Kirche. Deine Kirche ist eine so schöne Idee, die direkt aus der Liebe deines Herzens kommt. Hilf uns allen, unseren himmlischen Ruf zu verstehen und unser Handeln darauf auszurichten, einander zu lieben und anzunehmen, wie du uns angenommen hast. Sei barmherzig und lass uns Zeiten der Erweckung durchleben. Nicht für uns, Herr, sondern zu deiner Herrlichkeit!

KAPITEL 13

DIE HIMMLISCHE KIRCHE

Die Braut, die Kirche

Plötzlich sah ich sie.

Ich saß da mit einer aufgeschlagenen Bibel und plötzlich war sie da.

Eine Frau von solcher Schönheit, wie ich sie noch nie gesehen hatte.

Es ist mir unmöglich zu beschreiben, wie zart und bezaubernd sie wirklich war, denn ich hätte mir nie träumen lassen, dass jemand so überragend schön sein könnte. Bis zu diesem Moment war ich der festen Überzeugung, dass Unvollkommenheit Perfektion ist, aber zum ersten Mal sah ich Exzellenz mit Eleganz vereint. Ich war so hingerissen, dass ich nicht merkte, wie die Zeit stehen blieb. Die hinreißende Erscheinung dieser Frau war wie ein Feuer, man wurde nicht müde, sie anzusehen. Wenn sie ging, sah es aus wie ein Tanz. Ihre Bewegungen waren so harmonisch und elegant, dass man fast den Takt der unhörbaren Musik hören konnte. Ihre wallenden, mondschattenschwarzen Haare fielen ihr über die Schultern. Wenn sie lächelte, konnte man die Sonne in ihrer ganzen königlichen Pracht in ihren Augen aufgehen sehen. Obwohl ihre Haut kupferbraun war, wie ein windzerzaustes Herbstblatt, waren ihre Augen galaxienblau und verrieten ihren himmlischen Charakter.

Ich konnte mir fast vorstellen, wie Jesus neben mir stand und sagte:

Ist meine Braut nicht himmlisch schön?

Diese kleine Geschichte soll als Bild dienen, wie persönlich und eindrucksvoll meine erste Entdeckung der Gemeinde war. Diese Erkenntnis war atemberaubend. Die *ekklesia*, die Kirche, die Braut des Lammes, ist das Schönste, was ein Mensch momentan auf der Erde sehen kann. Man kann die Kirche jedoch nur mit geistlichen Augen sehen, denn als geistlicher und himmlischer Körper hat Gott sie für die natürlichen Augen verborgen.

Für den Herrn Jesus ist sie so kostbar, dass er sie mit einer Perle vergleicht. In Matthäus 13,45-46 sagt er: *„Wiederum gleicht das Reich der Himmel einem Kaufmann, der schöne Perlen suchte; als er aber eine sehr kostbare Perle gefunden hatte, ging er hin und verkaufte alles, was er hatte, und kaufte sie.“*

Als ich zum ersten Mal die Bedeutung dieses Verses verstand, veränderte sich mein ganzes Universum. Gott, der Sohn, hat hier auf der Erde ein Objekt, das er für so wertvoll wie eine Perle hält. Sie ist sogar so wertvoll, dass er sein eigenes Leben für sie gab. Kannst du dir das vorstellen? Der Schöpfer des Himmels und der Erde findet an ihr so viel Freude, dass er bereit war, alles aufzugeben und sie mit seinem eigenen Blut, also mit seinem Tod, zu erkaufen.

Ich wusste, dass es in der Bibel Bilder von der Kirche gibt – von dem Leib Christi und der Braut –, aber alles änderte sich, als ich verstand: Es sind nicht nur bloße Bilder oder Metaphern. Die Kirche *ist* ganz real seine Braut. Sie *ist* sein Leib!

Du sorgst dich um deinen Körper, richtig? Nun, die Kirche *ist* der Leib des Sohnes Gottes und er kümmert sich sehr um sie. Du würdest dich doch auch um deine Verlobte oder deine Frau kümmern, oder? Wie viel mehr wird sich der himmlische Bräutigam um seine Braut kümmern! In Sacharja 2,12 heißt es, dass Israel sein Augapfel ist. Wie viel mehr kümmert er sich um die Gemeinde, die *wesentlich* ein Teil von ihm ist!

Paulus muss erkannt haben, wie eng diese Beziehung für Jesus Christus war, als er die Gemeinde verfolgte. Jesus warf ihn zu Boden und sagte: *„Saul, Saul, was verfolgst du* ***mich?***“ (Apostelgeschichte 9,4) Er dachte, dass Menschen, die an Jesus glauben, eine *theoretische* Beziehung zu einer toten Person haben – doch in diesem Moment erkannte er: Christen haben eine *wesentliche* Beziehung zum lebendigen Christus. Wir als Körper auf der Erde haben Christus als Haupt im Himmel. Die schöne Braut hier unten hat einen liebenden Bräutigam dort oben.

1. Korinther 6,16-17 bringt mich immer wieder zum Staunen: *„‚Denn es werden', heißt es, ‚die zwei ein Fleisch sein.' Wer aber dem Herrn anhängt, ist ein Geist mit ihm."*

Wir sind untrennbar mit Jesus Christus verbunden. Das ist die erste Liebe. Das ist es, was der Sohn Gottes für die Kirche empfindet.

Es lohnt sich, diese Botschaft zu wiederholen: Der Schöpfer des Universums liebt uns!

Genau genommen ist das die gesamte Botschaft dieses Buches. Du und ich. Wir sind von Gott *ganz und gar* geliebt.

Derjenige, der den Grand Canyon mit einem Wort erschaffen hat.

Die Artenvielfalt, die wir in der Welt sehen, war nur ein Gedanke von einem Sekundenbruchteil.

Derjenige, der die Atome und die Sterne ohne jegliche Anstrengung zählt.

> *„Denn in ihm ist alles in den Himmeln und auf der Erde geschaffen worden, das Sichtbare und das Unsichtbare, es seien Throne oder Herrschaften oder Gewalten oder Mächte: Alles ist durch ihn und zu ihm hin geschaffen; und er ist vor allem, und alles besteht durch ihn. Und* ***er*** *ist das Haupt des Leibes, der Gemeinde."* (Kolosser 1,16-18)

Wenn die Kirche in den Augen Gottes wunderbar ist, dann lass mich dir nur ein wenig von ihrer Schönheit hier auf der Erde zeigen.

Die Kirche – eine himmlische Idee

Die Kirche ist eine fantastische Idee.

Eigentlich eine himmlische Idee.

Gott hatte die „Idee der Kirche“ schon, bevor die Erde erschaffen wurde (Epheser 3,8-11), aber das Wort, das Gott wählte, um diese Idee zu beschreiben, gab es noch nicht: *ekklesia*.

„*Ekklesia*“ ist ein griechisches Wort und war zur Zeit des Neuen Testaments sehr geläufig. Im antiken Griechenland war die ekklesia eine politische Versammlung der Bürger in den Stadtstaaten. Wenn ein Christ also damals sagte: „Ich gehe zur Versammlung (*ekklesia*)“, verstand ein Grieche: „Ich gehe zu diesem *Leitungsgremium,* in dem die Bürger in der Demokratie mitwirken.“ Die *ekklesia* war das wichtigste gesetzgebende Organ des Stadtstaates, das heißt, ihr Ziel war es, Gesetze zu erlassen, die das *Gemeinwohl* förderten.

Die *ekklesia* war außerdem eine Gruppe von angesehenen Leuten in Athen: die *ekkletoi.* Dieses Wort setzt sich aus den griechischen Wörtern „kaleo“ (rufen) und der Vorsilbe „ek“ (heraus) zusammen. Das Wort bedeutet also *„die Herausgerufenen“*. Das „herausgerufene Volk“ bildet die *ekklesia.* Was waren die Kriterien, um „herausgerufen“ zu werden? Du musstest ein Bürger von Athen sein – die meisten Menschen waren keine Bürger. Um Bürger von Athen zu sein, musste man über 18 Jahre alt sein, zwei athenische Elternteile haben und seinen Militärdienst abgeleistet haben.

Wir werden im Folgenden sehen, dass es drei Hauptkomponenten gibt, die wir sowohl in der Schrift finden als auch dann, wenn wir einen Blick in die Geschichte werfen.

1. Herausgerufene
2. Regierung
3. Gemeinwohl

HERAUSGERUFEN

Die Kirche ist eine Körperschaft von Menschen, die „Herausgerufene" sind. Die Frage ist:

Woraus wurden wir herausgerufen?

> *„Ihr aber seid ein* ***auserwähltes*** *Geschlecht, ein königliches Priestertum, eine heilige Nation, ein Volk zum Besitztum, damit ihr die Tugenden dessen verkündigt, der euch aus der Finsternis zu seinem wunderbaren Licht* ***berufen*** *hat."* (1. Petrus 2,9)

Jeder Mensch, der an den Herrn Jesus glaubt und *„einst Finsternis war, ist jetzt Licht im Herrn".* (Epheser 5,8) Er gehört jetzt zu dieser *ekklesia*. Das bedeutet:

Die Gläubigen sind aus der Finsternis herausgerufen.

Aber die Gläubigen sind nicht aus der Welt herausgerufen.

Die Berufung der *ekklesia* besteht nicht darin, Einsiedler zu sein, die fernab der Zivilisation leben oder sich nicht in die menschliche Gesellschaft mischen. Jesus macht in seinem Gebet zum Vater sehr deutlich, dass wir zwar moralisch, aber nicht physisch getrennt sind.

> *„Ich bitte* ***nicht,*** *dass du sie* ***aus der Welt*** *wegnimmst, sondern dass du sie bewahrst vor dem Bösen. Sie sind* ***nicht von der Welt,*** *wie ich nicht von der Welt bin."* (Johannes 17,15- 16)

Petrus bekräftigt, dass „aus der Finsternis herausgerufen" nicht bedeutet, auf einem anderen Planeten zu leben.

> *„Führt euren Wandel* ***unter*** *den Nationen gut, damit sie, worin sie gegen euch als Übeltäter reden, aus den* ***guten Werken, die sie anschauen,*** *Gott verherrlichen am Tage der Heimsuchung!"* (1. Petrus 2,12)

Die Menschen können deine Taten nur sehen, wenn du ihnen physisch nahe bist. Und sie können nur sehen, dass diese Taten gut sind, wenn diese sich von dem Bösen um dich herum unterscheiden. Die Kirche wird also aus der moralischen Finsternis herausgerufen, nicht aus der physischen Welt.

Und *wozu* oder *zu wem* ist sie berufen?

> *„Er hat uns gerettet aus der Macht der Finsternis und versetzt in das Reich des Sohnes seiner Liebe."* (Kolosser 1,13)

Herausgerufen aus der Dunkelheit in die Liebe des Sohnes.
Vom Tod zum Leben.
Von Satan zu Jesus Christus.

REGIERUNG

Aber wir sind nicht nur *heraus*gerufen – wir sind auch *hinein*gerufen.

Wir wurden nicht nur aus Ägypten *herausgeführt,* sondern auch in das Land *gebracht.*

„Er hat uns gerettet aus der Macht der Finsternis und versetzt *in das Reich des Sohnes seiner Liebe."* (Kolosser 1,13)

Wir haben unser Leben hier auf der Erde verloren und ein neues Leben im Himmel bekommen. Dieses Leben ist in Christus Jesus.

In Kolosser 3,3-4 steht: *„Denn ihr seid gestorben, und euer Leben ist verborgen mit dem Christus in Gott. Christus ist euer Leben."* Wir haben unser Bürgerrecht hier auf der Erde verloren, *„denn unser Bürgerrecht ist in den Himmeln, von woher wir auch den Herrn Jesus Christus als Retter erwarten".* (Philipper 3,20) *„Wir haben hier keine bleibende Stadt, sondern die zukünftige suchen wir."* (Hebräer 13,14)

Doch was haben diese Verbindung zu Christus und der himmlische Charakter der Kirche mit einer Regierung zu tun?

Ganz einfach: Der Himmel regiert die Erde (Daniel 4,23), Christus wird vom Himmel aus regieren. (Epheser 1,20) Und die Kirche – das ist erstaunlich – wird mit ihm herrschen! *„Und alles hat er seinen Füßen unterworfen und ihn als Haupt über alles der Gemeinde gegeben, die sein Leib ist, die Fülle dessen, der alles in allen erfüllt."* (Epheser 1,22)

Um die großartige Wahrheit dieser Aussage zu begreifen, stell dir mal vor, du siehst einen König. Er hat einen Kopf und einen Körper. Regiert der Körper? Ganz sicher – es ist der Körper des Königs.

Die Kirche ist so eng mit Christus verbunden, dass die Kirche der Leib Christi ist. Wir sind der Leib Christi, der das Universum regiert. Das bedeutet, dass die Kirche in der kommenden Welt zusammen mit Christus regieren wird. Wir sind seine Miterben und haben Anteil an seiner Herrschaft.

Sieh dich um. Alles gehört dir. (1. Korinther 3,22)

Ist das nicht überwältigend? Sollte das allein nicht schon unser Verhalten zum Guten verändern und jeder unserer Handlungen eine edle Note verleihen? Paulus sagt, dass die Tatsache, dass wir die Welt beherrschen werden, unser Handeln heute bestimmen sollte. Er sagt den Korinthern quasi: „Leute, warum handelt ihr so schlecht?" *„Wisst ihr nicht, dass wir Engel richten werden?"* (1. Korinther 6,3)

In der Zukunft werden wir also mit Christus herrschen. Zurzeit teilt die Kirche noch seine Verwerfung, doch in Zukunft wird sie seine Herrschaft teilen.

GEMEINWOHL

Die Tatsache, dass die Welt uns in Christus gehört und dass wir sie bald erben werden, sollte unser Denken tiefgreifend beeinflussen. Stell dir vor, du würdest ein Haus erben. Auch wenn du dein Erbe noch nicht angetreten hast, wärst du zutiefst bestürzt, wenn jemand es abreißen würde. Oder stell dir vor, du würdest ein Personalmanager sein. Würdest du dich dann nicht darum kümmern, heute in deinen Führungsqualitäten zu wachsen, um morgen bereit zu sein?

Genauso sollten sich Christen um die Welt und die Menschen um sie herum kümmern. Wir sind zwar moralisch herausgerufen und werden die Welt zukünftig regieren, doch heute sollen wir noch als demütige Verwalter physisch in ihr arbeiten.

Hier fallen viele Kirchen von einem Extrem ins andere. Sie stürzen sich entweder nur in die Arbeit für die Erde oder sie leben ganz im Himmel. Sie leben entweder völlig abgeschieden oder vermischen sich sogar moralisch mit der Welt.

Jakobus 1,22 zeigt beide Seiten auf. Wir sollen *„aber Täter des Wortes sein und nicht allein Hörer, die sich selbst betrügen!“* Johannes schließt sich der gleichen Argumentation an: *„Lasst uns nicht lieben mit Worten noch mit der Zunge, sondern in Tat und Wahrheit!“* (1. Johannes 3,18)

Die Kirche – eine geniale Idee

Die Kirche ist eine himmlische Idee.

Und sie ist eine unglaublich geniale Idee. Ein unfassbares Geschenk der göttlichen Liebe für menschliche Wünsche. Ein himmlischer Gedanke für irdische Bedürfnisse.

Es ist erstaunlich, wie perfekt sie zu unseren persönlichen Sehnsüchten passt.

Unser Leben wird von drei grundlegenden Bedürfnissen bestimmt: Geborgenheit, Liebe und Wachstum. Menschen brauchen nicht nur einen Sonntagsgottesdienst, sie brauchen Sicherheit, Familie und Wachstum!

- **Sicherheit:** Erstens brauchen wir physische Sicherheit, eine Gewissheit, dass die Zukunft relativ sicher ist.

- **Familie:** Zweitens brauchen wir einen Ort, den wir Zuhause nennen. Einen Ort, an dem wir geliebt werden.
- **Wachstum:** Drittens wollen wir in geistlichen Dingen wachsen.

Jede dieser drei Hauptsäulen wurde in die Kirche integriert. Von der körperlichen Sicherheit bis hin zur geistlichen Nahrung finden wir in diesem himmlischen Zuhause Akzeptanz.

Sicherheit: Zu Beginn der Kirche war sie eine Krankenversicherungsgenossenschaft. Die ersten Christen legten ihr Geld zusammen und verteilten es nach ihren Bedürfnissen. (Apostelgeschichte 2,45) Das schuf nicht nur ein erstaunliches Verständnis von Einheit, sondern gab allen darin große Stabilität und physische Sicherheit. Ein Ort der Zugehörigkeit. Die Anziehungskraft der Welt war schon damals immens, doch die Kirche war wie ein Licht, das auf einem Hügel leuchtet. Sie war von Natur aus schön.

Die Menschen wollten dazugehören, denn wenn jeder alles aufgibt, gewinnt jeder alles. Es sei denn, du hast Trittbrettfahrer. Aber auch hier zeigte die Kirche ihre Stärke. Durch pastorale Arbeit und Kirchenzucht wurden Trittbrettfahrer überflüssig gemacht. Liebevolle Heiligkeit schützte vor Menschen, die das System ausnutzen wollten. Es war eine schöne Idee.

Familie: Die Kirche war auch eine Familie. Sie war keine Institution, wie wir sie heute haben, wo wir zweimal pro Woche in ein Gebäude gehen. Die Christen kamen täglich in den Häusern zusammen (Römer 16,5) und aßen zusammen. (1. Korinther 11,20; Apostelgeschichte 2,46) Sie redeten täglich miteinander und beteten miteinander. Sie planten jeden Tag gemeinsam. Sie waren eins, eine Familie. Wenn Menschen von der Welt verstoßen wurden, konnten sie in die Kirche kommen und sie wurden aufgenommen, weil es eine Herberge gab. Sie nannten sich gegenseitig Brüder und Schwestern und meinten es auch so. Sie hatten einen gemeinsamen Vater, sie waren Brüder und Schwestern in Christus und sie hatten eine geistliche Beziehung, die viel realer war als die körperliche.

Wachstum: Und nicht zuletzt gab es ein großartiges Coaching-System. Jeder teilte seine natürlichen und geistlichen Gaben zum Nutzen der anderen. Ältere Männer lehrten jüngere Männer und ältere Frauen lehrten jüngere Frauen. Die Jüngeren dienten den Älteren. Es gab keine Probleme zwischen den Generationen, sondern viele Möglichkeiten zu lieben, zu wachsen und zu dienen. Die Weisheit der früheren Generation wurde weitergegeben, damit die Jüngeren schwere Fehler vermeiden und schnell wachsen konnten. Die Kirche war ein so erstaunliches System, dass sogar die Engel vom Himmel aus zusahen und über die Weisheit Gottes staunten! Die Kirche war außerordentlich schön.

Doch wenn Gott etwas Schönes erschafft, versucht der Teufel, es entweder zu töten oder zu verderben. Das geschah auch mit der frühen Kirche. Sie wurde erst verfolgt und dann verdorben.

Die Gegenbraut

Hast du dich jemals gefragt, warum sich die Kirche von ihrem ursprünglichen Konzept entfernt hat? Wie hat sie sich zu dem entwickelt, was wir heute kennen? Ich will dich hier nicht mit einer Geschichtsstunde langweilen, sondern komme gleich zum Kern dessen, was diesen Wandel ausgelöst hat.

Gott hat einen ständigen Widersacher: Satan. Gott ist das künstlerische Genie, und Satan agiert als sein Zwischenrufer. Gott hat Satan erschaffen, aber Satan hat sich selbst verdorben. Gott schuf den Menschen, Satan verführte den Menschen. Gott erwählte Israel, Satan ließ Israel sündigen. Gott baute die Kirche, Satan …

Du hast es erfasst.

Aber jetzt stellt sich die Frage: Wie hat Satan das gemacht? Wenn wir diese Frage beantworten, hilft uns das, zu verstehen, wie er auch heute noch arbeitet.

Das Verderben der Kirche wurde dadurch erreicht, dass sie

ihrer himmlischen Schönheit beraubt wurde.

Statt einer prächtigen und perfekten himmlischen Braut wurde sie in eine irdische Gegenbraut verwandelt. Anstatt „von einem anderen Planeten“ zu sein, wurde der Planet Erde der Fokus. Anstatt sich um die himmlische Familie zu kümmern, begannen die Menschen, sich auf ihre eigenen irdischen Beziehungen zu konzentrieren. Anstatt ihr Geld für das Gemeinwohl zu geben, behielten sie es zu ihrem persönlichen Vorteil. Statt die Gaben für das Wohl anderer zu verwenden, nutzten sie sie, um sich selbst über andere zu erheben. Wir können diese Tendenzen schon sehen, als Paulus und die anderen Apostel noch lebten:

- **Sicherheit:** Geld verzerrte das Gefühl der Sicherheit in der Gemeinschaft, als Ananias und Sapphira ihre Besitztümer hamsterten und sie vor Gottes Volk versteckten.
- **Familie:** Die „Eine-Familie-Idee“ wurde angegriffen, als einige Christen aus Jerusalem Antiochia besuchten und Petrus sich dort von den Nichtjuden distanzierte, weil er seinen Platz unter den Juden nicht verlieren wollte.
- **Wachstum:** Die Führer in Korinth stellten ihren persönlichen Ruhm über den gemeinschaftlichen Fortschritt, was dazu führte, dass sie neue Kirchen gründeten, anstatt sich unter einer Sache zu vereinen.

Wenn wir uns die Kirche heute anschauen, können wir sehen, wie diese Prinzipien um sich greifen. Anstatt in die gegenwärtigen Bedürfnisse unserer Brüder und Schwestern in Christus zu investieren, werden junge Menschen ermutigt, in ihre irdische Zukunft zu investieren. Sie sollen das Geld für sich selbst behalten und *„größere Scheunen bauen und dahin all ihr Korn und ihre Güter einsammeln“.* (Lukas 12,18) „Investiert in die Erde! Hört nicht auf die nüchternen Vorschläge, in das Himmelreich zu investieren.“

Das Ergebnis ist persönliche Sicherheit, aber die Ortsgemeinde leidet darunter.

Anstatt eine Familie zu sein, ist die Kirche zu einer Splitterbombe geworden. Das Kriterium für die Mitgliedschaft ist nicht mehr der Heilige Geist, sondern irdische, von Menschen festgelegte Kriterien: „Hier in unserer Kirche beten wir an, wir taufen, glauben auf diese bestimmte Art und Weise ... Wenn du dich an die Prinzipien hältst, lassen wir dich in die Familie, ansonsten kannst du woanders hingehen." Das Ergebnis ist eine starke Kirchenmarke, aber die örtliche Kirche leidet darunter.

Nicht zuletzt sehen wir ein großes Problem beim geistlichen Wachstum. Das liegt daran, dass wir uns zu sehr auf das irdische Denken konzentrieren. Neulich erzählte mir jemand, dass sie in der Bibelschule buchstäblich den Zustand des Erdbodens im Alten Testament studierten, anstatt sich auf die Lehre des Neuen Testaments zu konzentrieren. Wenn alles, was wir heute lernen, darin besteht, wie man den Planeten retten kann, und wenn die weltliche Lehre des positiven Denkens mit geistlichem Vokabular verkleidet wird – ist es da verwunderlich, dass die Kirche heute auf die Welt nicht mehr herausragend wirkt? Nein, denn alles, worum wir uns kümmern, das ist die Erde und die Welt.

Das geht so weit, dass die offiziellen Kirchen sogar glauben, dass sie bereits die Welt regieren. Anstatt auf den König zu warten, haben sie beschlossen, ohne ihn zu regieren, bis er wiederkommt. Und wenn der Mensch ohne Gott regiert, regiert er mit dem Teufel! Das ist nicht für das Gemeinwohl. Zweitausend Jahre Kirchengeschichte sind ein Zeugnis des Grauens.

Die Frage ist also: Wie bekommen wir die Schönheit zurück?

Die gute Nachricht ist, dass die Bibel in Epheser 5,25-27 ein wunderbares Beispiel gibt, dem man folgen kann:

„Wie auch der Christus die Gemeinde geliebt [die Motivation muss Liebe sein]

und sich selbst für sie hingegeben hat [der Preis muss die Selbstaufopferung sein],

um sie zu heiligen, sie reinigend durch das Wasserbad im Wort [das Mittel muss das Wort Gottes sein],

damit er die Gemeinde sich selbst verherrlicht darstellte, die nicht Flecken oder Runzel oder etwas dergleichen hat, sondern dass sie heilig und tadellos ist [das Ziel muss Heiligkeit sein].“

Wir könnten sicherlich mit den unterschiedlichsten Themen beginnen, aber ich werde mit einem starten, über das fast nie gesprochen wird, über das wir aber 50 % der Zeit streiten: unser Umgang mit dem Materiellen, mit den „Dingen“ dieser Welt.

Wie geht eine himmlische Kirche mit der Erde um?

Wie sollen Christen *in* der Welt, aber nicht von der Welt leben?

Der Christ und die Kultur.

Lass uns diese „Dinge“ mal besprechen.

TAKEAWAYS

1. **Die Kirche ist eine himmlische Idee.**
Die Kirche ist für den Herrn Jesus so schön, dass er sie eine Perle nennt.

2. **Die Kirche ist eine wunderbare Idee.**
Sie bietet Sicherheit, Gemeinschaft und persönliches Wachstum.

3. **Aber es gibt eine Gegenbraut.**
Die Gegenbraut ahmt die Kirche nach, ist aber nicht himmlisch, sondern irdisch.

GEBET

Bräutigam – entflamme mein Herz wieder für dich. Überall sehe ich die Schwächen der Kirche, aber gib mir deine Augen für ihre Schönheit. Entflamme mein Herz für die Dinge, die dein Herz zum Schwingen bringen. Hilf mir, den himmlischen Charakter der Kirche zu verstehen, und zeige mir den Weg, wie ich himmlisch auf Erden leben kann.

KAPITEL 14

DIE KIRCHE AUF DER ERDE

„Das musst du dir unbedingt mal ansehen. Das ist wirklich der Hammer!“, sagte Alex zu Andy. Beide interessierten sich für Bibellesen und Alex hatte gerade online eine Predigtreihe über Simson gefunden.

„Augenblick mal – etwas Gutes außerhalb unserer Kirche?“, fragte Andy misstrauisch.

„Nein, aber sie ist wirklich gut!“

„Augenblick mal – etwas Gutes außerhalb unserer Kirche?“

Andy wurde klar, dass er damit heimische Regionen verließ und Feindesland betrat. Wurde sein Freund von Ketzern auf YouTube verführt? Er setzte seine Detektivbrille auf und begann mit dem Screening.

„Liberale Theologie?“

„Nein.“

„Bibelzentriert?“, fragte Andy misstrauisch.

„Absolut!“, antwortete Alex triumphierend.

„Und worüber predigt er?“

Alex witterte seine Chance: „Über das Alte Testament, wie du es noch nie gehört hast.“

Bevor Andy seine nächste kritische Frage stellen konnte, zog Alex seinen letzten Joker:

„Und zwar fast Vers für Vers! Kein Rumgelaber. Tiefgründiges Zeug.“

Endlich war Andy interessiert und kam aus seinem Schneckenhaus hervor: „Okay, zeig mir das Video.“

Als Alex das Video startete, erstarrte Andy. Er verschränkte die Arme und spitzte die Ohren wie ein Hund, der in Kampfstellung geht. Andys frisch geweckte Hoffnungen erstarben in Sekundenschnelle, denn was er sah, war pure Ketzerei. Denn der Prediger (das war übrigens ich) trug keinen Anzug, predigte im Sitzen und trug sogar ein Armband!

Die Geschichte bringt dich vielleicht zum Schmunzeln und ich habe auch schon herzhaft mit Andy und Alex darüber gelacht! Aber ist sie uns nicht vertraut? Erleben wir nicht immer wieder ähnliche Dinge in unseren eigenen Gemeinden? Menschen, die vorschnell gedanklich die Tür schließen und sich manchmal sogar wegen Äußerlichkeiten trennen?

Das liegt daran, dass wir als Christen eine voreingenommene Haltung zu dem haben, was wir von außen sehen; Äußerlichkeiten sind wichtig. Wir haben diese Herausforderung bereits gesehen, als wir über „Gnostizismus" gesprochen haben.

In Teil III haben wir unser Fleisch genauer angeschaut und uns überlegt, wie wir es als perfekt von Gott geschaffen betrachten sollen, obwohl es die Sünde in sich trägt. Wir haben gelernt, wie wir uns gegenseitig lieben können, obwohl wir noch im Fleisch sind.

Aber wie funktioniert das mit der Welt? Mit den Dingen um uns herum? Kleidung, Autos, Häuser, Musik, Lichter … und Armbänder? Wie sollten wir mit diesen Dingen umgehen? Denn es sind genau diese Dinge, die für viele Spaltungen in den Kirchen verantwortlich sind.

Die einen können den Geist ohne Schlagzeug und Fmaj7-Akkord nicht spüren, während die anderen geistlich davon überzeugt sind, dass das Schlagzeug und der Fmaj7-Akkord den Teufel überhaupt erst ins Haus gebracht hätten. Beiden gemein ist, dass sie Geistlichkeit allein an materiellen Dingen messen.

Wir müssen also verstehen, wie der Christ mit dem Materiellen umgehen soll. Ich schlage vor, dass wir hierfür zu den Grundlagen zurückkehren und ganz von vorne anfangen.

Der Kulturauftrag

Beginnen wir, über „Materielles“ zu sprechen, indem wir uns zuerst einige Materialien anschauen.

Es gibt bestimmte Materialien, die wir unverändert in der Natur finden, wie Bananen, Äpfel und Bäume. Selten haben Christen ein Problem mit diesen Dingen. Das Problem liegt eher bei den materiellen Dingen, die von den Menschen verändert wurden. Wir nennen die Summe dieser Dinge „Kultur“. Dinge wie die Kleidung, die wir tragen, das Essen, das wir essen, die Werkzeuge, die wir benutzen, den Schmuck, den wir tragen, die Kunst, die wir schaffen, die Literatur, die wir lesen, das Theater, das wir besuchen, die Musik, die wir hören, die Filme, die wir sehen, die Sprache, die wir sprechen, die Schrift, die Religion, die Bräuche und Traditionen, welche alle diese Dinge erschaffen.

Christen haben ein großes Problem mit diesen Dingen.

Kultur hat etwas mit Materie zu tun – mit der Erde. Das Konzept in der Bibel, das dies am besten beschreibt, ist die Agrar*kultur:* die Verwandlung bestimmter materieller Elemente (Saatgut usw.) in etwas, was für den Menschen essbar ist (Psalm 104,14), zum Beispiel Weizen in Brot.

Kultur war eine der großen und edlen Aufgaben, die den Menschen übertragen wurden: *„Und der HERR, Gott, nahm den Menschen und setzte ihn in den Garten Eden, ihn zu bebauen und ihn zu bewahren.“* (1. Mose 2,15) Der Mensch hat also im Grunde seines Wesens einen kulturellen Auftrag von Gott. Kultur ist wesentlich für das, was er ist, und es ist eine noble Aufgabe: *„Ein Gewinn für das Land ist bei alldem dies: Ein König, der für das bebaute Feld sorgt.“* (Prediger 5,8) Der Mensch soll nicht erschaffen, sondern *umgestalten* – er soll nehmen, was Gott gegeben hat, und es transformieren.

Was Gott gegeben hat, ist sehr gut.

Erstens, weil Gott nichts Schlechtes erschafft. (1. Mose 1)

Zweitens, weil Gottes Wort es so sagt: *„Und Gott sah alles, was er gemacht hatte, und siehe, es war sehr gut."* (1. Mose 1,31)

Und drittens, weil Gott Böses nicht lieben kann, aber die Welt liebt: *„Denn so hat Gott die Welt geliebt."* (Johannes 3,16)

Und die Welt ist nicht nur sehr gut erschaffen, Gott sieht sogar Schönheit in dem, was er geschaffen hat, denn das Wort „Welt" heißt im Griechischen *kosmos,* was „Ornament" und „Schmuck" bedeutet.

Auch der Mensch, der aus dem Staub der Erde und dem Atem Gottes erschaffen wurde, zeigt somit in seiner Beschaffenheit etwas von diesem göttlichen Glanz. Der Mensch ist nicht nur materiell. Er ist Material mit Bedeutung. Deshalb sehnen wir uns nach einem Sinn in unserem Leben und drücken ihn oft durch Kultur aus. Unsere Musik, Gemälde, Gedichte und Dinge, die wir erschaffen, sind ein Versuch, *Bedeutung* zu erlangen.

Als der erste Mensch einen anderen Menschen sah, tauschten sie sich direkt in einer Kunstform aus: der Poesie. Im hebräischen Originaltext ist zu lesen, dass Adam *sang,* als er Eva in 1. Mose 2,23 sah:

> *„Diese endlich ist Gebein von meinem Gebein und Fleisch von meinem Fleisch; diese soll Männin heißen, denn vom Mann ist sie genommen."*

Adam verlieh Eva auf den ersten Blick Würde.

Aber wie wir wissen, kam dann die Sünde in die Welt; die Menschheit ging aufgrund des Sündenfalls bald zwei Wege. Die einen nutzten den Boden und die Kultur, um den Himmel zu vergessen (1. Mose 4,21-22), und die anderen, um Gott *im* Himmel anzubeten. (1. Mose 4,26) Das Problem der sündigen Kultur war nicht die Kultur selbst, sondern dass es eine Kultur voller Sünde war. Die Welt war nicht das Problem, sondern die Tatsache, dass die Sünde in die Welt eingedrungen war und sie verdorben hatte. 1. Mose 6,11 macht das deutlich: *„Die Erde aber war verdorben* *vor Gott, und die Erde war erfüllt mit Gewalttat."*

Also vernichtete Gott die Menschen, die Schöpfer der Kultur, durch die Flut. Zumindest fast alle von ihnen. Noah wurde verschont und nach der Sintflut begann er sofort wieder mit Gottes Kulturauftrag: Er wurde zum Ackerbauern, er pflanzte einen Weinberg. (1. Mose 9,20) Das war sehr gut, denn Wein symbolisiert Freude. Aber zu viel Wein ist Sünde! Noah betrank sich. Nicht die Kultur war also das Problem, sondern der Missbrauch derselben.

Von da an ging die Spirale weiter abwärts. Oder leider müssen wir sagen: weiter aufwärts. Anstatt ihren gottgegebenen kulturellen Auftrag zu erfüllen, die Erde zu bebauen und den Himmel auf Erden zu offenbaren, wendeten sich die Menschen ab und benutzten die „Materie", um mit der Erde in den Himmel einzudringen. Die Menschen nutzten ihre gemeinsame Sprache, kombiniert mit Ziegeln und Mörtel, um einen Turm in den Himmel zu bauen. (1. Mose 11,1-4) Also brachte Gott die Menschen mit einem einfachen „Trick" dazu, Kulturen zu schaffen: Er verwirrte die Sprachen.

Nun, so beginnt die Geschichte der Bibel.

Jetzt stellt sich die Frage: Wie geht es weiter?

Wie sollen die Menschen in der kaputten Welt, in der wir leben, auf Kultur reagieren?

Gott gibt uns in 1. Mose drei Modelle, von denen zwei moralische Beispiele sind und eines ein praktisches Beispiel für uns hier und heute.

Kannst du sie finden?

Abraham: Kulturelle Distanz

Das erste Beispiel ist Abraham. Sein Verhältnis zur Kultur sollte von *Trennung* und *Distanz* geprägt sein. In 1. Mose 12,1 heißt es, dass er aus dem Land gehen sollte, oder, wie man es übersetzen könnte, „aus der Erde". Abrahams Berufung war es, Gottes Herrlichkeit durch Abgrenzung zu zeigen, deshalb hatte er ein Zelt und einen Altar. (1. Mose 12,8) Das waren seine beiden Markenzeichen.

Das Zelt (im Gegensatz zu einem Haus) steht für Pilgerschaft. Es zeigt, dass derjenige, der im Zelt wohnt, hier auf der Erde kein festes Zuhause hat. Es deutet also auf die Distanz zur Erde hin. Der Altar war ein Zeichen für Abrahams Fokus: Abraham war dem Himmel zugewandt. Er wartete auf die himmlische Stadt, die ein festes Fundament hat. (Hebräer 11,9-10) Jeder Versuch Abrahams, sich mit der Welt zu verbinden, scheiterte. Abraham liebäugelte zum Beispiel damit, in Ägypten zu leben, aber dieses Vorhaben endete immer in einer Sackgasse. (1. Mose 12,20) Es musste so sein, denn seine Berufung war es, „wegzubleiben", sowohl von Ägypten als auch von Sodom. Ägypten ist in diesem Fall ein Bild für die materielle Welt und Sodom ist ein Bild für die sündige, verkommene Welt. Beide waren für Abraham ein No-Go. Aber nicht für Lot.

Lot: Kulturelle Transformation

Lots Beziehung zur Kultur war von *Transformation* geprägt. Aber Lots Geschichte ist ein warnendes Beispiel dafür, dass Kulturtransformation nicht funktioniert. Lot sah sich Sodom und Gomorra an und dachte, es sei wie Ägypten. (1. Mose 13,10) Aber das war es nicht. Sodom und Gomorra waren tief von Sünde durchdrungen. Die Bibel sagt: *„Die Leute von Sodom aber waren sehr böse und sündig vor dem HERRN."* (1. Mose 13,13) Eine kulturelle Veränderung war absolut unmöglich, aber das hielt Lot nicht davon ab, es zu versuchen. Er versuchte, einer der Bürger von Sodom und Gomorra zu werden, und schaffte es sogar in die Politik. Er *„saß im Tor von Sodom"*, wo Politik gemacht wurde. (1. Mose 19,1; siehe auch Ruth 4,11) Wir wissen, dass Sodom letztlich verurteilt wurde und Lot und seine Töchter sich noch rechtzeitig retten konnten. Doch Lot musste einen hohen Preis dafür zahlen, dass er versucht hatte, sich mit der Welt anzufreunden: Er verlor seine Frau und er zeugte im betrunkenen Zustand Kinder mit seinen eigenen Töchtern, welche die Moral von Sodom übernahmen. Lot hatte die Kultur von Sodom nicht verändern können, doch Sodom veränderte Lots Charakter.

Josef: Kulturelle Anpassung

Das letzte – und für uns wichtigste – Beispiel ist Josef in Ägypten. Josef ist ein Bild für Christus in seiner Verwerfung und deshalb gilt dieses Bild auch für die Kirche, die Christi Verwerfung in der Welt teilt. Josefs Beziehung zur Kultur ist von *Anpassung* geprägt. Wie Josef befinden auch wir uns in einem fremden Gebiet. Er war zwar *in* Ägypten, aber er war nicht freiwillig dorthin gegangen. Das taten wir auch nicht (Johannes 17,14), aber durch den Geist ist Christus mit uns in dieser fremden Welt.

Josef passte sich *äußerlich* an die Kultur an. Er ähnelte im Stil so sehr der Welt, dass seine Brüder ihn nicht erkannten, als sie nach Ägypten kamen. Er sah aus, sprach und aß wie ein Ägypter. (1. Mose 42,8) Später, als sein Vater starb, nutzte er sogar das Wissen der Ägypter, um seinen Körper einzubalsamieren. Josef veränderte die Kultur nicht, aber er passte sich ihr an und konnte dadurch viele Menschen retten.

Ich weiß, dass du jetzt wahrscheinlich ein paar Fragen hast.

Das war auch nur ein Vorgeschmack.

Im Folgenden werden wir diese drei Herangehensweisen an die Kultur – Trennung, Veränderung, Anpassung – anhand der Bibel genauer erklären.

Fangen wir mit der ersten Herangehensweise an: Trennung – die Art und Weise, wie Israel mit der Kultur umging.

Israel: Die Kultur der Kulturen

Die kulturelle Mission Israels: Materielle Exzellenz

Nach dem Buch Genesis (1. Mose) folgt Exodus (2. Mose), wo Gott ein Volk auswählt und es auffordert, sich von allen anderen Völkern und der Welt kulturell zu distanzieren.

Es ist das Volk Israel, das sich von Ägypten distanziert.

Es sind die Erben Abrahams, die den Ort verlassen, an dem Abraham nie echte Gemeinschaft haben konnte. Israel verließ den Ort, an dem sie gezwungen worden waren, aus Ziegeln menschliche Bauwerke zu errichten, und zog mit ägyptischen Gütern in die Wüste, um dort eine wunderbare Stiftshütte zu bauen und Gemeinschaft mit Gott zu haben.

Gottes Ziel war ganz klar: Er wollte, dass die Völker seine Herrlichkeit in Israel sehen. Er wollte Israels Gehorsam mit materiellen Segnungen segnen (5. Mose 28,3-12), damit alle Völker sehen konnten, dass Gott ein Gott der Liebe ist, und ihm folgen würden. Dies würde entweder durch die Erhöhung (5. Mose 28,13) oder durch die Erniedrigung Israels (5. Mose 28,58-59) geschehen. Wenn sie gehorchten, würde Gott sie materiell segnen; wenn nicht, würde er ihnen ihren Reichtum nehmen.

Aber eine Sache war noch erforderlich: Um den Unterschied zwischen Israel und den anderen Völkern zu verdeutlichen, mussten sie sich von jeder anderen Kultur abgrenzen, indem sie:

- nichts von den Völkern nahmen (5. Mose 28,12)
- sich nicht mit den Völkern vermischten (Nehemia 13,3)

Gott wollte jedoch nicht, dass Israel diese kulturelle Distanz rein mechanisch auslebte, sondern mit dem Herzen. Sie sollten den Herrn, ihren Gott, von ganzem Herzen, von ganzer Seele und von ganzem Verstand lieben ...

... und sich von den anderen *Kulturen* abgrenzen.
War Israel erfolgreich?

Der kulturelle Auftrag der Kirche: Geistliche Exzellenz

Nein, Israel erfüllte seinen Auftrag nicht. Das Volk befolgte das Gesetz äußerlich, aber nicht mit dem Herzen. Israel konzentrierte sich auf materielle/äußere Heiligkeit und vergaß die geistliche/innere Heiligkeit. Genau das tadelt Jesus in Matthäus 23,23: *„Wehe euch, Schriftgelehrte und Pharisäer, Heuchler! Denn ihr verzehntet die Minze und den Dill und den Kümmel und habt die wichtigeren Dinge des Gesetzes beiseitegelassen: das Recht und die Barmherzigkeit und den Glauben."* Gott schaut auf das Herz, ob es *für ihn* schlägt. (Römer 2,28-29) Also tat Gott etwas Erstaunliches: Er begann eine völlig neue Ordnung der Dinge.

Besser als Israel, sogar besser als Adam; er sandte Jesus.

Jesus Christus kam vom Himmel, nicht von der Erde wie Adam. In 1. Korinther 15,47 wird das so ausgedrückt: *„Der erste Mensch ist von der Erde, irdisch; der zweite Mensch vom Himmel."* In der Grafik unten kannst du sehen, dass die beiden völlig unterschiedlich sind.

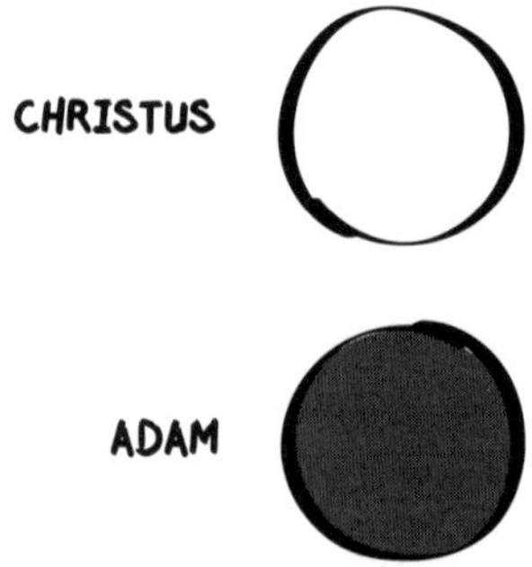

Aber die Erde hieß den himmlischen Besucher nicht willkommen. Christus wurde von der Erde erhöht, das heißt, er wurde von der Erde weg gekreuzigt. Einfach gesagt: Die Erde lehnte ihn ab. Die Menschen hängten den himmlischen Menschen in den „Himmel". Aber während die Welt dachte, sie würde ihn in dieser erhöhten Position richten, war er in Wahrheit dabei, die alte Weltordnung zu richten und eine völlig neue Sphäre zu schaffen: *„Jetzt ist das Gericht dieser Welt; jetzt wird der Fürst dieser Welt hinausgeworfen werden. Und ich, wenn ich von der Erde erhöht bin, werden alle zu mir ziehen."* (Johannes 12,31-32)

Das Instrument, das diesen Wandel von der irdischen zur himmlischen Anbetung in seiner ganzen Fülle offenbarte, war der Apostel Paulus. Er traf den verherrlichten Jesus im Himmel, als er auf dem Weg nach Damaskus war. Das Licht des Himmels strömte durch ihn auf die Erde. Der stolze Pharisäer musste sich mit der neuen himmlischen Sphäre vertraut machen, in welcher der Messias nun regierte. Und danach sagt die Bibel: *„Saulus aber richtete sich* ***von der Erde*** *auf."* (Apostelgeschichte 9,8) Er erhob sich nicht nur vom Boden, sondern auch von der Erde. Dieses Ereignis trennte ihn für immer von seinem irdischen Zugang zum Glauben. Er war nicht mehr derselbe Mensch. Er hatte den himmlischen Jesus gesehen und er würde ein himmlischer Jünger mit einer himmlischen Botschaft werden.

Wir haben in Teil III gesehen, wie das Evangelium die Menschen dazu einlädt, aus dem Bereich Adams in den Bereich Jesu zu wechseln, von der Erde in den Himmel, von der unteren in die obere Sphäre.

Was bedeutet das nun für die Kultur?

Es bedeutet, dass die Trennung nicht mehr physisch, sondern geistlich ist. Wir bewegen uns von einer abrahamitischen Trennung zu einer josefinischen Trennung. Wie Josef sind wir gezwungen, *in* dieser Welt zu leben, obwohl wir von Natur aus nicht mehr hierhergehören. Der Herr Jesus erkannte an, dass wir physisch noch *in* der Welt sind (Johannes 17,11), aber dass wir geistlich nicht von dieser Welt sind.

Das Problem ist dabei nicht die Welt als Schöpfung, sondern vielmehr als geistliches System. Jesus hat *nicht* gesagt: „Haltet sie von der Welt fern!" Er sagte: *„Ich bitte nicht, dass du sie aus der Welt wegnimmst, sondern dass du sie bewahrst vor dem Bösen."* (Johannes 17,15) Das Böse *in* der Welt ist das Problem, nicht die Welt selbst. Und wir bekämpfen es nicht mit materiellen Dingen – wir ringen nicht mit Fleisch und Blut (Epheser 6,12) –, sondern mit geistlichen Mitteln, denn das Reich Gottes ist geistlich, bis der König physisch wiederkommt. *„Denn das Reich Gottes ist nicht Essen und Trinken, sondern Gerechtigkeit und Friede und Freude im Heiligen Geist."* (Römer 14,17) Der geistliche Teil des Reiches ist also im Moment die Kirche und sie ist rein geistlich.

Kein Kirchengebäude ist ein Abbild der Kirche – die Gläubigen sind es.

Du brauchst dich nicht mehr mit Wasser zu waschen, um geistlich sauber zu werden – das tut das Wort. Und wir opfern nicht ein materielles Lamm – wir haben Jesus, das Lamm Gottes.

Diese große Umstellung vom Materiellen zum Geistlichen war für die Juden sehr schwierig (für manche Christen ist das auch heute noch schwierig). Für die ersten Christen, die nur Juden waren, war das eine schwer zu schluckende Pille. Um ihnen zu helfen, ihr Denken zu ändern, wandte Gott eine sehr drastische Methode an: Er forderte Petrus auf, Unreines zu essen.

Das war so, als würde man eine alte konservative Oma auffordern, sich ein Tattoo stechen zu lassen, oder einen konservativen Pastor, vor seiner Gemeinde Schlagzeug zu spielen.

Petrus sagte: Auf keinen Fall! Aber der Heilige Geist musste ihm sagen: *„Was Gott gereinigt hat, mach du nicht gemein!"* (Apostelgeschichte 10,15) Wie viele Kämpfe würden aufhören, wenn diese Lektion von der Kirche verstanden würde – wenn wir verstehen würden, dass Apostelgeschichte 15 eine eindeutige Antwort auf die Frage ist, wie flexibel das Evangelium sein sollte: es gilt *allen Völkern* und ist nicht darauf beschränkt, wie Israel es bis dahin gelebt hatte. Die Herrlichkeit Gottes liegt jetzt in der geistlichen

Botschaft des Evangeliums, und nicht darin, wie wir uns materiell von der Welt unterscheiden.

Jetzt kann sich das Evangelium an jede Kultur anpassen! Das ist seine Kraft! Alles ist erlaubt. (1. Korinther 6,12; 1. Korinther 10,23) Ja, sicher ist nicht alles nützlich, aber eine allgemeine Erlaubnis als Ausgangspunkt zu nehmen, ist ein radikaler Unterschied zu dem, was Israel unter dem Gesetz hatte. Viele Dinge waren *per definitionem* nicht erlaubt. Das sollte heute mit dem Evangelium anders sein, aber wie viele Gesetze gibt es in den Kirchen, die Dinge *per definitionem* nicht erlauben, ohne irgendeinen Bezug zur Bibel? Das Evangelium wäre so viel flexibler, wenn wir Christus und nicht die Kultur predigen würden, denn es kann sich an jede Gesellschaft und jeden Lebensstil anpassen!

Anstatt die Welt zu bekämpfen, sollten wir die Welt *nutzen.* (1. Korinther 7,31)

Kultur sollte eine Brücke sein, die uns *verbindet,* anstatt eine Mauer, die uns *trennt*. Gott möchte, dass sich Christen äußerlich an die sie umgebende Kultur anpassen, um innerlich das Herz der Menschen zu erreichen. 1. Korinther 9,20-21 könnte nicht deutlicher sein: *„Und ich bin den Juden wie ein Jude geworden, damit ich Juden gewinne; denen, die unter Gesetz sind, wie einer unter Gesetz – obwohl ich selbst nicht unter Gesetz bin –, damit ich die, welche unter Gesetz sind, gewinne; denen, die ohne Gesetz sind, wie einer ohne Gesetz – obwohl ich nicht ohne Gesetz vor Gott bin, sondern unter dem Gesetz Christi –, damit ich die, welche ohne Gesetz sind, gewinne.“*

Damit ist natürlich nicht gemeint, dass wir uns dem Bösen in der Welt anpassen, sondern dass wir bereit sind, auf Traditionen und gewohnte Annehmlichkeiten zu verzichten, um alle Zuhörer zu erreichen, ob Juden oder Heiden. Paulus macht das in Athen (Apostelgeschichte 17,22) und in Jerusalem (Apostelgeschichte 22,1-2.25-29) vor. Wie weit das für ihn ging, kann man auch in seinem Umgang mit Timotheus und Silas sehen. Timotheus hat er beschnitten, um die Juden weiter zu erreichen, bei Silas sehen wir das nicht. (Apostelgeschichte 16,3)

Finden wir auch im Alten Testament Beispiele für die innere Absonderung?

Ja – Josef und Daniel.

Josef lebte in Ägypten, einem Sinnbild für die Welt. Josef hätte sich dagegen wehren können, sich äußerlich anzupassen, aber er tat es nicht. Hätte er es getan, hätte man ihn ins Gefängnis werfen oder sogar töten können. Für einen jüdischen Sklaven war das durchaus eine Option. Aber er wehrte sich nicht. Wir können also ganz klar sehen, wo die rote Linie ist, die er nicht überschreiten wollte. Es war nicht die Tatsache, dass Ägypten seinen Namen änderte (was im Grunde genommen eine Änderung seiner Identität war), und auch nicht, dass Ägypten sein Aussehen veränderte. Dagegen wehrte er sich nicht. Der Pharao entschied sogar über seine Ausbildung. Josef widersprach nicht, sondern machte mit. Josef nutzte die kulturelle Anpassung, um ein Licht Gottes in einer dunklen Welt zu sein. Er rettete Ägypten vor der Hungersnot und sein Beispiel wurde zu einem anschaulichen Beispiel dafür, wie sich Christen in einem fremden Land verhalten sollten.

Aber Josef hatte eine rote Linie, die er nicht überschreiten wollte: Als die Frau Potiphars zu ihm kam, um mit ihm zu schlafen, sagte er Nein. Und dafür war er bereit, ins Gefängnis zu gehen. Die Kultur der Welt akzeptierte er – nicht das Böse in ihr. Er war *in* der Welt, aber nicht *von* der Welt.

Daniel zeigte das gleiche Muster in *Babylon*. Er widersetzte sich nicht, als sie seinen Namen änderten und ihn unterrichteten. Das war kein kompromittierendes Verhalten. Er wusste, was er tat. Er hatte mit seinen Freunden darüber nachgedacht und eine bewusste Entscheidung getroffen. Wie wir später sehen werden, waren die Freunde die Sorte Männer, die bereit waren, sich für Gottes Heiligkeit ins Feuer werfen zu lassen. Kultur war also keine rote Linie für Daniel. Aber Daniel und seine Freunde hatten rote Linien: nämlich dann, wenn sie etwas tun sollten, was explizit gegen den ausdrücklichen Willen Gottes war: sich zur Götzenanbetung niederwerfen oder Lebensmittel essen, die sie nicht essen durften.

Sie waren *in* der Welt, aber nicht *von* der Welt.

Als Christen sind wir dazu aufgerufen, das Gleiche zu tun: uns der Kultur physisch anzupassen – nicht moralisch. Unsere Berufung ist nicht, die Kultur zu verändern, sondern die Kultur zu nutzen, um das Evangelium zu verkünden. Und das wird automatisch auch Auswirkungen auf die Kultur haben. Paulus predigte das Evangelium in Ephesus und als sich die Zauberer zu Christus bekehrten, verbrannten sie ihre okkulten Bücher im Wert von 50.000 Tagelöhnen. (Apostelgeschichte 19,19) Und die Silberschmiede, die Schreine für die Göttin Artemis herstellten, wurden fast aus dem Geschäft vertrieben. (V. 23-27) Als das Evangelium gepredigt wurde, veränderte sich die Kultur automatisch.

Aber die Kultur nicht aktiv zum Guten verändern zu wollen, bedeutet auch, nicht gegen die Kultur zu kämpfen. Wie viele Kämpfe innerhalb der Kirche sind nichts anderes als Kulturkriege? Die eine Partei zwingt der anderen ihre Regeln auf. Römer 14 macht sehr deutlich, dass es kulturelle Unterschiede gibt. Zwischen Juden und Griechen. Zwischen Deutschen und Franzosen. Zwischen Düsseldorf und Köln. *„Der eine hält einen Tag vor dem anderen, der andere aber hält jeden Tag gleich. Jeder aber sei in seinem eigenen Sinn völlig überzeugt!“* (Römer 14,5) „Tage“ gibt es nur, weil wir noch auf der Erde sind. Im Himmel gibt es keine Zeit. Zeit und Materie gehören also zum niederen Kreis, aber Christen sind aus diesem Kreis herausgerufen und gehören zur höheren Sphäre. Deshalb sind wir eins und haben keine Unterschiede mehr. (Galater 3,28) Das sollte sich in der Art und Weise widerspiegeln, wie wir uns die restliche Zeit hier im unteren Kreis verhalten.

Da wir uns einer Zeit nähern, in der die Welt auf die Probe gestellt wird und der Druck zunehmen wird, halte ich es für wichtig, uns an diese Wahrheit zu erinnern und uns weiterhin gegenseitig zu lieben und zu akzeptieren. Kulturkriege zwischen Leitern treiben die Anhänger aus der Kirche und in die Hände des Teufels.

Lasst uns einander lieben und dies durch die Akzeptanz von Unterschieden zeigen, ohne die Wahrheit aufzugeben. Da wir wissen, dass Jesus kommt, lasst uns nicht aufeinander einprügeln (Lukas 12,45), sondern einander zu Liebe und guten Werken anspornen. (Hebräer 10,24)

Wie genau?

Das werden wir im nächsten Teil sehen.

TAKEAWAYS

1. **Der Mensch hat einen kulturellen Auftrag.**
   - Gott nahm den Menschen und setzte ihn in den Garten Eden, um ihn zu bebauen und zu pflegen.

2. **Nach dem Sturz – die Beziehung zur Kultur ändert sich:**
   - Abraham: kulturelle Distanz
   - Lot: kulturelle Transformation
   - Joseph: kulturelle Anpassung

3. **Physisch anpassen – nicht moralisch**
   - Unsere Berufung besteht nicht darin, die Kultur zu verändern oder Kulturkriege zu führen, sondern die Kultur zu nutzen, um das Evangelium zu verkünden.

GEBET

Herr, ich danke dir für diese besondere Aufgabe, die du mir auf der Erde gegeben hast. Hilf mir, ein guter Verwalter dieses Planeten zu sein. Aber Herr, ich sehe auch, dass die Sünde in die Welt gekommen ist. Ich sehe die Verunreinigungen um mich herum. Hilf mir, mich von der Sünde fernzuhalten und deinen Namen zu fürchten. Aber hilf mir auch, die Kultur zu nutzen, um meine Mitbürger zu erreichen. Hilf mir, Menschen aus anderen Kulturen oder Generationen so anzunehmen, wie sie sind.

TEIL V

DIE MOBILISIERUNG:
LIEBE ALS LIFESTYLE

KAPITEL 15

DIE KRAFT DER LIEBE IN DER ECHTEN WELT

Liebe als Ausgangspunkt

Liebe ist die stärkste Motivationsquelle, die ein Mensch haben kann – nicht als Ziel, sondern als Antrieb. Hier ist der Unterschied: Wenn die Liebe der Antrieb ist wie ein Motor in einem Rennwagen, dann treibt sie das Auto mit Geschwindigkeit voran und bringt es ans Ziel. Aber wenn die Liebe zum Ziel wird, hat das Auto keinen Motor mehr, um nun vorwärtszukommen, das Auto muss mühsam geschoben werden, und ob man das Ziel erreicht, ist fraglich.

Vor einiger Zeit habe ich diese beiden Zugänge zur Liebe verwechselt. Das war zu der Zeit, als ich mit meinem Crosspaint-Dienst begann. Animationsvideos sind teuer und ich brauchte Geld. Die Online-Klavierschule, die ich aufgebaut hatte, reichte nicht aus, um das alles zu finanzieren.

Aber ich hatte Glück! Das Zeitalter der Consultingfirmen brach an, und mit einem Laptop und etwas Verkaufsgeschick konnte man zum Millionär werden. Gewerbliche Dienstleister wie Zahnärzte und Anwälte wussten nicht, wie sie in die Online-Welt einsteigen sollten, und brauchten dringend Fachleute, die ihnen dabei helfen konnten, diesen bemerkenswerten Sprung zu machen – wobei diese Leute selbst einen ganzen Haufen Kohle machen konnten.

Also stürzte ich mich als Geldvermehrungsmaschine in die Consultingbranche.

Viele meiner Kollegen wurden innerhalb von zwölf Monaten zu Millionären. Ich baute mein Unternehmen auf und hatte das Glück, mit einigen der Besten der Welt zusammenzuarbeiten. Als alles bereit war, nahmen wir Dubai ins Visier und waren kurz davor, dort zuzuschlagen. Da stellte mir der Herr Nabil Qureshi in den Weg – und stoppte den ganzen Plan.

Nabil war ein junger Prediger, der zum Christentum konvertiert war und einen einflussreichen Dienst in den USA hatte. Doch dann wurde bei ihm Krebs diagnostiziert. Er ging an die Öffentlichkeit und dokumentierte seine ganze Reise mit seiner Online-Community bis zu seinem Tod. Es berührte mich zutiefst, jemanden mit so viel Glauben zu sehen. Aber es berührte auch mein Gewissen: Ich dachte: „Was wäre, wenn ich nur noch ein Jahr zu leben hätte?" Wenn alles nach Plan verliefe, würde ich vielleicht Millionär werden, aber ich hätte nicht genug Zeit, um Crosspaint zu starten. Ich spürte, wie der Herr auf meinen Geist drückte, sofort anzufangen und keine Zeit zu verlieren.

Aber ich hatte kein Geld.

Ich war weder von einer Kirche noch von einem anderen System abhängig, und das sollte auch so bleiben. Wie könnte ich das also schaffen? Allein konnte ich es nicht, also betete ich Folgendes: „Herr, wenn du mich liebst, dann tue ein Wunder und finanziere Crosspaint. Ich werde mich in deine Hände werfen; bitte kümmere dich um meinen Kühlschrank." Das klang sehr geistlich und war sicherlich auch kühn. Gott, gib mir Geld und gib mir Essen. Ich rief alle meine Partner, Mentoren und Betriebsleiter an und teilte ihnen die Nachricht mit, dass ich das Unternehmen schließen würde. Dubai war aus. Sie konnten ihren Ohren nicht trauen!

„Natha, das ist eine einmalige Chance! Du hast hier eine Gelddruckmaschine, aber du benutzt sie nicht! Mach keine Dummheiten. In ein paar Jahren wird diese Gelegenheit vorbei sein."

Doch mein Entschluss stand fest.

Die nächsten Wochen waren jedoch schrecklich. Gott ließ kein Geld vom Himmel regnen. Er sorgte zwar für unsere täglichen Bedürfnisse – manchmal auf wundersame Weise –, aber der erhoffte Goldregen blieb aus.

Warum?

Weil Gott mich *liebte*. Er wusste, dass mir das Geld ausgehen konnte. Genau wie in der Geschichte vom verlorenen Sohn wäre das Geld irgendwann ausgegangen und damit auch mein Verständnis von Gottes Liebe. Hätte Gott mein Gebet um „Geldwunder" erhört, hätte das mein Verständnis von seiner Liebe verdorben. Dann wären die finanziellen Mittel immer der Maßstab dafür gewesen, ob Gott mich liebt.

Genug Geld auf der Bank = Gott liebt mich und ist zufrieden.

Nicht genug Geld = Gott ist irgendwie unzufrieden und findet nicht gut, was ich tue.

Ich weiß, es klingt einleuchtend, wenn man das so liest. Aber beten und denken wir nicht manchmal genau so? *Warum heilt Gott diese Person nicht – hat er sie nicht lieb? Warum gibt Gott mir nicht einen besseren Job, wenn er mich doch liebt?*

Wenn wir das tun, wird die Liebe zum Ziel und nicht zum Motor. Nur wenn wir das Ziel erreichen, fühlen wir uns geliebt.

Aber in dieser schwierigen Zeit hat Gott mir eine wunderbare Lektion erteilt. Mein Kühlschrank war leer und Henni und ich rangen im Gebet mit dem Herrn. In diesem Moment las ich eine Geschichte, die mich in der Heiligung weiterbrachte. Sie handelte von einem Mann, der Gottes Liebe ebenfalls auf die Probe stellen wollte.

Seine Überlegung war, dass Gott, wenn er Daniel aus der Löwengrube gerettet hatte, auch das Gleiche für ihn tun konnte – solange er ihn liebte. Also sprang der Mann in einen Löwenkäfig. Du kannst dir vorstellen, was passiert ist ... Die gute Nachricht ist, dass er nicht im Bauch des Löwen landete, sondern *unter* dem Bauch des Löwen. Er schaffte es irgendwie, sich wie ein Affe an den Bauch des Löwenmännchens zu klammern, was es den anderen Löwen unmöglich machte, ihn zu Hackfleisch zu verarbeiten. Aber er wurde schwer verwundet. Als ich die Geschichte las und mich über den Wahnsinn des Mannes wunderte, wurde mir klar, dass ich im Grunde etwas ganz Ähnliches getan hatte: Ich hatte die Liebe zum Ziel gemacht, nicht zum Antrieb.

Der Ausgangspunkt einer intimen Beziehung zu Gott beginnt

mit dem Kreuz, denn das Kreuz spricht von Gottes Liebe. Gott hat die Welt so sehr geliebt, dass er seinen eigenen Sohn nicht verschont hat, sondern ihn für uns alle dahingab! (Johannes 3,16; Römer 8,32) Am Kreuz hat Gott den höchsten Preis bezahlt, um seine Liebe zur Menschheit zu manifestieren. Die Frage „Liebt Gott mich?" ist ein für alle Mal geklärt: Jesus streckte seine Arme aus und offenbarte damit nicht nur seine körperliche Brust, sondern öffnete das Herz Gottes für jeden Einzelnen von uns. Der Vorhang zerriss entzwei; der Weg zum Herzen Gottes wurde geöffnet. Die von Nägeln durchbohrten Hände Jesu sind eine ewige Unterschrift für alle „Geliebten".

Gott liebt dich.

Wenn du an Gottes Liebe zweifelst, bitte nicht um Zeichen und Wunder – geh zum Kreuz.

Wenn du an Gottes Liebe zweifelst, bitte nicht um Heilung – geh zum Kreuz.

Wenn du an Gottes Liebe zweifelst, bitte nicht um finanzielle Unterstützung – geh zum Kreuz.

Gott will dir in deinem Leben helfen, er will dich heilen, er will dir finanziell helfen, aber mach das niemals zu einer Messlatte, um die Liebe Gottes zu dir zu beweisen. Manche Menschen werden aus Gründen der Heiligung nicht geheilt, aber Gott liebt sie trotzdem über alle Maßen; manche bekommen keine finanzielle Unterstützung und trotzdem liebt Gott sie innig. Der Beweis für seine Liebe wurde am Kreuz erbracht: *„Gott aber erweist seine Liebe zu uns darin, dass Christus, als wir noch Sünder waren, für uns gestorben ist."* (Römer 5,8)

Lass mich dich also fragen: Beginnst du jeden Tag unter dem Kreuz?

Das Passahfest, das vom Kreuz spricht, wurde nicht nur in Ägypten gefeiert. Das Volk Israel feierte es auch, als es in das Gelobte Land kam. *„Und die Söhne Israel lagerten in Gilgal. Und sie feierten das Passah am vierzehnten Tag des Monats, am Abend, in den Steppen von Jericho. Und sie aßen von dem Ertrag des*

Landes am Tag nach dem Passah, ungesäuertes Brot und geröstete Körner, an ebendiesem Tag.“ (Josua 5,10-11)

Selbst als sie das alte Getreide des verheißenen Landes aßen, feierten sie das Passahfest. Das bedeutet: Auch wenn wir jetzt wissen, dass Christus auferstanden ist, erinnern wir uns noch an seinen Tod. Es spielt keine Rolle, wie geistlich fortgeschritten wir sind – wir müssen uns an das Kreuz erinnern. Sogar in den himmlischen Örtern erinnert sich Johannes an das Kreuz: *„Und ich sah inmitten des Thrones [...] ein Lamm stehen* ***wie geschlachtet.“*** (Offenbarung 5,6)

Beginnst du deinen Tag mit dem Blick auf das Lamm, das geschlachtet wurde? Das Lamm ist nicht nur Schutz vor dem Gericht, sondern auch unsere Nahrung, um unser geistliches Leben zu erhalten. Sind wir wirklich mit der Liebe unseres Erlösers (Kreuz) beschäftigt und nicht nur mit der Macht (Thron)? Iss täglich das *„Brot des Elends“* (5. Mose 16,3) und es wird eine unerklärliche Liebe zu Christus in deinem Herzen entfachen.

Wenn das bei dir noch nicht der Fall war, lass dich nicht entmutigen, sondern fang heute damit an. Das Erste, was die Erwecker in der Bibel taten, war, das Passahfest wieder einzuführen. (2. Chronik 30) Danke Gott täglich für das Kreuz und verweile einen Moment geistig unter dem Kreuz. Denke an Jesus, wie er für dich gestorben ist, und höre auf die Worte von Johannes dem Täufer:

„Siehe, das Lamm Gottes!“

Der Unterschied zwischen eifriger Liebe und Gesetzlichkeit

Wenn wir den Tag unter dem Kreuz Christi beginnen, heißt das nicht, dass wir untätig bleiben. Ausruhen bedeutet nicht, dass wir schlafen. Und auch das Gegenteil ist nicht der Fall: aktiv zu sein, bedeutet nicht, diesen Ort der Ruhe zu verlassen.

Das ist wichtig zu wissen, denn wenn wir beides verwechseln, können wir den Tag damit beginnen, Gott zu sagen, dass es nur um ihn geht, und dann aufstehen und den Tag beenden, als ginge es nur um uns. Wir beginnen in der Liebe und enden in der Gesetzlichkeit. Niemand will das. Die Frage ist also: Was macht eine Handlung gesetzlich oder nicht?

Ein entscheidender Faktor sind deine **Beweggründe.** Wenn wir zum Beispiel auf die Straße gehen, um für Gott Zeugnis abzulegen, lautet die Frage: Warum legen wir Zeugnis ab? Tust du es, weil *„die Liebe Christi uns drängt, da wir zu diesem Urteil gekommen sind, dass einer für alle gestorben ist“*? (2. Korinther 5,14) Oder legen wir Zeugnis ab, weil wir die Anerkennung Gottes gewinnen wollen? Weil wir glauben, dass Gott uns mehr liebt, wenn wir ihn bezeugen? Im ersten Fall ist die treibende Kraft die Liebe, im zweiten die Gesetzlichkeit. Wenn die Liebe die treibende Kraft ist, tust du es mit Freude; wenn die Gesetzlichkeit der Motor ist, musst du dich selbst antreiben und hörst auf, wenn dir der Dampf ausgeht.

Ein zweiter Faktor zur Unterscheidung zwischen Liebe und Gesetzlichkeit ist die **Quelle** der Handlung. Die Gesetzlichkeit arbeitet *für* Gott, während die Liebe *durch* Gott arbeitet. Die Liebe handelt durch den Geist, während die Gesetzlichkeit durch das Fleisch handelt. Manchmal mögen die Handlungen von außen sehr ähnlich aussehen, aber die Quelle ist eine andere.

Um noch einmal das Beispiel der tanzenden Menschen aus Kapitel 10 zu verwenden: Es gibt zwei Gruppen: Die eine Gruppe ist taub und ahmt nur die Bewegungen des Dirigenten nach. Die andere Gruppe hört die Musik und tanzt wirklich zum Takt. Sie machen beide die gleichen Bewegungen, aber die *Quelle* ist sehr unterschiedlich. Die nachahmende Gruppe hat keine Verbindung zur Musik, sie führt sie nur aus, während die zweite Gruppe den Fluss und die Tiefe des Tanzes wirklich versteht.

Wann wird der Unterschied deutlich? Wenn die Vorstellung aus dem Takt gerät. Wenn sich der Rhythmus ändert. Das war der Fall, als Jesus auf die Erde kam. Er verstieß nicht gegen den Rhythmus Gottes (d. h. das mosaische Gesetz), aber er wich vom

Rhythmus ab. Er heilte absichtlich am Sabbat. Das war nicht gegen den Herzschlag Gottes, sondern gegen die legalistische Denkweise der Pharisäer. Es warf sie aus der Bahn. Es brachte sie aus ihrem Rhythmus und offenbarte, dass sie den Takt nie verstanden hatten. Sie ahmten nur die Vorfahren nach, die Tradition, „so, wie wir es immer getan haben".

Sie tanzten zur Musik, aber sie hörten sie nicht.

Das soll uns eine Warnung sein, unsere Motive und die Quelle unseres Handelns zu überprüfen. Lasst uns *„uns aber selbst beurteilen, damit wir nicht gerichtet werden".* (1. Korinther 11,31) Das heißt nicht, dass wir unser Selbst verurteilen sollen; unser Ziel muss es sein, die Sünde in unserem eigenen Leben zu richten, bevor Gott sie aufdecken muss. Das Wort „beurteilen" bedeutet im Griechischen „trennen" und „unterscheiden". Wir sollten die Sünde von unserem Selbst trennen und sie ständig verurteilen.

Die Sünde darf nie der Motor unseres Handelns sein, sondern wir sollten immer von einem Ort der Liebe beginnen. Die Liebe wird nie erlöschen. Woher nahm Paulus die Liebe, sein Leben als Trankopfer für seine Brüder und Schwestern zu opfern? Wie konnten Priscilla und Aquila so weit gehen, ihr Leben für Paulus zu riskieren? Warum haben so viele Märtyrer ihr Leben für Christus gegeben?

Diese Christen hatten in der Gegenwart Christi unter dem Kreuz gekniet und den Heiligen Geist so in sich aufgenommen, dass sich ihr Denken in himmlischen Sphären bewegte. Ihre Seelen waren von dem, was Christus ausmachte, so begeistert, dass sie sich ihm hier auf der Erde ganz zur Verfügung stellten, dass ihre Körper quasi ein „lebendiges Opfer" wurden.

Liebe ist die einzige Antwort

Wenn wir geistlich zu begreifen beginnen, wer Gott ist, ist Anbetung die einzige Antwort.

Ich bete dafür, dass dieses Buch dich zur Anbetung gebracht

hat. Ich wünsche mir, dass der Herr unserer Generation einen Hunger nach seiner Herrlichkeit gibt, so wie Josua, der „das Zelt" Gottes nicht verlassen wollte. Aber mein Gebet ist, dass es ein heiliger Hunger ist, eine eifrige Liebe und kein gesetzlicher Fanatismus. Wenn ich also sage: „Du bist dran", dann will ich damit nicht sagen: „Sieh, was Gott für dich getan hat, jetzt musst du dich zusammenreißen und etwas dafür tun!" Das würde in dir Gesetzlichkeit auslösen. Nein! Ich möchte dich einladen, auf die Liebe Gottes mit deiner Liebe zu antworten, indem du dich dem Heiligen Geist, der diese göttliche Liebe in dir weckt, nicht widersetzt.

Wie sieht das konkret aus?

Es ist eigentlich gar nicht so kompliziert. Gott hat dich geliebt, indem er angefangen hat, mit dir zu reden. Kann unsere Antwort etwas anderes sein, als mit ihm zu reden? Stell dir vor, der Präsident würde dich morgen zum Essen einladen. Würdest du nicht auf jeden Fall hingehen und mit ihm über alles Mögliche reden? Wie viel mehr zum König der Könige, der dich wie ein Bräutigam liebt und der alle Lösungen für deine Probleme kennt!

Ich glaube, du würdest nicht eine Sekunde zögern.

Aber vielleicht fragst du dich jetzt: Wie kann ich das denn genau tun?

Hier ist eine einfache Übung, mit der du ab sofort beginnen kannst.

Morgenstund hat Gold im Mund!

Es ist wichtig, dass du morgens als Allererstes deine Bibel liest. Damit meine ich kein ausführliches Bibelstudium, sondern vielmehr, dass du als Erstes das Wort Gottes liest und zu Gott betest (und nicht dein Smartphone in die Hand nimmst und durch die sozialen Medien scrollst!). Warum? Weil es die Männer Gottes – einschließlich des Herrn Jesus – in der Bibel so gemacht haben. (Jesaja 50,4) Sieh dir diese Beispiele an:

WOW!

- Abraham *„machte sich früh am Morgen auf"*. (1. Mose 22,3-5)
- Mose *„machte sich früh am Morgen auf"*. (2. Mose 9,13; 24,4; 34,4)
- Josua *„machte sich früh am Morgen auf"*. (Josua 6,12.15; 7,16)
- Gideon *„stand früh am Morgen auf"*. (Richter 6,38; 7,1)
- Elkana und Hanna *„machten sich früh am Morgen auf"*. (1. Samuel 1,19)
- Samuel, ihr Sohn, *„machte sich früh am Morgen auf"*. (1. Samuel 15,12)
- David *„machte sich des Morgens früh auf"*. (1. Samuel 17,20)
- Hiskia *„machte sich früh auf"*. (2. Chronik 29,20)
- Hiob machte es sich zur Gewohnheit, *„früh am Morgen aufzustehen"*. (Hiob 1,5)
- Jesus stand *„frühmorgens, als es noch sehr dunkel war, auf [...] und betete"*. (Markus 1,35)
- Jesus ging *„frühmorgens"*, um die Menschen über Gott zu lehren. (Johannes 8,2)
- Treue Frauen suchten Jesus *„ganz in der Frühe"*. (Lukas 24,1)
- Die Apostel gingen *„frühmorgens in den Tempel und lehrten"*. (Apostelgeschichte 5,21)

Sie haben die Morgenstunden genutzt. Warum? Weil es erstens zeigte, was ihnen am wichtigsten war, und weil es zweitens ein psychologisches Phänomen gibt, das „Priming" genannt wird. Die ersten Dinge, die du am Morgen tust, wirken sich überproportional positiv auf den Rest deines Tages aus.

Bete deine Bibel!

Viele Christen wissen, dass das Gebet keine Einbahnstraße ist. Es ist kein Monolog, sondern ein Dialog. Es geht nicht nur darum, Gott etwas zu sagen, sondern auch darum, zu hören, was er uns sagt.

Nur wenige Christen wissen jedoch, dass dies auch für das Bibellesen gilt. Es geht nicht nur darum, Gott zuzuhören, sondern auch darum, ihm zu antworten. Als ich das entdeckte, veränderte sich meine Vertrautheit mit Gott. Es gibt viele Arten, die Bibel zu lesen, aber eine Methode, die wirklich gut funktioniert, ist:

„Bete deine Bibel".

Wenn ich morgens meine Bibel lese, bete ich sie. Das bedeutet, dass ich die Bibel lese, und sobald ein Vers meine Seele anspricht, *reagiere* ich und *spreche* zu Gott. Ich bleibe nicht passiv, indem ich nur konsumiere, sondern ich werde aktiv, indem ich meine Seele auf das reagieren lasse, was ich lese. Ich habe keine bestimmte Struktur, wie ich sie beim intensiven Bibelstudium habe – es ist eher wie ein Gespräch mit einem Freund. Ich mache mir einen Kaffee, setze mich hin und dann benutze ich die Bibel, um mit meinem Gott zu sprechen. Das ist die beste Zeit des Tages und ich würde sie gegen nichts anderes eintauschen wollen.

Lies deine Bibel!

Es gibt zwei Arten, wie du deine Bibel lesen kannst: Quantität oder Qualität. Viel oder im Detail.

Erstens ist es wichtig, deine Bibel *viel* zu lesen – in großen Mengen. In Kolosser 3,16 steht: *„Das Wort des Christus wohne **reichlich** in euch."* Das Wort kann nicht reichlich in dir *wohnen,* wenn du es nicht reichlich in dich *aufnimmst.* Die reichhaltige Gegenwart des Wortes Gottes in dir wird dem Heiligen Geist helfen, dich in deinem täglichen Leben zu leiten. Es wird dir auch helfen, wenn du mit einem Mitchristen oder einem Ungläubigen über geistliche Dinge sprichst. Plötzlich werden biblische Worte wie ein Strom aus dir herausfließen. *„Wer an mich glaubt, wie die Schrift gesagt hat, aus seinem Leibe werden Ströme lebendigen Wassers fließen."* (Johannes 7,38) Der Mund wird aus der Fülle sprechen. Achte deshalb jeden Morgen darauf, dass das Wort Gottes reichlich vorhanden ist. Außerdem wird es dir helfen, den Kontext bestimmter Bibelstellen zu verstehen. Viele falsche Lehren im Christentum sind entstanden, weil die Leser den biblischen Kontext nicht kannten. Viel Bibellesen wird dich davor bewahren, in tückische Fallen zu tappen.

WILLST DU DIE BIBEL BESSER VERSTEHEN?
SCHAU HIER: SEITE 326

2 **Zweitens** ist es wichtig, deine Bibel gründlich zu lesen. In Sprüche 25,2 heißt es: *„Gottes Ehre ist es, eine Sache zu verbergen, die Ehre der Könige aber, eine Sache zu erforschen."* Sei wie ein König, der auf Schatzsuche geht. Als Erstes wirst du feststellen, dass Gott eine erstaunliche Struktur in der Bibel hat. Paulus sagt zu Timotheus: *„Halte fest das Vorbild der gesunden Worte"* (2. Timotheus 1,13) und in Psalm 119,160 steht: *„Die Summe deines Wortes ist Wahrheit."* Die Bibel hat eine übergreifende Geschichte, die erstaunlich ist und die dir helfen wird, jeden Vers in seinem Kontext zu verstehen.

3 Außerdem hat die Bibel innere Gesetze, so wie die Natur Naturgesetze hat. Die Wissenschaftler im 19. Jahrhundert haben solche Naturgesetze erforscht, weil sie davon überzeugt waren, dass es einen Gesetzgeber geben muss.

Du kannst ähnliche Prinzipien in der Bibel finden. Sie ist kein zufälliges Buch, das von vielen Menschen geschrieben wurde, sondern von einer Person: dem Heiligen Geist. Diese Gesetze machen es dir möglich, Muster in der Bibel zu entdecken. Wenn du das verstehst und anfängst, ihnen nachzuspüren, wirst du auf Wunder stoßen, die du noch nie gesehen hast.

4 Zusätzlich ist es Gold wert, ein Wortstudium durchzuführen. In der heutigen Zeit ist das mithilfe unserer Laptops und zahlreicher

Online-Datenbanken sehr einfach geworden. Deshalb möchte ich dich ermutigen, neben deiner morgendlichen Andacht tief in die Bibel einzutauchen und all die Schätze zu finden, die Gott darin für dich verborgen hat.

Andere Christen

Ein letzter großer Trost auf deiner Reise ist es, dich daran zu erinnern, dass du nicht allein bist.

In einer Zeit, in welcher der Individualismus auf ein Podest gestellt wird, mag es geistreich klingen, alles allein zu machen. Aber das war nie der Plan Gottes. In Prediger 4,9-10 steht: *„Zwei sind besser daran als ein Einzelner, weil sie einen guten Lohn für ihre Mühe haben. Denn wenn sie fallen, so richtet der eine seinen Gefährten auf.“* Gerade weil wir wissen, dass die letzten Tage angebrochen sind und die Liebe erkalten wird, sollten wir uns regelmäßig mit anderen Christen treffen. In Hebräer 10,24-25 heißt es: *„Lasst uns aufeinander achthaben, um uns zur Liebe und zu guten Werken anzureizen, indem wir unser Zusammenkommen nicht versäumen, wie es bei einigen Sitte ist, sondern einander ermuntern, und das umso mehr, je mehr ihr den Tag herannahen seht!“*

Letztes Wochenende kam eine junge Frau zu mir und fragte mich, wie sie noch eifriger beten könne. Ich sagte ihr, sie solle anfangen, gemeinsam *mit anderen* zu beten. Genau das haben die ersten Christen getan. Sie kamen zusammen und spornten sich gegenseitig zur Liebe und zu guten Werken an. Wenn du dich beim Beten nicht konzentrieren kannst, suche dir einen Freund, mit dem du beten kannst. Wir sind nicht dazu berufen, alles allein zu tun.

Eine andere Sache, die Christen ganz am Anfang taten, war das gemeinsame Singen. Diese Tradition ist leider weithin verloren gegangen, aber sie ist lebenswichtig. Wenn wir gemeinsam singen, sind wir miteinander verbunden. Und zwar im wahrsten Sinne des Wortes: Wenn wir im gleichen Takt singen, werden unsere Herzschläge tatsächlich aufeinander abgestimmt.

Vielleicht wendest du jetzt ein: „Aber ich habe keine Kirche in meiner Umgebung.“ Lass mich dir sagen: Wahrscheinlich hast du doch eine! Vermutlich gibt es irgendwo in deiner Heimatstadt eine kleine Gruppe von Christen, die zusammenkommen und den Herrn wirklich lieben und fürchten. Versuche, diese Menschen zu finden, und triff dich mit ihnen. Du kannst mit ihnen Gemeinschaft haben. Bitte den Herrn, dass er dich zu ihnen führt. Wenn du in einer riesigen Gemeinde bist, betrachte die Sonntagsveranstaltung eher als eine Konferenz und suche darüber hinaus die vertraute Gemeinschaft mit einer kleinen Gruppe. Verliere dich nicht in der Masse und bleibe vor allem nicht zu Hause. Finde eine kleine Gruppe von Christen, mit denen du Christus teilen kannst.

Lass deine Liebe nicht erkalten.

Mach die Liebe zum Ausgangspunkt. Lass dich bei allem, was du tust, von ihr leiten.

Das wird die Welt verändern!

TAKEAWAYS

1. **Nimm die Liebe als Ausgangspunkt.**
   - Starte den Tag unter dem Kreuz.

2. **Prüfe deine Motive und die Quelle deines Handelns.**
   - Ist die Liebe zur Gesetzlichkeit deine Motivation?
   - Ist Gott oder die Sünde die Quelle deines Handelns?

3. **Lass dein Leben eine Antwort auf Gottes Liebe sein.**
   - Bete die Bibel und lies jeden Morgen darin.
   - Verbringe Zeit mit anderen Christen.

GEBET

Jesus, danke, dass ich jeden Tag mit dir beginnen darf. Danke, dass du mir ein neues Leben, eine neue Identität gegeben hast und dass ich mich nicht von der Sünde leiten lassen muss. Danke, dass du mein HERR bist und dass du mich durch den Heiligen Geist führst. Lass mein Leben eine Antwort auf deine Liebe sein. Lass mich nie gesetzlich leben und sei du allein die Quelle meines Handelns. Lass die Liebe der Ausgangspunkt jeden Tages sein.

KAPITEL 16

LIEBE GIBT

Die Liebe gibt alles her

Ich wartete auf meinen Zug.

Es war eine Stadt mitten in Andhra Pradesh (Indien) und während ich auf dem Bahnsteig auf und ab ging, war ich fasziniert von all den Farben, Gerüchen und Geräuschen um mich herum.

Und dann entdeckte ich, dass mitten in alldem eine Frau auf dem Bahnsteig schlief. Ich war erstaunt, dass jemand bei all dem Lärm so bequem schlafen konnte. Aber als ich mich ihr näherte, traute ich meinen Augen nicht. Fliegen fraßen an ihrem Körper. Sie schlief nicht, sie war tot.

Zu sagen, dass ich schockiert war, wäre eine Untertreibung.

Hier lag eine tote Frau und niemand kümmerte sich um sie. Nur zwei Meter neben ihr lag ein schlafender Mann. Als ich sie aus der Ferne betrachtete, schossen mir alle möglichen Gedanken durch den Kopf: Diese Frau war die Tochter einer Mutter gewesen. Einst hatte sie jemand in den Armen gehalten und sanft und liebevoll mit ihr gesprochen. Sie hatte sicherlich jemanden geliebt. Jemand hatte ihr gesagt, wie schön sie war. Vielleicht hatte sie eine Schwester gehabt und sie hatten auf der Straße gespielt und Träume und Visionen über ihre Zukunft ausgetauscht. Jetzt lag sie dort in der Sonne und die Einzigen, die sich um sie „kümmerten“, waren Fliegen.

Es brach mir das Herz.

Einmal mehr wurde mir klar, wie sehr diese Welt Liebe braucht.

Und heute, da ich die Möglichkeit habe, zu Tausenden von Menschen zu sprechen, möchte ich für diese tote Frau sprechen. Ich möchte, dass ihr Schrei nach Sicherheit gehört wird. Ich möchte, dass der Schrei des Jungen nach einer väterlichen Liebe gehört wird. Ich möchte, dass der Schrei einer verlorenen Generation nach einem Retter gehört wird!

Stell dir vor, ich würde neben diesen Menschen stehen und dich fragen:

Willst du nicht dein Leben für Christus und andere geben?

Ist dein Herz nicht bewegt wie das von Jesus für die Menschen, *„weil sie erschöpft und verschmachtet waren wie Schafe, die keinen Hirten haben“*? (Matthäus 9,36) Hörst du nicht die Stimme aus dem Himmel, die dich sanft auffordert, zu gehen?

Wenn nicht, dann lass mich dir die Stimme der Hölle zeigen! Lass mich die Tore der Hölle öffnen und den Schrei herausrufen lassen: *„Ich bitte dich, dass er ihnen eindringlich Zeugnis ablegt, damit sie nicht auch an diesen Ort der Qual kommen!“* (Lukas 16,28)

Wie wirst du heute reagieren?

Ich weiß, dass du wahrscheinlich jetzt nicht nach Indien gehen kannst. Ich weiß, dass du sie nicht alle retten kannst. Nicht alle jener Millionen Seesterne. Aber du kannst *eine* Entscheidung aus Liebe heraus treffen, die dich auf einen Weg bringt, der wahrscheinlich in ein paar Monaten und Jahren viele Leben retten wird.

In Hollywood ist Liebe nur ein Gefühl, aber in der Bibel ist Liebe ein Gefühl *und eine Entscheidung*. Triff heute eine Entscheidung und setze sie in die Tat um. Entgegen der landläufigen Meinung ist die Liebe nicht in erster Linie eine innere Angelegenheit. (Sprüche 27,5) Wenn Liebe nach außen dringt, übertrumpfen Taten die Worte. *„Kinder, lasst uns nicht lieben mit Worten noch mit der Zunge, sondern in Tat und Wahrheit!“* (1. Johannes 3,18)

Liebe zeigt sich im Handeln und vor allem im „Geben“, genauer gesagt im „Verschenken“. *„Hieran haben wir die Liebe erkannt, dass er für uns sein Leben hingegeben hat; auch wir sind schul-*

dig, für die Brüder das Leben hinzugeben.“ (1. Johannes 3,16)

Liebe *will* geben, sie *will* für andere ausgegossen werden.

Deshalb wird dich die Liebe alles kosten.

Bist du dazu bereit?

Wäge die Kosten der Liebe ab

Der Herr Jesus war sich dessen sehr wohl bewusst und deshalb hat er die Menschen gebeten, die Kosten abzuwägen, bevor sie ihm folgen würden. Jesus bittet dich nicht einfach darum, deine Playstation, deine Lollipops oder gar deine Sündenmuster zurückzulassen. Er bittet dich um viel mehr als das. Er bittet dich, legitime und gute, aber irdische Dinge zurückzulassen, die dich daran hindern, das Rennen um das geistliche Reich zu gewinnen; Dinge wie Familie, Ehe und finanzielle Sicherheit.

Jesus Christus hat mit dem angefangen, was uns am schwersten fällt, nämlich unsere **Familie** aufzugeben. Manche Leute mögen denken, dass das radikal ist. Das ist es auch. Aber ich möchte, dass du noch einmal darüber nachdenkst: Wie viele Menschen geben ihr Leben für irdische Unternehmen auf? Das Unternehmen bittet dich, umzuziehen, und du ziehst um. Das Unternehmen bittet dich, Überstunden zu machen und dafür Zeit mit deinen Kindern zu opfern, und du tust es. Doch sobald wir über das Himmelreich sprechen, denken wir, dass die Anforderungen zu radikal seien.

Alles, was exzellent sein soll, erfordert ein großes Opfer.

Wenn wir also für irdische Unternehmen, die uns nur ein Gehalt geben, Opfer bringen, warum geben wir dann nicht unser Leben für denjenigen, der alles für uns gegeben hat? Warum schikanieren wir andere, die sich selbst verschenken? Ich weiß, dass es eine Menge emotionalen Druck von Verwandten gibt, dem Herrn nicht zu folgen, aber das ist der ultimative Preis, den wir zahlen müssen. Jesus musste sich von seiner irdischen Mutter distanzieren. Petrus, Jakobus und Johannes verließen ihre Familien, um Jesus zu folgen. So viele Missionare wurden aufgefordert, das

Gleiche zu tun. Christen sind dazu aufgerufen, irdische Beziehungen aufzugeben, um geistliche Beziehungen zu gewinnen. Und wenn du das tust, wirst du die Verfolgung durch deine Familie ertragen müssen.

Paulus wurde nicht von den Griechen verfolgt, sondern von den Juden.

Jesus wurde eindeutig von seiner eigenen Familie angefeindet.

Du musst eine Entscheidung treffen. Bist du bereit, dich von deiner eigenen Familie durch Auslachen und abwertende Kommentare verfolgen zu lassen? Bist du bereit, die Einwände deiner Eltern zu ertragen, die lieber ihre Enkel sehen würden, als dich in die Mission zu schicken? Lies irgendeine Missionsgeschichte und du wirst das gleiche Muster erkennen. Die Menschen, die dir am nächsten stehen, sind oft deine stärksten Gegner eines *himmlischen* Lebensstils.

Bleib stark – denk an den Ruf der sterbenden Frau, des vaterlosen Kindes und einer verlorenen Generation.

Eine weitere große Herausforderung ist das **Singledasein.** In manchen christlichen Kreisen fangen die Leute an, für dich zu beten, wenn du mit 20 noch nicht verheiratet bist. Das mag amüsant klingen, aber eigentlich ist es gar nicht so lustig, denn es baut eine Menge gesellschaftlichen Druck für junge Menschen auf. Dieser Druck führt dazu, dass sie sich auf die Ehe konzentrieren und nicht auf das Reich Gottes. Wenn du denkst, dass diese beiden Dinge nicht im Widerspruch zueinander stehen, lies noch einmal 1. Korinther 7,33-34: *„der Verheiratete aber ist um die Dinge der Welt besorgt, wie er der Frau gefallen möge, und so ist er geteilt."*

Frag mal ein paar Ehepaare – sie werden dir sagen, wie wenig Zeit sie haben, um die Bibel zu lesen und wirklich in das Reich Gottes zu investieren. Es gibt ein goldenes Zeitalter zwischen 18 und 25. Diese sieben Jahre werden wahrscheinlich darüber entscheiden, wie effektiv du im Reich Gottes sein wirst. In dieser Zeit bist du erwachsen, kannst freie Entscheidungen treffen und deine

Zeit voll und ganz investieren, um ausgiebig die Bibel zu lesen und Menschen zu erreichen. Der Schatz, den du in dieser Zeit erwirbst, wird dich für den Rest deines Lebens begleiten.

Wenn wir junge Menschen drängen, mit 22 zu heiraten, bedeutet das auch, dass sie schon vorher für ihren Partner beten sollten. Das bedeutet, dass junge Menschen im Grunde ihre ganze Teenagerzeit auf die Ehe ausrichten, und sobald sie verheiratet sind, begreifen sie, dass sie die beste Gelegenheit ihres Lebens verpasst haben!

Lass dich nicht auf den Heiratswahn ein.

Nutze die besten Jahre deines Lebens.

Wenn du anfängst, diesen Lebensstil zu leben, wirst du auffallen und abfällige Kommentare, versteckte Ermutigungen und gut gemeinte Ratschläge bekommen. Hör nicht darauf. Denke an die Verlorenen! Konzentriere dich auf das Reich Gottes und alles andere wird dir zugerechnet werden! (Matthäus 6,33)

Geld ist ein drittes Hindernis für Menschen, die in das Reich Gottes eintreten und darin wachsen wollen. Als Jesus Petrus bat, ihm zu folgen, musste er sein Geschäft aufgeben. Als Petrus Jesus für einen Moment der Entmutigung aufgab, nahm er sein Geschäft wieder auf. Jesus wusste das und deshalb sagte er, dass man nicht gleichzeitig dem Mammon und Gott dienen kann. Wir müssen uns zwischen beiden entscheiden.

Und Gott wird uns prüfen.

Er prüfte zum Beispiel den großen Missionar David Livingstone, als er in Afrika war. Einmal fand sein Begleiter einen großen Diamanten am Wegesrand. Da er nicht wusste, um was für einen Stein es sich handelte, zeigte er ihn David. David warf den Stein in den Dschungel und sagte: „Vergiss ihn!“ Er hätte wahrscheinlich über Nacht zum Multimillionär werden können, aber er wusste: Wenn Europa Kenntnis davon erlangen würde, dass in dieser Region ein Diamant gefunden worden war, dann würden alle Unternehmen über sie herfallen und das Evangelium würde untergehen. Er lehnte das Geld ab und entschied sich für Gott.

Als ich mit meinem Online-Dienst anfing, musste ich mich entscheiden, ob ich in Dubai internetreich werden oder in der Schweiz in Armut und Abhängigkeit vom Herrn einen Dienst beginnen wollte. Ich habe meine Entscheidung nie bereut und Hiob 22 war eine große Ermutigung für mich: *„Wirf in den Staub das Golderz und in den Kies der Bäche dein Gold aus Ofir, so wird der Allmächtige dir dein Golderz und erlesenes Silber sein."* (Hiob 22,24-25)

Es mag schwer sein, diesen schmalen Weg zu wählen, aber ich möchte dich wissen lassen, dass Gott uns nie allein lässt. Er kümmert sich immer um uns. So wie er es mit Petrus tat. Als Petrus Geld brauchte, um die Steuern zu bezahlen, nahm Jesus es aus dem Fisch. Damit wollte er sagen: Der natürliche Fisch, den du aufgegeben hast, um ein geistlicher Fischer zu werden, ist das Werkzeug, das ich benutze, um dich zu versorgen. Das war ein kleiner Wink der Liebe vom himmlischen Vater!

Sei bereit, dein Geld für die Liebe des Herrn aufzugeben – er wird dich nie im Stich lassen. *„Jesus sprach: Wahrlich, ich sage euch: Da ist niemand, der Haus oder Brüder oder Schwestern oder Mutter oder Vater oder Kinder oder Äcker verlassen hat um meinetwillen und um des Evangeliums willen, der nicht hundertfach empfängt, jetzt in dieser Zeit Häuser und Brüder und Schwestern und Mütter und Kinder und Äcker unter Verfolgungen – und in dem kommenden Zeitalter ewiges Leben."* (Markus 10,29-30)

Ich weiß, dass das eine anspruchsvolle Berufung ist.

Aber ich bin wirklich zuversichtlich, dass du den Ruf annehmen wirst, egal, wie alt oder jung du bist. Und ich habe große Hoffnung, dass die Generation X und die Generation Z diesem Ruf folgen werden. Hier ist der Grund dafür:

Die Bibel sagt: *„Wem aber wenig vergeben wird, der liebt wenig."* (Lukas 7,47) Durch die Allgegenwart der Sünde hat sich unsere

Generation verunreinigt wie keine zuvor – daran habe ich keinen Zweifel. Aber die Verheißung lautet: Je tiefer du sinkst, desto höher kannst du aufsteigen. Ich bete für eine Erweckung der Liebe, eine Explosion des hingebungsvollen Eifers für den Herrn, der alles für uns gegeben hat!

Kann Gott dich dazuzählen?

TAKEAWAYS

1. **Liebe verschenkt alles.**
   Willst du nicht dein Leben für Christus und andere einsetzen?

2. **Wäge die Kosten der Liebe ab.**
   Du wirst Beziehungen und irdische Annehmlichkeiten opfern müssen.

3. **Gott bleibt niemandem etwas schuldig.**
   Gott wird dir das Hundertfache zurückzahlen.

GEBET

HERR – ich weiß, dass es nichts bringt, die Welt hier und jetzt gewinnen zu wollen. In dir habe ich schon die Welt. Ich bin Miterbe. Alles ist unser in Christus. Herr, hilf mir, deinem Beispiel zu folgen und alles aufzugeben. Lass die reißenden Ströme der Liebe durch meine Adern fließen und lass Flüsse der Gnade zu meinen Mitmenschen strömen. Hilf mir, mein Leben als lebendiges Opfer darzulegen und zu vertrauen, dass du mich nicht fallen lässt, sondern reichlich belohnen wirst.

KAPITEL 17

ALLES GEBEN AUF DEN LETZTEN METERN

Als Onoda 18 Jahre alt war, meldete er sich aus einem triftigen Grund bei der Kaiserlich-Japanischen Infanterie – man schrieb das Jahr 1940 und ein Weltkrieg stand kurz bevor. Seine befehlshabenden Offiziere wurden auf seine Fähigkeiten aufmerksam und schickten ihn zu einem speziellen Geheimdiensttraining. Dort wurde er zu einem Experten für verdeckte Operationen, Guerillakriege, Kriegsphilosophie und Kriegsgeschichte, Kampfkunst und die Wirkung von Propaganda auf den Feind ausgebildet.

In den nächsten Jahren stieg er in den Rängen auf, bis er sich schließlich 1944 auf der Insel Lubang wiederfand, 150 Kilometer südwestlich der Philippinen. Für die Alliierten mag der Krieg zu Ende gewesen sein, aber er hatte klare Befehle: Er sollte alles in seiner Macht Stehende tun, um feindliche Angriffe zu vereiteln. Das bedeutete, dass er alle seine Fähigkeiten einsetzen musste – die Zerstörung der Landebahn, Guerilla-Angriffe, Spionage und vieles mehr.

Außerdem hatte er noch einen weiteren Befehl – sich niemals zu ergeben und sich im Notfall das Leben zu nehmen.

Dieser letzte Befehl wurde zu seinem Ziel.

Als Japan 1945 kapitulierte, hielt er es für einen Trick und weigerte sich, seine Waffen niederzulegen oder aufzugeben. Die japanische Luftwaffe warf Flugblätter ab, welche die Kapitulation an alle Soldaten verkündeten, die noch auf den Dschungelinseln stationiert waren, aber Onoda hielt dies für einen Trick der Alliierten und weigerte sich, ihnen zu glauben. Er tat das Einzige, was er tun konnte, und zog sich mit drei anderen Soldaten in den Dschungel und in die Höhlen zurück, um weiter Krieg zu führen.

Nicht für einen Monat.

Nicht für ein Jahr.

Neunundzwanzig Jahre lang hielt er den Kampf aufrecht …
… obwohl der Krieg bereits lange vorbei war.[20]

Eine tote Welt braucht dich

Das klingt nach einer außergewöhnlichen Geschichte, aber ich fürchte, wir neigen dazu, das Offensichtliche zu übersehen, denn diese Geschichte wiederholt sich im Grunde genommen jeden Tag. So viele Menschen sind wie Onoda.

Millionen von Menschen leben und kämpfen in einem fort … und haben keine Ahnung, dass der Krieg längst vorbei ist. Sie wissen nicht, dass Jesus den Krieg gewonnen hat. Sie wissen nicht, dass das Kreuz dem Krieg ein Ende gesetzt hat.

Viele haben noch nie von Jesus gehört und diejenigen, die es tun, denken, es sei ein Trick. Sie denken, dass Jesus ein hervorragendes Vorbild war, dem man folgen sollte, aber leider von der Kirche missbraucht wurde, um ein tyrannisches System über die Menschen zu errichten. Fast niemand kennt das Evangelium in seiner ganzen Fülle, *weil wir versäumen, es ihnen zu sagen und zu zeigen*. Die meisten Menschen wissen nicht, dass Gott ihnen *„ihre Übertretungen nicht zurechnete“*. (2. Korinther 5,19)

Denk nur mal, wie verrückt das ist. Die Schuld ist bezahlt und sie denken immer noch, dass sie sie bezahlen müssten. Würdest du nicht gerne jetzt gleich losrennen und ihnen sagen, dass Gott die Schuld bereits bezahlt hat? Dass sie nicht mehr zu arbeiten brauchen, sondern dass Gott alles für sie getan hat?

Ich weiß, dass du das willst. Freunde, wir haben die Lösung! Verlangt die Liebe nicht, dass wir sie mit ihnen teilen, damit sie wissen, dass ihre Schuld beglichen ist? Gott hat uns nicht den Auftrag gegeben, zu verurteilen, sondern einen *„Dienst der Versöhnung“* auszuüben, und er hat uns eine Botschaft des Sieges gegeben: Gott hat deine Schuld bezahlt! *„Alles aber von Gott, der uns mit sich selbst versöhnt hat durch Christus und uns den Dienst der Versöhnung gegeben hat, wie denn Gott in Christus* *war, und die Welt mit sich selbst versöhnte, ihnen ihre Übertretungen nicht zurechnete und in uns das Wort von der Versöhnung gelegt hat.“* (2. Korinther 5,18-19)

Lasst uns also Botschafter für Christus sein.

Lasst uns hinausgehen, anstatt in unserer christlichen Blase zu bleiben.

Wenn ich auf YouTube nach christlichen Videos suche, sehe ich hauptsächlich zwei Arten von Videos, die im Trend liegen: christliche Predigten, die entweder Disneyland („Hey, komm und feiere mit uns!“) oder Weltuntergänge („Es ist das Ende der Welt!“) anbieten. Selten findet man den liebevollen und flehenden Dienst der Liebe, der Menschen in das Haus des Vaters einlädt und Schritt für Schritt das Evangelium und das, was Gott getan hat, erklärt.

Ich habe den Eindruck, dass wir entweder wie Lot oder wie Jona sind. Lot tanzte mit den Verdammten, während Jona auf den hohen Berg ging, um das Gericht über Ninive kommen zu sehen. Meine Freunde, beides ist falsch! Warum sind wir nicht zutiefst besorgt darüber, was mit ihnen allen ohne Christus geschehen wird? Wann hast du das letzte Mal über das ewige Schicksal deines Nachbarn oder deines Freundes in der Schule und deines Kollegen auf der Arbeit geweint? Oh, dass der Herr unsere Gefühle für unsere Mitmenschen auffrischen möge, damit wir den Ruf wieder hören: *„Rette die, die zum Tode geschleppt werden; und die zur Schlachtung hinwanken, halte sie doch zurück!“* (Sprüche 24,11)

Eine tote Welt braucht dich.
Onoda muss von dem Sieg hören.

Eine schlafende Kirche braucht dich

„Wir sind nur eine Person von der Erweckung entfernt … und das bist du.“ Ich predigte in einem wunderschönen Café mit etwa hundert jungen Menschen um mich herum, als diese Worte aus meinem Mund kamen. Und während ich sie aussprach, wurden sie für mich noch realer. Bei Gottes Werk geht es um eine einzelne Person nach der anderen.

Und diese Person bin *ich*.

Diese Person bist *du*.

Gott bewirkt Veränderungen immer von innen heraus, deshalb muss die Erweckung im *Inneren* der Kirche beginnen und bei denen, die den Schmerz der zerrütteten Situation am meisten spüren.

Das bedeutet, dass du, wenn du dieses Buch liest, wahrscheinlich genau in der Position bist, die Gott sich von dir wünscht – nämlich *deine Liebe* zur Kirche einzusetzen, um die Kirche zu verändern.

Aber warum brauchen wir Erweckung in der Kirche?

Ganz einfach: Die Welt wird das Licht Gottes niemals sehen, wenn es kein Licht gibt. Und wir sollen dieses Licht sein. Im Moment ist Christus physisch nicht in der Welt (Johannes 17,11), also kann die Welt das Licht in seiner Person nicht sehen. Die einzige Möglichkeit für die Welt, das Licht zu sehen, ist in und durch die Kirche. (Offenbarung 1,12) Aber wenn dieses Licht unter den Scheffel gestellt wird, kann es für die Menschen in der Welt nicht leuchten. (Matthäus 5,15) Das Licht der Kirche ist ihr Zeugnis.

Das Zeugnis der Kirche ist die *Liebe*. (Johannes 13,34-35)

Und diese Liebe Gottes zeigt sich, wenn sein Leib (die Kirche) anderen liebevoll die Hand reicht. Wenn wir schwach sind und in der Dunkelheit der Spaltung und Uneinigkeit wandeln, sieht die Welt das Licht Gottes nicht. Wenn unsere größte Sorge darin besteht, ob der LED-Bildschirm 10 oder 11 Zoll groß sein soll oder ob die Taufe durch Besprengen, Ausgießen oder Untertauchen erfolgen soll – dann sieht die Welt nicht das Licht Gottes.

Und verlorene Menschen bleiben verloren, weil die Kirche nicht in der Lage ist, der Welt die Liebe Gottes zu zeigen.

Deshalb müssen wir zu unserer ersten Liebe zu Christus zurückkehren. Wegen dem, was er für uns getan hat, und wegen dem, was er ist. Wenn wir das wirklich verstehen, und zwar tief in unserem Innersten, dann wird eine erstaunliche Kraft der Erweckung entfesselt werden.

Liebe ist eine mächtige Quelle. Sie hilft uns, schwierige Dinge zu tun.

Ich erinnere mich noch daran, als ich verlobt war und für ein Wochenende zwölf Stunden fahren musste, um meine Verlobte zu sehen. Es kam mir vor wie nichts, weil ich *verliebt* war. Wenn wir die Gesetzlichkeit hinter uns lassen und anfangen zu lieben, werden die Dinge leicht und fließen ganz natürlich. Wenn wir die Liebe Christi zu seinen Geliebten sehen, ist es ein Leichtes, mit Liebe zu antworten.

Lass mich also dein Herz noch einmal erwärmen mit einem Blick auf Jesus und wie sehr er dich geliebt hat.

Ich *will* nicht frei ausgehen!

Es war die schönste Zeit in ihrem Leben gewesen. Sie war seit zwei Jahren mit ihrem Mann verheiratet und sie liebte ihn wie ihre eigene Seele. Es war eine so schöne Zeit gewesen, dass sie vergessen hatte, dass sie eine Magd und ihr Mann ein Sklave war.

Doch an diesem Morgen kam der schreckliche Tag. Ein Diener kam in ihre Hütte und sagte zu ihrem Mann: „Du sollst zum Chef kommen." Die Frau wusste, was das bedeutete. Die Jahre der Knechtschaft waren für ihren Mann vorbei. Er hatte nun die Wahl, frei zu werden oder nicht. Das Schreckliche daran war, dass sie nicht mit ihm gehen durfte, wenn er sich für die Freiheit entschied. Sie war für immer eine Magd, ihre Kinder Sklaven. Es stand im Gesetz geschrieben, dass sie nicht mitgehen durfte.

Also ging ihr Mann zum Büro des Chefs. Dort wurde ihm das Gesetz noch einmal vorgelesen:

> *„Und dies sind die Rechtsbestimmungen, die du ihnen vorlegen sollst: Wenn du einen hebräischen Sklaven kaufst, soll*

er sechs Jahre dienen, im siebten aber soll er umsonst frei ausziehen. Falls er allein gekommen ist, soll er auch allein ausziehen. [...] Falls er Ehemann einer Frau war, soll seine Frau mit ihm ausziehen. Falls ihm sein Herr eine Frau gegeben und sie ihm Söhne oder Töchter geboren hat, sollen die Frau und ihre Kinder ihrem Herrn gehören, und er soll allein ausziehen. Falls aber der Sklave sagt: Ich liebe meinen Herrn, meine Frau und meine Kinder, ich will nicht frei ausgehen!, so soll ihn sein Herr vor Gott bringen und ihn an die Tür oder an den Türpfosten stellen, und sein Herr soll ihm das Ohr mit einem Pfriem durchbohren; dann soll er ihm für ewig dienen." (2. Mose 21,1-6)

Wie würde er sich entscheiden? Die Frau zitterte vor Angst in ihrer Hütte. Würde er die Freiheit oder die Liebe wählen? Wie tief reichte seine Loyalität wirklich? Dort draußen würde er sicher eine andere Frau finden. Aber was war mit den Kindern? Was war mit ihrer Seele? Was war mit der Liebe?

Die Tür flog auf und da stand er.

Sein Gesicht war friedlich und voller Liebe wie immer, aber etwas hatte sich verändert. Während sie auf seine Antwort wartete, entdeckte sie das Loch in seinem Ohr. Die Entscheidung war gefallen. Er war durchbohrt worden und Blut war geflossen.

Ihr Mann sollte für immer bleiben.

Kannst du dir die Liebe vorstellen, die das Herz dieser Frau erfüllte?

Weißt du, was Gott dir durch dieses Bild sagen will? Der hebräische Knecht ist Jesus Christus. Er wurde zum Knecht für dich und mich: *„Aber er entäußerte sich und nahm Knechtsgestalt an, indem er den Menschen gleich geworden ist, und der Gestalt nach wie ein Mensch befunden."* (Philipper 2,7)

Er hätte dich und mich hier auf der Erde zurücklassen können, ohne für uns zu sterben, aber weil er seinen Vater liebte, seine Braut liebte und uns als seine Familie haben wollte, nahm er freiwillig das Kreuz auf sich. Seine Hände wurden durchbohrt und für immer vernarbt, um dir und mir zu sagen: „Ich liebe dich. Ich werde nicht frei ausgehen!"

Ich will nicht frei ausgehen.

Dieser Schrei hat die Herzen der Diener Gottes schon immer bewegt.

Gott bot Mose an, ein großes Volk zu schaffen und das Volk Israel zu vernichten. Und Mose rief aus: „Ich werde nicht frei ausgehen! Töte lieber mich als das Volk!"

Paulus hätte Israel vergessen können. Gott hatte ihm die Herrlichkeit eines anderen Volkes offenbart: der Kirche. Aber Paulus sagte: „Ich will nicht frei ausgehen! Ich will lieber für Israel verflucht werden. Ich werde in jede Synagoge gehen und mich steinigen lassen, damit ich mein Volk retten kann."

John Knox hätte in Genf bleiben können. In Sicherheit. Er hätte seinen Mund halten können und hätte das Evangelium nicht zu predigen brauchen. Aber wie viele Menschen wären dann für immer verloren gewesen? John Knox betete: „Gib mir Schottland oder ich sterbe."

Ich will nicht frei ausgehen.

Mein Freund, willst du dich in die Reihe der Soldaten Gottes einreihen, die von der Liebe zu ihren Mitmenschen angetrieben wurden? Der Apostel Paulus beschreibt es wie einen Wettlauf. Er sieht sich selbst ins Stadion einlaufen und er wartet auf seine Krone. Auch auf dich wartet eine Krone. Es wird nicht einfach sein, dieses Rennen zu laufen, aber es lohnt sich. Es ist es wert. Ich möchte dich ermutigen: Lauf dieses Rennen!

Ich freue mich auf den Moment, in dem ich dich in den Katakomben des Stadions treffe, dir in die Augen schaue, gemeinsam mit dir lache und sage: „Was für eine Story. Du hast es geschafft!" Und ich freue mich darauf, dich in das Stadion laufen zu sehen, während der ganze Himmel jubelt, und zu sehen, wie du deine Krone bekommst und sie zu den Füßen Christi niederlegst.

Stell dir mal diese Szene vor: Wenn du das tust, wirst du nichts anderes sehen als eine Krone und zwei durchbohrte Füße. Die Füße desjenigen, der sagte: „Ich will nicht frei ausgehen!", und die Krone desjenigen, der sagte: „Ich auch nicht!" Deine Krone wird die Antwort auf das sein, was diese Füße auf der Erde getan haben.

Am Ende dieses Kapitels – und auch dieses Buches – steht also eine Entscheidung an, die wir treffen müssen: Willst du dein Leben *leben* oder dein Leben *geben?*

Im letzten Jahrhundert standen zwei Brüder vor der gleichen Entscheidung. Sie lebten beide ein bemerkenswertes Leben, aber aus sehr unterschiedlichen Gründen. Beide kamen aus England und beide hatten Pläne, nach Übersee zu gehen. John ging nach Kanada und kam dort richtig groß raus. Als er starb, konnte man Folgendes in der Zeitung lesen.

> *Der verstorbene John Livingstone war bei seinem Tod der reichste Mann in Perth County, Ontario. Sein Vermögen wird auf 500.000 $ geschätzt. Darüber hinaus war sein Leben mit 500.000 $ versichert.*

Große Zahlen für damalige Verhältnisse, doch heute kennt niemand mehr den Namen John Livingstone. Aber vielleicht hast du schon von seinem Bruder David Livingstone gehört, dem berühmten schottischen Missionar und Entdecker. David Livingstone lebte ein völlig anderes Leben – und starb arm und allein irgendwo in einer Hütte in Afrika.

Wie es seine Gewohnheit war, hatte er auch in der Stunde seines Todes auf den Knien vor seinem Bett gebetet. Dort wurde er schließlich von einem kleinen Jungen gefunden. Er war in den Armen seines Gottes eingeschlafen. Er hatte kein Geld, aber er war reich in Bezug auf Gott und Menschen. Die Afrikaner nahmen den Leichnam und beschlossen, ihn durch ganz Afrika zu tragen. Wenn du dir mal eine Karte von Afrika anschaust, wirst du merken, was für ein Akt der Liebe das war. Sie brachten seinen Leichnam bis zur Küste und von dort wurde er nach England gebracht, wo er jetzt in der Westminster Abbey begraben ist. Er ist für immer in der Geschichte der Kirche verankert!

Doch bevor die Afrikaner ihn auf das Schiff nach England brachten, sagten sie: „Der Körper gehört nach England, sein Herz gehört nach Afrika." Und so begruben sie sein Herz auf afrikanischem Boden.

Mein Freund, wie John und David hast auch du eine Wahl zu treffen. Du kannst für die Welt leben, so wie John, oder für den Himmel, so wie David. Du kannst die Dinge dieser Welt lieben oder du kannst dich jeden Tag *von Gottes Liebe überraschen lassen* und somit bewirken, dass sie dein Leben für Gott verändert.

Niemand zwingt dich.

Du kannst frei ausgehen oder du kannst ein Sklave dessen bleiben, der dir gezeigt hat, wie sehr er dich liebt, indem er seinen Sohn für dich sterben ließ.

Wofür wirst du dich also entscheiden?

Die Liebe wartet.

Dein Leben wird die Antwort sein.

Geliebt jetzt und bis zum Ende

Dein Leben muss keine Heldengeschichte sein – und doch kann es eine Antwort auf Gottes Liebe werden.

Lass mich dir zum Schluss noch erzählen, wie Inas Geschichte weiterging.

Ina – das kleine Mädchen vor dem Weihnachtsbaum, das sagte: „Nichts wünschte ich mir mehr, als endlich echt und ehrlich sein zu können und trotzdem geliebt zu werden."

Bevor ich das tue, möchte ich dir noch einmal sagen, dass ich von ganzem Herzen dafür bete, dass dieses Buch dir hilft zu verstehen, wie sehr Gott dich liebt.

Individuell. Persönlich. Intim.

Ich hoffe, dass die Lektüre dieses Buches dir neuen Mut schenkt, andere zu lieben und sie so anzunehmen, wie Christus dich angenommen hat. Für die Kirche zu arbeiten, wird dir neue Energie verleihen, sei es auf lokaler Ebene oder in einem Dienst über viele Konfessionen hinweg.

Überdies hoffe ich, dass dieses Buch dich positiv herausfordern wird. Wenn ich sehe, wie die Botschaft von der „Furcht des Herrn" das Leben vieler Menschen bereits verändert hat, bin ich gespannt, was Gott mit diesem Buch über Gottes Liebe in unserer Gemeinde tun wird. Nicht die Buchverkäufe sind wichtig, sondern die Veränderung der Herzen.

Zurück zu Ina: Ina war einer der Menschen, die von meinem letzten Buch tief berührt wurden. Am 31. Dezember 2021 schrieb sie mir eine Nachricht auf Instagram:

„Du hast mein Leben 2021 nachhaltig beeinflusst und dein Buch hat meine Sicht auf Gott grundlegend verändert!"

Ich war ganz erstaunt, wie Gottes Wort sie in die Nähe eines furchterregenden und doch liebenden Gottes gezogen hatte. Und dann hörte ich lange Zeit nichts mehr von Ina.

Aber Ina wuchs immer tiefer in die Liebe zu dem erstaunlichen Gott hinein. Sie hatte einen großen Durst danach, ein von Gott bestimmtes Leben zu führen. In jeder freien Minute verschlang sie die Bibel und verlor immer mehr den Geschmack an irdischen Vergnügungen wie Urlaubsreisen, Partys usw. Sie hatte den Himmel geschmeckt und die irdischen Dinge verblassten. Sie war in Gott verliebt.

Oleg, ihr Ehemann, hatte eine andere Haltung. Obwohl er Christ ist, war er mit Arbeit, Hobbys, Kirche und Familie beschäftigt. Der Fokus lag eindeutig „hier unten". Ina betete, dass ihr Mann Oleg die gleiche Nähe zu Gott erfahren würde wie sie.

Eines Tages ging sie zu einer Konferenz und teilte ihr Zeugnis mit einigen Frauen. Es berührte viele tief, zu sehen, wie der Herr ein liebeshungriges, zielstrebiges Mädchen in seine Arme gezogen hatte, um Ina zu zeigen, wofür sie geschaffen war: um geliebt zu werden. Am darauffolgenden Sonntag wollte sie das gleiche Zeugnis in ihrer Kirche geben: *Wir sind geschaffen, um geliebt zu werden. Um in Intimität mit Gott zu leben.*

Aber sie schaffte es nie auf die Kirchenbühne.

Am Sonntagabend bekam ich eine E-Mail. Nicht von Ina. Sondern von ihrem Mann Oleg.

Ina lag im Sterben.

In dieser E-Mail erzählte mir Oleg, wie sie sich im Laufe der Jahre verändert hatte, aber auch, wie er selbst eine tiefere Vertrautheit mit Christus gemieden hatte. Und jetzt war sie nicht mehr ansprechbar. Zumindest sah es so aus.

Vor dem Gottesdienst war sie auf die Toilette gegangen und dort hatte eine andere Frau sie auf dem Boden liegend gefunden. Zwei Rettungskräfte aus der Gemeinde hatten alles gegeben, um sie wiederzubeleben, und sie hatte wieder zu atmen begonnen. Leider ohne das Bewusstsein wiederzuerlangen.

Da lag sie nun – im Krankenhaus. Bewusstlos. Ihr Zeugnis hatte sie nicht mehr erzählen können.

Aber Ina wurde geliebt. Gott sah sein kleines Mädchen. Denn er ist ein Gott, der uns sieht.

Zum Erstaunen aller weckte Gott sie zwei Tage später noch einmal auf. Oleg konnte sich an ihr Bett stellen und Ina durfte miterleben, wie ihr Mann den Herrn in seiner tiefen Liebe fand. Tränen kullerten über ihre Wangen, als sie ihren Lieben in die Augen sah.

Ina war angekommen.

Auf dem Weg zum letzten Gottesdienst hatte sie noch gesagt, dass sie in einer Blase sei, aus der sie nicht mehr raus wollte.

Sie hatte ihre Bestimmung gefunden: von Gott geliebt zu werden.

Die Ärzte und das ganze Team versprachen vollkommene Wiederherstellung. Aber nachdem sich ihre Liebsten von ihr verabschiedet hatten, verschlechterten sich ihre Lebenszeichen. Die Ärzte eilten in den Raum und Ina verlor das Bewusstsein.

Es war Zeit, nach Hause zu gehen.

Ina verließ ihren Körper, um bei Christus zu sein.

Eine Wärme umgab sie. Sie war nicht minderwertig. Reine Vollkommenheit und eine unvergleichliche Liebe schaute durch ihre Augen in ihre Seele und sagte: Ich liebe dich.

Hier, für immer, würde sie „echt und ehrlich sein und trotzdem geliebt werden".

Mein geliebter Freund, du brauchst nicht auf den Moment zu warten, in dem du in Christi Gegenwart sein wirst, um diese Liebe zu erfahren. Ina erkannte das, *bevor* sie zu Christus ging.

Das kannst du auch.

Bitte schließe jetzt das Buch.

Sieh zum Himmel auf.

Lächle.

Und bete den Vater an.

Du bist geliebt. Wirklich.

Du bist geliebt. Wirklich.

Endnoten

1 Josh McDowell, The Porn Phenomenon: The Impact of Pornography in the Digital Age, Barna Group; 1st edition (January 1, 2016): S.160 – andere Quellen legen einen Wert von 50% nahe

2 https://research.lifeway.com/2021/06/14/are-christian-teens-influencing-or-being-influenced-by-the-world/#:~:text=On%20struggles,Christian%20teens%20struggle%20with%20pornography. [abgerufen am 09.02.2023]

3 Newport Academy. The Mental Health Effects of Teenage Cancel Culture. https://www.newportacademy.com/resources/mental-health/teenage-cancel-culture/ [abgerufen am 09.02.2023]

4 https://www.bbc.com/news/world-33362387 [abgerufen am 09.02.2023]

5 Die Bibelstellen sind der Übersetzung Hoffnung für alle® entnommen, Copyright © 1983, 1996, 2002, 2015 by Biblica, Inc.®. Verwendet mit freundlicher Genehmigung des Herausgebers Fontis.

6 John Fox: Buch der MärtyrerÜS © Waldemar Heinle und Werner Mücher

7 Porneia ist ein griechisches Wort, das im Wesentlichen „unerlaubte sexuelle Aktivität" bedeutet und laut verschiedenen Altgriechisch-Wörterbüchern schließt das eindeutig Sex vor/ohne Ehe mit ein.

8 Daniel 5,25

9 Why I Hate Religion, But Love Jesus || Spoken Word https://www.youtube.com/watch?v=1IAhDGYlpqY

10 Keller, Helen. Die Geschichte meines Lebens. Vachendorf : Phoemixx Classics Ebooks, 2022. [abgerufen am 09.02.23]

11 Wortneuschöpfung.

12 Der Bibelvers aus 1. Mose 2,16-17 folgt dem Bibeltext der Schlachter. Copyright © 2000 Genfer Bibelgesellschaft. Wiedergegeben mit freundlicher Genehmigung. Alle Rechte vorbehalten.

13 Hervorhebungen vom Verfasser dieses Buches.

14 Und all meine Sünden wurden weggewaschen, weggewaschen. Du hast sie alle weggenommen, es gibt keine Spur mehr davon. Ich stehe hier vollkommen frei, mit einer fleckenlose Weste für immer weggewaschen

15 Chalke, Steve, und Alan Mann. The Lost Message of Jesus. Grand Rapids: Zondervan, 2003, S. 182-183.

16 Hervorhebung vom Verfasser dieses Buches.

17 Übersetzung des Gedichtes:
An meiner statt | nahm er die Schuld, das Elend | An meiner statt, | litt er stille Qualen | Und in diesem letzten Atemzug, | starb er allein den Tod des Sünders | An meiner statt

18 An meiner Stelle nahm er die Schuld und das Elend auf sich | An meiner statt litt er stille Qualen | Und in diesem letzten Atemzug | starb er allein den Tod des Sünders | An meiner Stelle

19 Wird in „Überrascht von Furcht" erklärt

20 „Great Survival Stories: The Japanese Soldier Who Refused to Believe the War was Over" https://explorersweb.com [abgerufen am 09.02.23]

Dank

Die Crosspaint Family: Eure Gebete, Inputs und Spenden haben das Buch möglich gemacht! Henni, für deinen unerschütterlichen Beistand in der schwersten Zeit unseres Lebens.
Corny, mein Waffenträger, für deine kreative und unermüdliche Unterstützung.
Nico, dass du uns alle immer wieder eindringlich an die Deadlines erinnert hast.
Joas, dass du mir den Rücken freigehalten hast.
Jesse, für die Feinabstimmung der Botschaft während des Schreibprozesses.
Jonny, für deine Mitarbeit im Lobpreis, der diesen ganzen Prozess befeuert hat.
Jannik, für die guten Gespräche und deine Brainpower!
Tim, für die Illustrationen im Buch und deine praktische Hilfe.
Tom, GT und Felix für die tatkräftige Unterstützung.
Sylvia, Marianne und Becky, für eure helfenden Hände, wann immer sie gebraucht wurden.
Caro, Johanna und Katrin für eure detaillierten Korrekturen und klugen Ergänzungen.
Markus, Andre, Heinrich, Wolfgang, Peter, Friedhelm, Thorsten und andere, für eure wertvollen Verbesserungsvorschläge.